D0719330

REIK

Dag voor nacht

Bij De Harmonie verschenen van Frederick Reiken:

De godenzee
De onzichtbare wereld

FREDERICK REIKEN

Dag voor nacht

Vertaling Jan Fastenau

De Harmonie
Amsterdam

Voor Cailin

'Dit netwerk van tijden die elkaar naderen, zich splitsen,
elkaar snijden of elkaar eeuwenlang onbekend zijn,
omvat álle mogelijkheden.
In het merendeel van die tijden bestaan wij niet;
in sommige bestaat u, en ik niet; in andere ik, niet u;
in andere wij beiden.'

Jorge Luis Borges

I

Een ander gisteren

'Ze zitten hier ergens,' zei onze gids toen we langzaam de Homosassa River opvoeren. Het was laat in de middag op een zachte, zonnige winterdag. Mijn vriend David, zijn zoon Jordan en ik droegen een duikpak dat we samen met snorkelapparatuur hadden gehuurd. Ze hadden ons verzekerd dat er al de hele dag een groepje van vijf overwinterende lamantijnen in de U-bocht van de rivier rondgraasden.

'Daar!' riep Jordan en hij wees. Aan de overkant waren twee zeerobachtige koppen uit de rivier opgedoken.

'Daar heb je ze,' zei de gids. Hij zette de motor uit en wierp een klein stalen anker in het grijsblauwe water.

We waren in Tampa voor een van Davids congressen. We hadden over de Homosassa River gehoord, een uur rijden naar het noorden en een van de weinige plekken op aarde waar je met wilde lamantijnen kon zwemmen. Ik had gemengde gevoelens over de onderneming, maar we hadden Jordan bij ons, die dertien was en zich buitengewoon landerig en bedrukt door de drie dagen van het congres had geslagen.

Omdat de directe aanleiding van Jordans chagrijnigheid niet aanwijsbaar was, weet ik die maar aan de zwaarwegender kwestie die ons zo onontkoombaar boven het hoofd hing. Een halfjaar eerder was er leukemie bij David geconstateerd. De laatste tijd was er sprake van een remissie, maar de symptomen zouden waarschijnlijk niet langer dan een jaar wegblijven. Jordan was nog niet op de hoogte gebracht van die prognose, maar uit zijn vaders kale hoofd en uitgemergelde lijf bleek duidelijk genoeg dat er iets ontzettend was veranderd. Deze driedaagse reis was ook de eerste keer dat Jordan of ik met David mee waren gegaan naar een congres. Misschien was het geen geldverspilling geweest, ook al hadden Jordan en ik het grootste deel van de tijd backgammon gespeeld op onze motelkamer terwijl David over zijn voordracht zat te tobben.

In onze huurauto waren we naar het dorp Homosassa gereden, meteen nadat David eindelijk zijn lezing had gehouden over de laatste tendensen in de populatiefluctuaties van de langstekelige zwarte zee-egel. Tijdens de rit gaf ik David mijn indrukken van zijn lezing terwijl Jordan ons beiden buitensloot met zijn Sony walkman. Hij was tenslotte dertien. Op een of andere manier had hij het gered. Zijn moeder was gestorven toen hij zes was, maar hij was er min of meer ongedeerd doorheen gekomen. Ik schreef dat toe aan Davids lieve, zorgzame karakter en gaf ook schoorvoetend een compliment aan de twee ontluikende postdoctorale studentes mariene biologie van in de twintig die hij meer dan had begeleid bij hun proefschrift. Dat was in de jaren tussen de dood van zijn vrouw Deborah en onze eerste ontmoeting, die plaatsvond toen hij Jordan met een amandelontsteking naar mijn praktijk bracht. Het duurde drie jaar voor we aan trouwen begonnen te denken, maar toen kwam zijn leukemiediagnose en begonnen we te denken over mijn plan om Jordan te adopteren als David zou overlijden.

Dat schoot door mijn hoofd toen Jordan de rivier in sprong. Hij mocht me nu graag, maar ik vroeg me af of hij me nog steeds zou mogen als ik zijn moeder was. Ik vermoedde dat de studentes meer zusterlijk dan moederlijk waren geweest en dat dat misschien een minder gewaagde onderneming was. Ik vermoedde ook dat ik totaal niet op Deborah leek. Ze was danseres geweest. David had eens verteld dat ze de neiging had om gigantisch te verdwalen als ze autoreed. Ze ging soms naar de winkel voor melk en was dan een uur bezig om thuis te komen.

Jordan zwom rustig naar de dichtstbijzijnde lamantijn en dook onder, alsof hij een paar happen van de waterplanten ging nemen die op de rivierbodem groeiden. Toen hij weer bovenkwam gleed een van de lamantijnen naar hem toe en leek aan hem te snuffelen. In een mum van tijd scheen hij als nieuw lid tot de kudde te zijn toegelaten.

David volgde Jordan het water in. Met dezelfde natuurlijke vaardigheid die Jordan van hem had geërfd werd ook hij snel door de lamantijnen verwelkomd. Een minuut of twintig keek ik toe hoe ze met die drijvende teddyberen rondzwommen. Een van de zeekoeien scheen voortdurend te willen dat David hem aaide. 'Ga er ook in,' zei onze gids, een lange magere jongen van begin twintig, zo op het oog. Hij had blond haar en een pukkelig gezicht en ik had gemerkt dat hij telkens naar mijn borsten gluurde.

Ik zei: 'Ik weet niet zeker of ik wel wil.'

'Waarom niet?' vroeg hij.

Ik gaf geen antwoord. Het lag me op de lippen om hem te vertellen dat ik als kind in een dorpje in het oosten van Polen had gewoond waar we geen zeezoogdieren hadden en dat ik eens een dode man op zijn buik in de rivier de Bug had zien drijven. Maar dat zou melodramatisch zijn geweest. De waarheid was dat ik bang was dat de lamantijnen me niet net zo zouden verwelkomen als David en Jordan. Dat ze een bepaalde, problematische energie in me zouden bespeuren of, erger nog, dat ik doodsbang voor ze zou zijn. Bij wijze van rationalisatie voerde ik diverse argumenten aan van milieubeschermers tegen het cultiveren van interactie met wilde dieren. Die varieerden van ethische problemen aangaande ecotoerisme tot de risico's die lamantijnen kunnen lopen doordat ze mensen in hun nabijheid tolereren. Het kwam natuurlijk ook bij me op dat ze lang geleden waren getemd, dat ze echt heel meegaand waren van karakter en dat ik bovendien nooit van mijn leven mooiere schepsels had gezien.

Dus ging ik het water in met mijn gehuurde duikbril, zwemvliezen, snorkel en te kleine duikpak. Ik zwom veel minder zelfverzekerd naar ze toe dan David en Jordan: ik maakte een omtrekkende beweging, ging toen op ze af en weer van ze vandaan en besloot uiteindelijk min of meer in de richting van een van de zeekoeien te zwemmen die wat apart ronddreef. Het was een verkeerde keuze, realiseerde ik me algauw. Deze lamantijn was de enige van de groep die een beetje schuw leek te zijn. Ik hield stil toen het dier terugdeinsde. Ik bereidde me erop voor dat ik als enige door de gemeenschap van lamantijnen zou worden afgewezen, maar gelukkig wendde de zeekoe zijn besnorde snuit niet van me af. Hij sloeg me gade met een onaards stoïcijnse kop. Zijn kleine oogjes leken net sterren. Hij liet zijn staart zakken tot hij bijna verticaal hing. Toen ik omlaag keek zag ik dat de staart vreselijk verminkt was, als een blad was ingesneden door de schroef van een buitenboordmotor.

Onbewust wist ik wat ik moest doen. Ik zwom weg van de lamantijn en hij kwam achter me aan. Ik deed nog een paar rustige slagen, liet me uitdrijven en keek niet om. Toen het dier naast me opdook zwom ik verder. Het bleef een minuut of zo bij me en snuffelde zelfs een keer aan me, en ten slotte wendde ik me naar hem toe. Ik zag nog meer littekens op zijn rug, waaronder eentje in de vorm van de letter Z. De lamantijn kwam naar me toe en drukte de flank van zijn lange lijf tegen mijn schouder. Toen deinsde hij weer terug, dook onder, zwom onder me door en was verdwenen.

Onze gids had verteld dat een lamantijn gewoonlijk na een paar minuten terugkomt als je blijft waar je bent en hem niet probeert te volgen. Ik watertrappelde tot zijn kop vlak bij de rest van de groep opdook. Hij bleef weg en dook weer onder toen Jordan naar hem toe zwom. Ik zag zijn kop niet meer bovenkomen, ook al bleef ik nog tien minuten wachten. Toen zwom ik terug naar de boot, met een gevoel of mijn hart op knappen stond.

Ik trok me op aan de touwladder die onze gids aan de zijkant van de boot had gehangen.

'Ze vindt u aardig, die ene,' zei hij.

'Maar ze zwom weg voor me.'

'Ze is schuw. Had ze tekens?'

'Hoezo, tekens?'

'Littekens van schroeven,' zei hij, en hij gluurde weer omlaag naar mijn borsten. Een geconditioneerde reflex, zou David zeggen. Hoort allemaal bij de voorgeprogrammeerde fysiologie van het zenuwstelsel. Hij had beweerd dat de tweede postdoctorale studente, een topzware meid genaamd Stacy Bennett, een aantrekkingskracht op hem had gehad die geweten kon worden aan het verschijnsel van de 'supranormale stimuli'. Net als de bovenmaatse schaar van de wenkkrab of de opblaasbare rode hals van de magnifieke fregatvogel. Gemakshalve vergat David maar dat die en andere supranormaal stimulerende aanhangsels die gewoonlijk in lesboeken worden aangehaald vrijwel uitsluitend bij mannetjes voorkwamen.

'O, dat,' zei ik. 'Ja, haar staart was toegetakeld. En ze had ook een litteken in de vorm van een grote Z over haar rug.'

'Dat dacht ik al,' zei hij. 'Zelda. Ze is heel schuw, zoals ik al zei.'

'Hebben jullie namen voor alle lamantijnen?'

Hij knikte en zei: 'We leren ze kennen.'

'Is dit het enige wat je doet? Mensen meenemen naar de lamantijnen?'

'Nee, mevrouw,' zei hij.

'Wat dan nog meer?'

'Ik werk op boten.'

'Als monteur?'

'Ja, mevrouw.'

'Wat is dat voor *mevrouw*gedoe?' vroeg ik.

'Gewoon beleefdheid.'

'Ben je van hier?'

'Geboren en getogen in Homosassa.' Met een schuins lachje voegde hij eraan toe: 'Mevrouw.'

'Leuk,' zei ik. Ik staarde naar zijn vagelijk Germaanse trekken.

'Ik speel ook gitaar,' zei hij. 'We hebben een band. We heten Dee Luxe. Dat komt omdat Dee de zangeres is die de band met haar vriend is begonnen. Hij drumt.'

'En hij heet Luxe?' vroeg ik.

Hij lachte weer en zei: 'Dat is Jerry.'

Jordan en David kwamen teruggezwommen. Ze waren inmiddels al zowat een uur in het water.

'Beverly, heb je ons gezien?' vroeg Jordan terwijl hij aan de touwladder omhoogklom.

'Ja zeker,' zei ik. 'Je bent in een lamantijn veranderd.'

'Misschien wel, ja,' zei hij, en het leek of hij die mogelijkheid stond te overwegen. Hij stak zijn hand achter zijn rug om zijn duikpak open te ritsen. Ik hielp hem om het van zijn schouders af te stropen en legde een handdoek om zijn nek. Jordan droeg een halsketting die hij die zomer in een speelhal in Cape May, New Jersey had gewonnen. Hij en Rocky, mijn jongste dochter, hadden allebei hun punten ingewisseld voor een hanger van gepolijste lichtgroene steen aan een dun zwart koord. Ze noemden ze 'wonderstenen', de naam waaronder ze blijkbaar op de markt waren gebracht.

'We hebben je zien zwemmen,' zei Jordan. 'Met die ene lamantijn die niet bij mij en pap in de buurt wilde komen. Zijn staart was helemaal stuk, van alle boten.'

Ik zei: 'Volgens onze gids heet ze Zelda. Ze heeft een Z-vormig litteken over haar rug.'

'En die met drie littekens op haar kop? Hoe heet die?'

'Dat moet June zijn,' zei de gids. 'De andere heten Lana, Kate en Francie.'

'Hoe weet u dat?' vroeg Jordan.

'Ik was hier vanmorgen met een andere groep,' zei hij. 'Ze kwamen naar de boot gezwommen en toen heb ik hun littekens goed kunnen zien.'

'Weet je ook wie ze zijn zonder de littekens?' vroeg ik.

'Eigenlijk niet, nee.'

Jordan zag David, die net de ladder opklom, en zei: 'Pap, we hebben met Lana, Kate en Francie gezwommen.'

'Dat is fijn om te weten,' zei David zacht, en hij schoof zijn duikbril omhoog op zijn voorhoofd. Hij liet weer een snor staan, waardoor hij net een grote, natte zeerob leek.

Op de terugtocht ging ik naast David zitten en trok hem dicht tegen me aan met mijn arm om zijn schouder. Voor het eerst in lange tijd leek hij ontspannen, sereen zelfs. Ik herkende zijn stemming. Hij was ook zo geweest na een boottochtje om walvissen te spotten dat we afgelopen herfst hadden gemaakt. Ondanks zijn wetenschappelijke analyses van de habitat van wilde organismen, ondanks de academische bureaucratie en het politieke gekonkel dat hij had moeten doorstaan, had David zijn elementaire liefde voor de natuur weten te behouden. Bij mij was die al lang verdwenen, uit me geramd toen ik in de twintig was en medicijnen studeerde, toen me werd geleerd de vele verschrikkingen te herkennen die de natuur in petto heeft. Dat zat me niet lekker, realiseerde ik me later, en misschien hoopte ik het te verhelpen door verliefd te worden op David. Maar in de drie jaar sinds we elkaar hadden ontmoet was ik niet veel ontvankelijker of softer geworden. En in de maanden sinds Davids diagnose had ik vaak het gevoel gehad – meer dan hij – dat ik het niet eens meer wilde proberen.

*

Toen we terug waren in de winkel met duikspullen gaf onze onverschrokken gids me een flyer voor zijn optreden van die avond in een plaatselijke bar. Ik bedankte hem, vouwde de flyer dicht en stak hem in mijn zak. Ik wilde tegen hem zeggen dat er medicijnen waren voor zijn acne maar hield mijn mond. Het leek niet helemaal gepast.

We aten pizza en gingen toen terug naar onze motelkamer. Het plan was om de volgende dag om zes uur op te staan, terug te rijden naar Tampa en de vlucht van halftien naar Newark te nemen. Ik regelde wat dingen per telefoon, luisterde berichten op mijn werk af, belde met twee patiënten en daarna met Jennifer en Rocky, mijn twee dochters. Rocky was een verkorting van Roxanne, een naam waar ik vroeger nogal van gecharmeerd was, god mag weten waarom. Zoals verwacht kreeg ik het antwoordapparaat. Ik sprak het telefoonnummer van ons motel in. Vertelde dat we met lamantijnen hadden gezwommen en in een dorpje logeerden dat Homosassa heette. Vroeg of ze me wilden bellen als een van hen voor tienen thuiskwam.

Jordan en ik speelden backgammon, wat een avondritueel van ons was geworden. Hij gooide dubbels in drie beurten achter elkaar en won een gammon. Omdat David niet langer in de zenuwen hoefde te zitten over zijn voordracht gaf hij me tips en suggesties voor zetten, en na die inmaakpartij liet ik David mijn plaats innemen.

Ik ging naar beneden naar de lobby van het motel. Ik haalde drie blikjes *root beer* uit een frisdrankautomaat. Op weg naar boven kwam ik David tegen die omlaag was gehold om me te zoeken. Hij zei dat Rocky aan de telefoon was, dat het dringend was. '*Nu?*' zei ik – Jiddisch voor 'En?' of 'Dus?'– wat een grapje tussen ons was geworden omdat mijn moeder het de hele tijd zei. 'En, staat mijn huis in lichterlaaie?' vroeg ik toen hij niet reageerde. Toen verklaarde hij dat mijn oudste, Jennifer, die nacht in de gevangenis zou moeten doorbrengen.

Ik ging ervan uit dat wat er was gebeurd met alcohol te maken had. Ik had het mis, zo bleek. Ze was met Alison Belle, een vriendin van haar, gearresteerd vanwege het opblazen van een brievenbus in East Brunswick. Ze hadden M-80 gebruikt, zei Rocky, wat een soort explosief was, concludeerde ik. De eigenaresse van de ontplofte brievenbus was Mildred Turner, een weinig geliefde geschiedenislerares. Toch vond ik dat raar, aangezien Jennifer zoals voor alle vakken altijd goede cijfers had gehaald voor geschiedenis.

Om de zaak nog ingewikkelder te maken had Rocky terwijl ze mij belde ook Jennifer aan de telefoon, die haar op het politiebureau had gebeld en in theorie maar één telefoontje mocht plegen. Ik dacht dat haar misschien ook wel twee telefoontjes waren toegestaan, maar in feite had ik geen zin om met haar te praten.

Ik liet Rocky mij vertellen dat Jennifer een advocaat moest hebben, dat ze overgebracht zou worden naar de jeugdgevangenis van Middlesex County waar ze de volgende ochtend pas na betaling van een borgsom vrijgelaten zou worden en dat ik werd verondersteld dat allemaal te regelen, ondanks het feit dat het bijna halfelf 's avonds was en mijn vliegtuig pas de volgende middag tegen tweeën in New Jersey zou landen. Het weinige dat ik zeker wist was dit: (1) dat Jennifer over twee maanden achttien werd en dus nog minderjarig was en er hoogstwaarschijnlijk licht vanaf zou komen, en (2) dat ik Mel Blumenthal moest bellen, mijn compagnon op de pediatrische praktijk, en hem de borgtocht voor haar moest laten regelen. Ik zei tegen Rocky dat ze die twee dingen tegen Jennifer moest zeggen en dat ik haar zou zien als ik terug was. Daarna zette Rocky me een minuut of vijf in de wacht tot ze weer aan de telefoon kwam en verklaarde dat Jennifer zat te janken.

'Waar jankt ze dan om?' vroeg ik.

'Ze zegt de hele tijd dat het een vergissing is, dat ze niet in de cel hoort.'

'Maar was ze erbij toen de brievenbus van mevrouw Turner werd opgeblazen?' vroeg ik aan Rocky.

'Jawel, maar Alison Belle is een vals kreng,' zei ze, alsof dat alles verklaarde.

'Wat wil ze dan?' vroeg ik, en het drong tot me door dat ik stond te trillen. 'Ze heeft de brievenbus van haar lerares opgeblazen en nu voelt ze zich rot omdat ze gesnapt is.'

'Ze zit te janken,' zei Rocky. 'Ze is helemaal hysterisch.'

Ik zuchtte en probeerde mijn boosheid te onderdrukken, om maar te zwijgen van de golf van ontzetting en empathie die ik voor mijn dochter voelde.

Ik zei: 'Oké, Rocky. Luister. Ik wil dat je dit tegen Jennifer zegt. Zeg tegen haar dat het allemaal goed komt en dat Mel haar morgenochtend vroeg ophaalt. Zeg tegen haar dat ik van haar hou, en dat jij van haar houdt, en dat ze niet dood zal gaan van één nachtje in een arrestantencel. Zeg dat ze een kus van me krijgt en dat ze zich goed houdt. En vraag haar dan om diep adem te halen en op te hangen.'

Ik zat weer in de wacht terwijl Rocky die boodschap doorgaf. Het duurde weer vijf minuten voor Rocky's stem terugkwam. 'Ik heb het tegen haar gezegd,' zei ze. 'Ze wil niet ophangen.'

Ergens had ik wel gedacht dat het zo zou gaan.

Ik zei: 'Dan hang ik op. Ik bel morgen vanaf het vliegveld naar huis. Zeg tegen Jennifer dat ik haar sterkte wens, oké? Ik hang nu op. Dag.'

'Wacht even,' zei Rocky, maar ik zette door. Misschien probeerde ze me opnieuw te bellen maar de lijn was bezet want ik belde meteen de politie in East Brunswick.

Ik praatte in op twee politiemannen, smeekte hen om Jennifer meteen vrij te laten onder het voorwendsel dat ze een teer zieltje had en misschien wel een zenuwinzinking kreeg. Een zekere brigadier Jones deelde me mee dat de arrestantencellen best comfortabel zouden zijn en dat Jennifer en haar vriendin er allebei uitzagen of ze wel tegen een stootje konden. Bovendien, zei hij, had mijn dochter een zeer ernstig en schokkend misdrijf begaan en misschien was een nachtje hechtenis wel net genoeg om haar tere ziel op het rechte pad te houden. Ik kon maar ternauwernood de aandrang bedwingen om grof te worden en hing op. Ik belde snel met Mel, die beloofde dat hij Jennifer om klokslag zeven uur 's morgens op borgtocht vrij zou hebben. Ik belde ook een vriendin van me die advocaat was, Lynn Burdman, die zei dat ze maandagmorgen met me mee zou gaan naar Jennifers voorgeleiding. David en Jordan zaten erbij en luisterden naar alles. Ik legde de hoorn op de haak na het laatste telefoontje van een uur lang bellen en vroeg: 'Wie wil er root beer?'

'Gaat het een beetje?' vroeg David.

'Niet zo,' zei ik.

'Ik wil wel root beer,' zei Jordan en schonk me een glimlach. Ik glimlachte terug – Jordan wist dat bij je gedaan te krijgen – en gooide hem een van de blikjes toe die ik op bed had gelegd. Ik stemde in met nog één spelletje backgammon en legde ondertussen de situatie uit. Hij hakte me weer in de pan en verontschuldigde zich. Ik verzekerde hem dat het niet gaf.

Jordan zei: 'Neem jij de wondersteen maar vannacht.' Hij trok het zwarte koordje over zijn hoofd.

'Dank je wel,' zei ik en deed de steen om over mijn T-shirt.

We deden het licht uit zodat Jordan kon slapen. Het liep tegen middernacht. David en ik gingen naar buiten voor een ommetje. Er viel niet veel anders te doen dan een rondje om het parkeerterrein te slenteren. Daarna stapten we in de huurauto. Het sloeg nergens op, maar ik begon hem te kussen, wat twintig seconden of zo duurde, waarna ik in huilen uitbarstte. Toen drukte David me tegen zijn borst en vertelde me keer op keer hoe voortreffelijk ik alles had aangepakt. Ik kalmeerde na een poosje en vroeg of hij dacht dat Jennifer het er goed vanaf zou brengen in de gevangenis.

'Ze redt het wel,' zei David. 'Ze is een taaie, net als jij.'

'Maar ik red het niet zo goed.'

'Ik denk dat je morgenochtend een stuk rustiger zult zijn.'

'Zitten er tegenwoordig veel kinderen in de nor?' vroeg ik. 'Is dat normaal?'

'Het komt waarschijnlijk wel meer voor dan vroeger,' zei hij.

Ik voelde me nog steeds nalatig, schuldig aan het grootbrengen van een vroegwijs, mooi meisje dat brievenbussen opblies. En dan kon Jennifer nog goed leren, terwijl Rocky dyslectisch was en nog viel te bezien wat me met Jordan nog te wachten stond.

We gingen naar binnen en naar bed. Jordan lag te snurken, en hoewel David onder de dekens nog een paar minuten mijn rug masseerde, dommelde hij ook algauw in. Ik telde schaapjes en andere dingen die ik nooit doe. Ik probeerde mijn lichaam stukje voor stukje met een gouden nevel te vullen, maar die oude remedie werkte ook niet. Dus stond ik op, trok mijn jeans aan, liep naar buiten en leunde over de balustrade op de eerste verdieping. Doordat ik me vooroverboog voelde ik het papier in mijn achterzak. Ik trok het eruit. Dee Luxe in The Blue Ox. 22.00 uur. Toegang $5 inclusief een gratis drankje. Het adres was op een hoofdstraat waarvan ik de naam herkende. Ik ging naar binnen en vond de autosleutels. Ik knipte het licht aan en krabbelde snel een briefje voor David, al vermoedde ik dat ik in een uur weer terug zou zijn.

The Blue Ox was net zo morsig als ik had verwacht. Over de vloer lag een sedimentaire bierlaag en het ventilatiesysteem scheen niet te werken. Ik deed twee stappen naar binnen en werd door een wolk sigarettenrook en lichaamsgeur omhuld, ook al was het helemaal niet zo vol.

Het podium was vlak bij de ingang en ik zag onze jonge lamantijnengids meteen. Hij droeg een gescheurde jeans en een wit buttondown overhemd en zweette overvloedig. Zijn elektrische gitaar bungelde boven zijn dijen. Ik ging naar de bar, bestelde mijn gratis biertje en vond een plek aan een tafeltje in het kleine zitgedeelte van The Blue Ox. Vanwaar ik zat kon ik het podium niet goed zien. De geluidsinstallatie was waardeloos maar de muziek vond ik best aan te horen. Onze gids speelde prima gitaar en de zangeres, Dee, had duidelijk charisma. Ze was een stevige, sexy meid en haar grofgebekte, arrogante manier van optreden contrasteerde leuk met haar zachte, lieflijke stem. Ik vermoedde dat ze vroeger in een kerkkoor had gezongen, en nu hing ze de boze rebel uit en droeg ze een panty, sandaaltjes met plateauzolen en een geil roze minirokje. Ze paradeerde rond over het podium terwijl de lamantijnengids naar voren kwam voor een vaardige, snelle, bluesachtige solo. Toen hij achteruitstapte schreeuwde Dee: 'Timmy-de-Semi-Jimi-Birdsey op gitaar!'

Tim Birdsey. Zijn naam leek volmaakt bij hem te passen. Ze speelden nog één nummer en bedankten de stuk of twintig mensen die vlak voor hen stonden. Ze legden hun instrumenten weg en zetten de versterkers uit, en het was duidelijk dat ze klaar waren voor die avond.

Ik wilde net weggaan toen een jonge serveerster met een rattenkopje naar mijn tafeltje kwam, een Bud Light voor me neerzette en zei: 'Op verzoek van Timmy.' Ik bedankte haar en keek naar Tim, die samen met de andere leden van Dee Luxe de installatie aan het afbreken was. Een serveerster gaf alle bandleden een glaasje tequila en dat sloegen ze allemaal tegelijk achterover. Tim had een schijfje limoen in zijn mond toen hij zag dat ik naar hem keek. Hij trok het eruit en riep: 'Hé, fijn dat u er bent. Ik ben zo klaar.' Het was een opluchting om te voelen dat ik het debacle met Jennifer van me af begon te zetten, maar evengoed vroeg ik me af waarom ik op een plattelandsknul zou wachten die de hele middag naar mijn borsten had zitten gluren.

'Hoe klonken we?' waren zijn eerste woorden toen hij bij me kwam zitten. Hij had een flesje bier in zijn hand en had net een Miami Dolphins-pet opgezet.

'Goed wel, maar misschien nog niet helemaal klaar voor het grotere werk,' zei ik tegen hem.

'Dat komt wel,' zei hij, en toen lachte hij innemend. Hij leek anders, veel zelfverzekerder en laconieker.

'Het rare is dat ik wist dat u vanavond zou komen,' zei hij.

'Ben je helderziend?'

'Ik had gewoon sterk dat gevoel,' zei hij.

'Ik kon niet slapen.'

Hij vroeg: 'Hebt u ruzie gehad met uw man?'

'Nee hoor,' zei ik, zonder de moeite te nemen om hem te vertellen dat David niet mijn echtgenoot was.

Hij zei: 'Mijn moeder bleef vaak de hele nacht op als ze ruzie met mijn gestoorde vader had gehad. Hij dreigde altijd dat hij haar hersens in zou slaan met een schop als ze lag te slapen.'

Gelukkig kwam de serveerster net op dat moment bij ons. Ze had weer een glaasje tequila op haar dienblad.

Tim vroeg: 'Wilt u er ook een?'
'Nee,' zei ik.
Hij pakte het borrelglas en dronk het deze keer leeg zonder zout of limoen.
'Dat is een gewoonte van ons, als we gespeeld hebben,' zei hij. 'Maar ik hou het bij twee glaasjes. Dee en Jerry kunnen me alle twee onder de tafel drinken.'
'Dee heeft een mooie stem,' zei ik.
'Ja. Dankzij haar zouden we het kunnen maken. Maar waarom slaapt u niet goed? Last van slapeloosheid?'
Ik zei: 'Mijn dochter is gearresteerd.'
Hij scheen niet zeker te weten of hij me moest geloven of niet.
'Wegens vandalisme,' zei ik. 'In New Jersey, waar ik woon. Ze heeft samen met een vriendin de brievenbus van hun geschiedenislerares opgeblazen. Heb jij dat ooit gedaan? Een brievenbus opgeblazen?'
Na een korte aarzeling zei hij: 'Jawel, een of twee keer. Maar het was leuker om gewoon rond te rijden en ze met een honkbalknuppel omver te rammen. Bussenpolo noemen ze dat. Dan ga je uit het raam aan de passagierskant hangen –'
'Ik snap het,' zei ik, en dwong mezelf om geen andere misdrijven te bedenken die Jennifer al dan niet had kunnen begaan.
'Dat is een mooi kettinkje,' zei Tim.
Ik had de wondersteen nog om.
'Is het jade of zo? Of malachiet?'
'Nee,' zei ik, verrast door Timmy-de-Semi-Jimi-Birdseys kennis van halfedelstenen.
'Toermalijn?'
'Het is een wondersteen.'
'Een wondersteen?'
Ik zei: 'Ja. Ik moet ervandoor.'
'Maar wat is een wondersteen?' vroeg Tim.
Ik nam de steen tussen mijn vingers en hield hem naar hem op. 'Geen idee.'
Tim zei: 'Eigenlijk lijkt het meer op aventurijn.'
Ik vroeg hoe het kwam dat hij zoveel van groene stenen afwist.

'Mijn vader was een grote stenengek en toen ben ik het ook geworden. En Dee, die weet dingen over edelstenen, zoals dat jade goed is om tot rust te komen en jezelf van negatieve energie te bevrijden. Ze heeft een halsketting met jade en rozenkwarts. Rozenkwarts is goed voor creativiteit. Ze heeft een heleboel stenen in het zaaltje waar we oefenen. Er zit ook een aventurijn bij. Ze zei dat die de fantasie stimuleert. Misschien heeft degene die hem aan u heeft gegeven daarom wel gezegd dat het een wondersteen is.'

'Hij is van mijn zoon,' zei ik. 'Hij heeft hem in een speelhal in New Jersey gewonnen.'

'Nou ja, hij ziet er mooi uit.'

'Dank je,' zei ik.

'U heet Beverly, hè?' vroeg hij.

Ik zei dat dat klopte.

'Leuke naam,' zei hij. 'Ik heb ene Beverly Dupont gekend op de middelbare school. In de derde klas waren we aan elkaar gekoppeld bij biologie. We hebben eens een varkensfoetus ontleed. Maar ze leek helemaal niet op u. Het rare is dat ik het gevoel heb dat ik u gewoon kén. Misschien zijn we elkaar eens tegengekomen, in een vorig leven of zoiets. Dee heeft het altijd over vorige levens. Ze zegt dat ze ooit de dienstmeid van een tovenaar is geweest ergens in Engeland. U komt me bekend voor, bedoel ik. Ik wed dat u in sommige opzichten misschien net zoals ik bent.'

'Ik wed dat jij misschien wel dronken bent,' zei ik.

Hij schudde zijn hoofd en zei: 'Reken maar dat u het precies zou weten als ik dronken was.'

'Hoe zou ik dat dan weten?'

Hij zei: 'Dan zou ik u waarschijnlijk van alles over mijn geschifte familie vertellen.'

'Nou goed dan, Meneer Het Medium. Vertel me maar eens in welke opzichten ik allemaal net ben zoals jij,' zei ik.

'Nou, een beetje voor de vuist weg zou ik zeggen dat u te veel nadenkt,' zei hij. 'Maar dat is niet echt erg. Alleen maar vermoeiend. En ik zou ook zeggen dat u diep vanbinnen verdriet hebt. Zijn uw ouders allebei overleden toen u heel jong was of zoiets?'

'Nee,' zei ik, hoewel mijn vader naar werd aangenomen in de Tweede Wereldoorlog was vermoord, maar dat was nadat mijn moeder en ik uit Oost-Europa waren gevlucht, en we hadden altijd alleen maar verhalen gehoord. Het enige dat we echt met zekerheid konden zeggen was dat we hem nooit meer hadden gezien.

'Nou, mijn opa en mijn vader hebben zich alle twee voor hun kop geschoten,' zei hij. 'Mijn opa deed het zeven jaar voor ik werd geboren. Ik heb hem nooit gekend. Mijn vader deed het toen ik zestien was. Bij ons achter in de tuin. Ik denk dat ik daarom zo geworden ben.'

'Hoe geworden ben?' vroeg ik, beseffend dat hij me alles over zijn geschifte familie zat te vertellen.

Hij zei: 'O, van alles, maar het woord waar ik telkens bij uitkom is *zorgelijk*. Ik ben de hele tijd zo zorgelijk, al betwijfel ik of mensen die me kennen dat ook zouden vinden. Ik maak me zorgen om mijn oma en mijn moeder, die ik bijna nooit zie, en om Dee omdat we een paar keer met elkaar naar bed zijn geweest, eigenlijk wel meer dan twintig keer, misschien wel vijftig keer, en we hebben het wel aan Jerry verteld maar toch voel ik me schuldig omdat ik zeker weet dat ik het weer zal doen. Ik maak me zorgen om andere mensen en op dit moment maak ik me zelfs zorgen om u omdat uw man er behoorlijk ziek uitziet. Maar zoals ik al zei, ik betwijfel of het wel aan me te zien is dat ik me ergens druk om maak. Misschien is het eerder waakzaam dan bezorgd. Misschien is dat het wel. Ik ben altijd *waakzaam*. Misschien zie je er waakzaam uit als je je heimelijk voortdurend zorgen maakt. Klinkt dat een beetje logisch?'

'Een beetje,' zei ik, maar ik denk dat ik mild was in mijn oordeel.

'Ik wil u ergens mee naartoe nemen,' zei hij.

Ik zei: 'Sorry, maar het wordt te laat.'

'Het duurt niet lang.'

'Nee, sorry,' zei ik.

Hij zei: 'Misschien helpt het ook om in te slapen.'

Ik concentreerde me op zijn gezicht en voelde dat hij het oprecht meende. Vreemd genoeg scheen hij het echt goed met me voor te hebben.

'Moet u horen,' zei Tim. 'U kunt gewoon achter me aan rijden in uw auto. Als we op de plek zijn die ik u wil laten zien kunt u gewoon wegrijden als u niet uit wilt stappen.'

'Hoe ver is het?'

'Vijf minuten stroomopwaarts langs de rivier.'

Het was halftwee, misschien iets later.

'Oké,' zei ik.

*

Ik stond verbaasd van het heldere licht van de maan. Hij was nog maar een dag of zo niet vol meer toen hij uit een wolkenbank opdook. In het schijnsel was The Blue Ox in steen veranderd. Ik stapte in de huurauto en Tim liep over de parkeerplaats naar zijn pick-up. Hij legde zijn gitaar in de laadbak, ingeklemd tussen een paar kisten. Hij stapte in, draaide het raampje omlaag en zei: 'Oké, rij maar achter me aan.'

Ik wist nog steeds niet zeker of ik echt achter hem aan zou rijden. Ik dacht aan Jennifer en hoopte dat het haar gelukt was om in slaap te vallen. Ik moest ook aan mijn moeder denken, die meer dan eens had gejammerd dat ik door mijn volkomen geassimileerde uiterlijk vaak in 'uitermate stomme Amerikaanse toestanden' was beland. Ze doelde op mijn twee dochters en mijn ex-man, Richard, een acteur met wie ik nog geen vier jaar getrouwd was toen hij zijn biezen pakte om zijn geluk in Hollywood te gaan beproeven. We waren in 1964 in het huwelijk getreden en ik had meteen een kind gewild. Na acht zenuwslopende maanden om dat te bewerkstelligen werd ik zwanger van Jennifer, die net twee was toen Richard en ik uit elkaar gingen. Iets meer dan een jaar nadat we de echtscheidingspapieren hadden getekend, was Richard een paar dagen in New Jersey. We spraken af om wat bij te kletsen, werden ontzettend dronken, en na één nachtje met wat onbeduidende seks was ik weer zwanger, wat ik zo'n mirakel vond dat ik niets deed, alleen maar toekeek hoe mijn buik opzwol. Ik vertelde het pas na een halfjaar aan Richard, die zoals verwacht ontplofte. Ik lachte hem alleen maar uit. 'Grappig, dat het zo makkelijk was,' zei ik, en hij zei: 'Wat ben je toch een kutwijf.' Toen ik het aan mijn moeder vertelde kermde en klaagde ze en zei ze dat mijn vader ons leven niet had gered zodat ik een zondige vrouw kon worden. Ik opperde dat ze op z'n minst blijdschap kon voorwenden om binnenkort een tweede kleinkind te hebben. Ze belde later terug om haar excuses te maken, maar zoals te verwachten eindigde het gesprek weer met haar gejeremieer.

'Nou, Bev, kom je nog?' vroeg Tim, die mijn aarzeling al had gevoeld.

Ik voelde me niet bedreigd door hem, maar er was wel iets wat me nerveus maakte. 'Noem me geen Bev,' riep ik terug. Ik trok op en sloot achter hem aan.

'Rij maar achter me aan,' zei hij weer, en we gingen op weg.

Hij leidde me terug naar de weg die langs de rivier liep. We reden een paar kilometer langs het water en kwamen langs de winkel met het bord ZWEMMEN MET LAMANTIJNEN! waar we Tim die middag voor het eerst hadden ontmoet. De weg boog af naar het zuiden en de rivier verdween uit zicht. We kwamen langs citroenboomgaarden en koeien. Gezien de hoeveelheid alcohol die hij had gedronken reed Tim heel behoorlijk. Weldra zwenkten we terug en reden we weer langs de Homosassa River. Op sommige plekken liep de weg vlak boven de oeverwal. Ik vroeg me af of hij me alleen hierheen bracht om de in het maanlicht glanzende rivier te laten zien. Dat zou al reden genoeg zijn, bedacht ik, om de rivier in dit nachtelijke donker te zien dat al richting dag ging.

In een scherpe bocht van de weg zette Tim zijn pick-up stil in de berm. Hij deed de motor en het licht uit. Ik stopte ook en deed hetzelfde. 'Moet je kijken,' zei hij met zijn hoofd uit het raampje. Hij wees naar een ontbrekend stuk vangrail. Hij zei: 'Het is een paar dagen geleden gebeurd. De vrachtauto is er dwars doorheen geknald. Kijk eens in het water.'

Vlak achter de oever en bijna recht voor ons uit lagen twee lamantijnen te rusten, op een eigenaardig schuin afhellend eilandje of schiereilandje. Mijn ogen raakten gewend aan het wonderlijk verlichte donker en toen zat ik totaal onverwacht naar het dak van een gezonken draaimolen te kijken. Hij was op de bodem van de rivier blijven steken, en die liep daar zo steil af dat het bovenste gedeelte van enkele stangen en een paar paardenhoofden vlak bij de wal nog boven het water uitstaken. Behalve het bijbehorende stuk van het dak lag de rest van de draaimolen onder water.

'Ze hebben de vrachtwagen er al uitgehaald,' zei Tim. 'Die was op zijn kant terechtgekomen, maar ze hebben hem eruit getrokken. Ik weet niet waarom ze de draaimolen nog niet hebben geborgen. Het water doet het ding vast geen goed.'

Ik ontdekte nog een derde lamantijn, grotendeels onder water, die op het weggezonken gedeelte van het dak lag. En daarna dook de kop van een vierde op uit het water, achter de anderen.

'Hoe wist je dat ze hier zouden zijn?' vroeg ik.

'Ze waren hier gisteravond ook.'

Er welde iets in me op, iets raadselachtigs. Ik begon een overweldigend gevoel van déjà vu te krijgen.

'Die lamantijnen vinden het vast fijn om ergens op te steunen als ze in het water liggen,' zei Tim.

Ik zei: 'Misschien wel, ja.'

'Wil je uitstappen?'

'Ik denk het wel,' zei ik.

Hij duwde zijn portier open en stapte uit.

Ik zei: 'Hé, Tim, kun je me zeggen waarom je me hierheen hebt gebracht?'

Hij zei: 'Ik vond dat je wel een klein wonder kon gebruiken.'

Ik lachte om zijn gevatte antwoord en duwde mijn portier open. Terwijl ik uitstapte op het glanzende wegdek overwoog ik hoe ik dit allemaal aan David en Jordan kon uitleggen. Ik bedacht dat ik er waarschijnlijk voor zou kiezen om het te verzwijgen.

'Zullen we naar beneden gaan?' vroeg Tim.

'Goed,' zei ik en stapte achter hem aan. Ik kreeg het gevoel dat ik iets stoms deed, maar besefte ook dat wat stom leek juist goed zou zijn. Ietwat ongerijmd merkte ik dat ik me ook probeerde te herinneren wat de zeven wereldwonderen van de oudheid waren. Ik kwam op drie – de piramide van Cheops, de hangende tuinen van Babylon en de Kolossus van Rhodos. We kwamen bij een zandbank die wazig oplichtte in het maanlicht. 'Ken je de zeven wereldwonderen?' vroeg ik aan Tim. 'De wat?' vroeg hij. En ik zei: 'De zeven wereldwonderen. Zoals de Grote Piramide.' 'Nee,' zei hij.

We liepen verder naar de rand van het water, waar minder dan vijf meter rivier tussen ons en het zichtbare gedeelte van de draaimolen lag. Een van de lamantijnen begon onbeholpen weg te waggelen over het ondergedompelde dak tot het water diep genoeg was om te zwemmen, en opeens kregen de bewegingen van het dier iets sierlijks. Het water rimpelde in zijn kielzog, scheen te fluoresceren. En toen was hij verdwenen en liet slechts zijn kortstondige, volmaakt gladde afdruk achter op de waterspiegel. Terwijl ik daar stond voelde ik het geringe gewicht van de wondersteen. Ik moest aan Jordan denken en ik bedacht dat deze fase van zijn leven heel wonderlijk zou lijken en dat het, als David overleed, mijn zware taak zou zijn om te zorgen dat dat gevoel van wonderlijkheid niet ineenklapte, zich naar binnen keerde en tot wanhoop en hunkering vervormde. Of misschien was zo'n taak vruchteloos. Misschien was het helemaal niet mijn taak. Wat zou mijn taak dan zijn, en wat was een wonder trouwens?

A nechtiger tog, dacht ik, en toen ging er een luikje in mijn brein open.

Dat was een uitdrukking die mijn vader gebruikte. Van origine Bijbels, het was Jiddisch voor 'een ander gisteren', waarmee hij iets absurds bedoelde, iets onzinnigs of onmogelijks. De uitdrukking kon staan voor 'vergeet het maar' en was vaak sarcastisch bedoeld, maar soms ook niet. Hij placht het te zeggen als ik me zorgen maakte dat de vriendelijke pratende raven in een verhaal waar ik dol op was boos zouden worden als ik het boek uit had en dichtsloeg. Hij placht het te zeggen telkens als mijn moeder haar wens uitsprak om met ons gezin weg te gaan uit Polen en de oceaan over te steken naar Amerika.

Laat op een zomernacht, twee maanden voor we van Polen naar Litouwen vluchtten, maakte hij me wakker en nam hij me mee naar buiten om naar het licht van de volle maan over het stroomgebied van de rivier de Bug te kijken. We waren daar bij zijn broer Lejb gaan wonen nadat mijn vader zijn baan aan een gymnasium in Warschau had opgezegd, waar hij natuurkundeleraar was geweest. Nu hielp hij Lejb op diens kleine boerderij en 's avonds las hij boeken. Hij hield me bij de hand terwijl we langs de rivier liepen. De maan wierp zijn schijnsel over de weilanden ernaast. Ik had het gevoel dat het heldere licht zich wanhopig aan de aarde vastklampte. En dat met één doel: om gisteren over te doen, en ik geloofde, met het vermogen van een vijfjarige om dingen letterlijk te nemen, dat het misschien wel zou gebeuren als de volle maan maar helder genoeg scheen. Die nacht liepen we langs de rivier en bleef ik wachten en hopen dat het licht op de drempel van gisteren zou staan en er werkelijk *a nechtiger tog* zou aanbreken.

De kop van de lamantijn dook weer op. Zijn vuistgrote snuit dreef op het wateroppervlak van een diep gedeelte van de rivier pal voor ons. Ik hoorde hem uitademen. Raspende, snorkende ademtochten. Alsof de rivier zelf lucht aanzoog door zijn enorme rivierlongen en die eenzame lamantijn als mond gebruikte. Ik draaide me om naar Tim en zei: 'Zijn we in de buurt van de plek waar we vanmiddag hebben gezwommen?'

'We zijn misschien een meter of vierhonderd verder stroomopwaarts.'

Ik vroeg: 'Waarom heb je ons niet meegenomen naar deze draaimolen?'

'Het mocht niet van de baas,' zei hij. 'De eigenaar van het ding heeft hem gebeld en gevraagd om toeristen weg te houden. De lamantijnen waren trouwens stroomafwaarts, waar we ze zagen.'

'Zou dat Zelda kunnen zijn, daar recht voor ons?' vroeg ik.

Tim zei: 'Het zou kunnen. We zouden haar litteken moeten zien.'

'Of haar staart,' zei ik. Ik hurkte zodat mijn knieën over het water uitstaken.

'Gaat het?' vroeg Tim.

'Ik ben moe,' zei ik.

Terwijl ik dat zei dook de lamantijn weer onder. Er verscheen nog een gladde, stille afdruk op het wateroppervlak. Vijf seconden later dook de kop van de lamantijn verder stroomafwaarts op. Toen ging hij weer onder en was hij voorgoed weg.

'Tja, dat is echt iets voor Zelda,' zei Tim. 'Ze is niet zo sociaal.'

'Ze is waakzaam,' zei ik en stond weer op.

We bleven daar nog een minuut of zo. Het water glinsterde en een roekeloos, eigenzinnig aspect van mijn wezen smachtte ernaar om erin te duiken. Om deel te worden van de oplichtende rivier. Om dat spookachtige domein te betreden. Het scheen binnen mijn bereik te liggen, een dag voorbij alle andere, wonderbaarlijk. Maar die zou wel wachten, begreep ik. Misschien zou hij heel lang wachten.

'Zullen we weer gaan?' vroeg Tim.

Ik knikte. De malle gedachte dat ik hem een kus moest geven schoot door mijn hoofd. Ik zag ervan af, wetend dat het een dwaas, misleidend gebaar zou zijn. Ik zag er ook nogmaals van af om tegen hem te zeggen dat hij naar een huidarts moest gaan. Ten slotte haakte ik mijn arm in de zijne en vroeg of hij me naar mijn wagen wilde brengen. 'Zeker, mevrouw,' zei hij, en we klommen tegen de oeverwal op.

Op onze vlucht naar huis viel David in slaap en hield ik zijn kale hoofd in mijn schoot. Ik zat aan het raampje en keek naar de oostelijke kustlijn en probeerde te bedenken over welke staten we vlogen. Op een gegeven moment werd David wakker, gedesoriënteerd. Hij ging stram rechtop zitten en keek om zich heen. Soms werd hij zo wakker, doodsbang. Hij had eens uitgelegd dat hij soms, als hij wakker werd, heel even zeker wist dat hij was gestorven.

'We zitten in het vliegtuig,' zei ik. 'We vliegen boven een van de Carolina's.'

Hij scheen opgelucht toen hij het interieur van het vliegtuig in zich opnam. 'Hoi,' zei hij, en toen boog hij zich naar me toe, gaf me een kus op mijn wang en zei: 'Ik ben er weer.'

Ik nam zijn hoofd weer in mijn armen. Jordan zat met gesloten ogen naar zijn walkman te luisteren en nu en dan een stukje van een nummer mee te mummelen. Ik voelde me gelukkig, min of meer, of in elk geval vredig, ondanks het ophanden zijnde drama met Jennifer dat ons ongetwijfeld te wachten stond. Het was een gevoel dat ik niet gewend was. Het scheen met evenwicht te maken te hebben.

Ik vermoedde dat het ook met lamantijnen te maken had, en ik zei tegen David dat ik blij was dat we erheen waren gegaan en ze hadden gezien. Ik viel snel daarna in slaap en werd pas wakker toen we landden.

2

Jij dichtbij

Er was een kant aan Dee waar ik gek op was, en die kant aan haar zat aan het raampje terwijl we dicht bijeenkropen op de twee-na-laatste rij van een nachtvlucht van Tampa naar Salt Lake City. Haar beide handen hadden hun weg gevonden onder de dunne Delta Airlines-deken die ik om me heen had getrokken. Ik had willen proberen te slapen, maar ze had mijn jeans losgeknoopt en de rits omlaag getrokken en begon allemaal hitsige dingen te fluisteren.

Ze zei: 'Soms als we op het podium staan en jij een solo doet krijg ik aandrang om me naar je om te draaien, met mijn kont naar het publiek te schudden en je te tongzoenen.'

En dat ondanks het feit dat Jerry, al jaren haar vriend en met wie ze ook samenwoonde, onze drummer was.

Dee wist altijd precies wat ze moest zeggen om me op te geilen, en hoewel het wel degelijk mogelijk was dat ze zoiets kon fantaseren, geloofde ik niet echt dat ze dat tijdens ons optreden zou denken. Ik nam aan dat ze hoofdzakelijk aan de nummers en de tekst dacht en aan het feit dat er een kans was dat iemand ons zou ontdekken als we het met een gigantische hoop geluk allemaal konden volhouden om nog een aantal jaren bij elkaar te blijven.

Ze kon uit haar dak gaan op het podium, maar toch, de dingen waar je aan denkt zijn of de band strak is en of het publiek uit meer dan vijftien mensen bestaat. Tenminste, daar dacht ik aan, en aan het feit dat we veel te goed waren voor het circuit van studentenkroegen in West-Florida waar we nog steeds speelden. Waarmee ik wil zeggen dat ik vond dat we beroemd hoorden te zijn. Dat zeg ik niet om mezelf of om Jerry of onze bassist, Bill, of omdat ik dezelfde dingen droomde die elk lid van een rockband sinds de Beatles heeft gedroomd, maar omdat het onmogelijk was om Dee's virtuoze talent niet te erkennen.

Ze zei: 'Hé, Timmy. Timmy Bird. Gaat je vogeltje nog fluiten?'

Ik heet Tim Birdsey.

Ze zei: 'Hé, Timmy, *you play a mean guitar and always eat in the Steak Bar and love to drive your Jaguar.*'

Dat waren regels uit een song van Pink Floyd die we speelden, een stoned nummer van halverwege de jaren zeventig dat Dee had omgewerkt naar haar mooie, zwoele stem.

'Naar de wc,' zei ze en ze trok haar handen weg.

'Moet je naar de wc?' vroeg ik.

'Jij ook,' zei Dee. 'Jij moet naar de wc.'

Ik dacht na over wat Dee voorstelde, wat ook inhield dat ik aan de persoon links van me moest denken, een aantrekkelijke vrouw met donker haar die zo op het oog een eind in de veertig of begin vijftig was en nog geen woord had gesproken en evenmin liet doorschemeren dat ze wist wat we aan het doen waren. Ik wist zeker dat de vrouw wist wat we aan het doen waren en ik vroeg me af of ik het wel kon maken om om halfdrie 's nachts in een vliegtuig op te staan en met Dee langs haar heen te paraderen. Dat deed ik natuurlijk toch. Ik ritste mijn broek dicht en trok de Delta Airlines-deken weg. We stonden allebei op en ik zei: 'Neem ons niet kwalijk,' en toen stond de vrouw op om ons langs te laten. Ze zat niet te slapen of echt iets te doen, en het leek of ze net zo klaarwakker was als wij. Ik zei: 'Sorry hoor' tegen haar en de vrouw zei: 'Geeft niet.' Intussen dook Dee als een kat onder mijn elleboog door en glipte na twee snelle stappen de wc in. Ik spiedde rond of er iemand zat te kijken, maar iedereen die ik zag zat te slapen met dezelfde blauwe Delta Airlines-deken om zich heen. Ik ging achter Dee aan, telde tot tien en stapte naar binnen.

Ze had haar trui al uit; haar halsketting met het zilveren kruis hing in de gleuf tussen haar borsten. Zoals altijd droeg ze zo'n push-upbh en rook ze naar lavendel. Dat was de geur waar ze van hield, al was het geen parfum. Het was een soort speciale olie. Ze had een moedervlekje op haar rechterborst en de laatste keer dat we in bed lagen had ik er iets over gezegd en toen zei ze: 'Denk maar aan Marilyn Monroe en lik eraan.' Voor zover ik wist zat die moedervlek bij Marilyn Monroe op haar gezicht, maar ik snapte wat ze bedoelde. Ik wist echter niet zeker of Dee bedoelde dat ik haar als Marilyn Monroe moest zien of dat ik me alleen maar een beeld van Marilyn Monroe voor de geest hoefde te halen. Ik herinnerde me dat hele gesprek terwijl Dee me in het kleine wc-hokje tegen de wasbak duwde. Ik zag de moedervlek toen ik haar bh uitdeed en likte eraan.

We bleven een kwartier of iets langer in de wc van het vliegtuig. Er hing zo'n geur die je altijd ruikt in een vliegtuig-wc. Iets van stront en pis en nog iets anders. Er was wat turbulentie en Dee moest lachen. 'Een woelige wip,' zei ze, hoewel we toen al klaar waren en Dee haar trui stond aan te trekken. Ze ging als eerste naar buiten en ik wachtte een paar minuten, rook die geur en waste mijn gezicht met het lauwe water van het wasbakje. Toen ik naar buiten stapte voelde ik me al schuldig dat ik die vrouw op onze rij weer moest laten opstaan, maar ze stond al te wachten. Ze was lang. 'Je vriendin is van streek,' zei ze, en toen ik naar Dee keek zag ik dat ze met haar gezicht tegen het plastic raampje zat gedrukt om haar gesnik te dempen, en dat werkte.

De vrouw naast me vroeg nergens naar, maar toen ik weer zat wendde ik me toch naar haar toe en zei: 'Haar broer heeft een ongeluk gehad. Hij heeft zijn motor in de prak gereden en nou ligt hij in coma. Daar gaan we naartoe, om hem te bezoeken.' De vrouw knikte en zei: 'Wat vreselijk.' Toen leunde ze achterover en keek ik naar Dee en vroeg ik me af of de vrouw naast me misschien dacht dat ik zat te liegen. Ik dacht van niet, want waarom zou je zoiets verzinnen?

Het duurde vijf minuten, maar Dee kalmeerde weer en zei dat ze moest slapen. Ze trok de dunne blauwe Delta Airlines-deken om zich heen. Ze deed haar ogen dicht en ik pakte het vliegtuigmagazine. Ik knipte het leeslampje aan en loste de kruiswoordpuzzel op, waar niets aan was. Bij dat soort puzzels voel ik me altijd slimmer dan ik ben. Van tijd tot tijd keek ik naar Dee die zat te slapen en intussen bleef de vrouw links van me klaarwakker. Ze zat roerloos in het niets te staren. Ik vroeg me af waarom ik haar over Dee's broer had verteld en eigenlijk wilde ik haar nog meer vertellen. Ik vroeg: 'Waar komt u vandaan?' maar de vrouw schudde haar hoofd en maakte duidelijk dat ze geen zin had in een praatje.

Toen las ik maar een artikel over een actrice die doof was en drie kinderen had. Evengoed viel het niet mee om mijn mond te houden tegen die vrouw. Ze scheen het soort vrouw te zijn dat dingen had gezien, dat wijs was of je kon waarschuwen voor de toekomst. Waarschijnlijk zat ik haar gewoon te verzinnen. Dee zegt dat ik dat doe, de hele tijd.

Maar dit is wat ik de vrouw had kunnen vertellen. Aangenomen dat ze had willen luisteren, had ik haar alles over onze band kunnen vertellen, en dat het meisje waar ik duidelijk net mee had gerotzooid in de wc onze zangeres was, dat ze Chrissie Hynde was met een beetje Stevie Nicks en een scheutje Michael Stipe of misschien Sting. Ik had haar kunnen vertellen dat ik een paar weken geleden met Dee naar bed was geweest toen haar vriend Jerry naar Atlanta was om zijn dochter op te zoeken, en dat Dee wakker was geworden uit haar gebruikelijke onrustige slaap en overeind was geschoten. Het ging zo abrupt dat de matras schudde en ik wakker werd en vroeg: 'Wat is er?'

'Beltane,' had Dee gezegd.

'Wat?' vroeg ik.

Toen herhaalde Dee het woord en legde ze me uit dat Beltane een Keltische heilige dag was en dat de mensen die het hadden bedacht rituelen uitvoerden die waren bedoeld om te zorgen dat de doorgang van de geestenwereld naar onze wereld was afgesloten en de geesten in plaats daarvan zouden proberen hun wedergeboorte te bewerkstelligen via het lichaam van levenden. De dag viel in de lente en deelde het Keltische jaar op, samen met Samhain, dat in de herfst plaatsvond. Samhain was het tegenovergestelde. Met Samhain opende je de doorgang tussen onze wereld en de geestenwereld. Je liet de geesten rondzwerven zodat ze gelukkig waren en niet baalden als de doorgang met Beltane weer dichtging. Dee zei dat het binnenkort Beltane was. Ik vond het interessant, maar stelde voor dat we het er de volgende ochtend over zouden hebben. Dee had gezegd: 'Maar eerst moet je het snappen.' Toen legde ze uit dat de

Kelten vreugdevuren stookten en dat er koeien door de vlammen werden gedreven om de vruchtbaarheid van de kudde te verzekeren. En er was een heleboel ongeoorloofde seks, waarmee Dee, zoals ze uitlegde, seks bedoelde tussen mensen die niet wettig met elkaar getrouwd waren. Al die seks zorgde voor de doorgang waardoor geesten herboren konden worden in het lichaam van levenden.

'Wil je een biertje?' vroeg ik.

'Jezus, Timmy. Nee,' had Dee gezegd.

Ik zei: 'Ik geloof dat ik wel een biertje lust. Is dat goed?'

Dee had gezegd: 'Prima. Ga maar een biertje halen.'

Ik zei: 'Ik wil niet lomp overkomen, maar als je het over mystieke dingen wilt hebben is het fijn om een Heineken bij de hand te hebben.'

Ze zei: 'Ik heb het over mij, en over Dillon. Als het even mag.'

Ik zei: 'Ik ben zo terug,' en ging naar beneden om een biertje te halen.

Dee's echte naam is Gwendine. Haar broer Dillon is met zijn motor verongelukt toen hij keihard over een weg in Israël scheurde, langs de oever van de Dode Zee. Het had een paar weken geduurd voor zijn en Dee's steenrijke ouders hem uit het ziekenhuis in Jeruzalem over konden brengen naar Utah. Dillon lag aan een stel apparaten in een ziekenhuis in de buurt van het landhuis in Brits-koloniale stijl waar hij en Dee waren opgegroeid. Ik wist dat allemaal omdat Dee ons op een avond voor een optreden had verteld wat er met haar broer was gebeurd. Ik had het raar gevonden toen de overeenkomst tussen de Dode Zee en Salt Lake City tot me doordrong. Toen ik dat tegen Dee zei sloeg ze haar ogen ten hemel en zei ze dat ik mijn kop moest houden.

Maar toen ik die nacht met een biertje terugkwam in de slaapkamer vertelde ze me alles nog een keer en ditmaal zweeg ik over de overeenkomst. Ze deed het licht aan en zei de hele tijd: 'Beltane.' Ze zei de hele tijd: 'Jerry zou er niks van snappen.'

'Waarvan?' vroeg ik.

Ze zei: 'Ik moet naar hem toe. Ik heb hem vijf jaar niet gezien, sinds ik na de middelbare school ben weggelopen. Ik had nooit gedacht dat ik daar ooit nog heen zou gaan en nu moet ik wel, ik moet naar hem toe. Ik moet hem helpen.'

'Waarmee?'

'Je zou het niet snappen,' zei ze.

'Misschien toch wel,' zei ik.

Ze zei: 'Het is heel kwalijk.'

'Heeft het te maken met je traumatische verleden als kind?' vroeg ik.

Dee knikte. We hadden een nummer dat heimelijk ging over wat ze haar traumatische verleden als kind noemde. Het heette 'Down in the Sea of Me,' maar het was cryptisch. Je zou gewoon denken dat het een nummer over de zee was. Dee had me eens verteld dat we in bepaalde opzichten hetzelfde waren omdat mijn vader een doorgedraaide alcoholist was die gewelddadig werd als hij dronken was en allerlei dingen schreeuwde die we niet begrepen omdat hij meestal in het Duits schreeuwde. Mijn vader heeft zelfmoord gepleegd toen ik nog op de middelbare school zat. Dat was vlak nadat mijn moeder de benen had genomen naar Mobile, Alabama, met een of andere zakenman die in een Cadillac reed. De vader van mijn vader (die ook zelfmoord heeft gepleegd, lang geleden in 1954) was vlak na de Tweede Wereldoorlog van Düsseldorf naar Florida verhuisd en Dee zei dat mijn opa vast een nazi was geweest, maar daar wist ik niets van. Ik heb weleens foto's doorgevlooid om te kijken of mijn opa erop stond met een hakenkruis op een armband of misschien handen schuddend met Hitler. Ik heb nooit iets anders gevonden dan de gebruikelijke kiekjes van mensen in een fauteuil met een sigaret tussen de vingers of staande voor een meer.

Toen Dee overeind kwam van het bed waarop ze zat was ze nog steeds bloot. Ik zag de moedervlek op haar borst. Ik nam een slok bier. Ze zei: 'Timmy, ik ga naar beneden om een briefje voor je te schrijven. Dat stop ik in een envelop en die plak ik dicht en dan geef ik het aan jou in Utah als je mee wilt gaan.'

'Wanneer wil je naar Utah?' vroeg ik.

'We moeten er vóór Beltane zijn,' zei ze.

'En wanneer is dat?'

'Over twee weken.'

'En Jerry dan?'

'Jerry snapt er niks van, zoals ik al zei. Hij zal me moeten vertrouwen, of anders moet hij me maar vergeten.'

'Weet Jerry dan dat ik met je meega?'

'Nee,' zei ze.

'Krijgt hij die brief ook te zien?'

'Nee.'

Toen zei Dee: 'Timmy, luister. Je moet begrijpen dat wat ik heb meegemaakt, mijn traumatische verleden als kind, dat was niet normaal. Ik bedoel, het was geen typische mishandeling maar ze hebben met me gekloot, zeg maar.' Ze slaakte een zucht en zei toen: 'Nou ja, ik neem aan dat er met iedereen die zichzelf een Overlever noemt is gekloot. Ik denk dat ik het maar ga opschrijven in die brief.'

Ze ging de kamer uit en liep naar beneden om de brief te schrijven. Terwijl ik boven bier zat te drinken kreeg ik het gevoel dat onze band naar de haaien zou gaan door dat hele gedoe met Dee. We hadden geen Yoko-factor of een dooie drummer of een junkie in de band, dus het leek me dat degene die er de meeste schuld aan had als onze band uit elkaar viel ikzelf was. Toen moest ik denken aan het schilderij dat Dee een paar jaar daarvoor had gemaakt toen ze een zomercursus schilderen deed. Jerry vond het niks dus mocht ze het niet bij hen thuis ophangen. Dee had gevraagd of ik het wilde hebben maar ik vond het schilderij ook niks. Er stond een meisje op met een enorme veelkleurige buik, alsof ze zwanger was van al die geometrische figuren in allemaal verschillende kleuren, en de mond van het meisje was een grote wijde cirkel waardoor het eruitzag of ze stond te schreeuwen. Ik nam het cadeau aan omdat ik Dee niet voor het hoofd wilde stoten met haar schilderij. Maar ik heb het nooit opgehangen, en ik heb gewoon tegen haar gezegd dat mijn oma niet wilde dat ik gaten in de muren maakte.

Toen het vliegtuig in Salt Lake City ging landen maakte ik Dee wakker. Ze zei: 'Sorry dat ik moest huilen. Daarvóór was het leuk, vooral in de wc. Ik wou gewoon een beetje lol maken, snap je.'

Toen we van boord gingen legde Dee haar hand op mijn rug en

liep ik achter de vrouw die naast ons had gezeten. Ze was wel 1 meter 80 of zo, haast net zo lang als ik, en ze torende hoog boven Dee uit. We liepen naar de bagagehal en Dee zei dat ze zin in koffie had, dus ging ik bij de bagageband staan. Ik keek de vrouw na die door de automatische schuifdeuren naar buiten liep. Ze had alleen de bagage die ze in het vliegtuig bij zich had gehad, en toen ik haar zag weglopen had ik echt het gevoel dat ze me iets belangrijks had kunnen vertellen. Maar waarschijnlijk kwam dat gewoon doordat ik soms iets heb met oudere vrouwen. Wijs me een evenwichtige vrouw van vijftig aan met een mooi, vermoeid gezicht waar iets van liefde uit spreekt en echt, ik krijg meteen een stijve.

Toen Dee terugkwam had ik onze bagage van de band gepakt. Ze legde haar arm om mijn schouder. Het was halfzes 's ochtends. Ze zei: 'Laten we een auto huren en naar een motel gaan om te slapen. Daarna ga ik bedenken hoe ik mijn broer te zien kan krijgen.' Ik moest aan ons laatste optreden denken, vier dagen daarvoor, waarbij Jerry's drumstokken alle twee binnen drie minuten waren gebroken. Daarna dacht ik aan mijn schelpenverzameling, die ik om een of andere reden nooit heb weggedaan. Daarna hoopte ik dat we die vrouw uit het vliegtuig weer tegen zouden komen. Ik veronderstel dat mijn hersens zo raar alle kanten op sprongen door gebrek aan slaap.

We haalden een waardeloze 'compact car' van Ford op bij Avis en daarna vonden we een Sleep Six-motel, waar ik op onze kamer de gratis minichocolaatjes opat terwijl Dee een douche nam. Ik zat weer aan mijn schelpen te denken. Bijvoorbeeld waar ik dat volmaakte tulpschelpje had gevonden (op Sanibel Island). Daarna overdacht ik mijn baan als excursiegids voor een bedrijf dat 's winters roeibootjes verhuurt om lamantijnen te observeren, maar ook grotere boten voor vistochten. Het betaalde slecht maar ik vond het leuker dan boten oplappen voor die idioot Dennis in die werkplaats van hem die meer een façade was voor alle drugs die hij aan botenbezitters verkoopt. Toen kwam Dee de kamer in met haar haar omhoog in een handdoek en opwippende borsten en begon ze weer van die dingen te zeggen als in het vliegtuig. Ze zei: 'Weet je, als we op het podium staan krijg ik weleens zin om wijdbeens over je gitaar te gaan staan en dat jij me dan volpompt met die akkoordensalvo's.' Toen drukte ze me neer op bed en zei: 'Timmy, ik ben een monster.' En ik zei: 'Nee, Dee, je bent een genie.' Toen zat ze boven op me en zei: 'Timmy, je weet niet eens wie ik ben.' En: 'Je hebt echt geen idee. Timmy, je weet niet eens wie je zélf bent.'

Als ik zeg dat Dee onrustig slaapt overdrijf ik niet. Niet dat ze ligt te woelen, maar ze siddert en schokt en snuift en soms schreeuwt ze dingen. Ze ligt ook erg te knarsetanden en dat klinkt zo hard dat ik haar soms wakker maak omdat ik me zorgen maak om haar kaken. Als ik dat doe zegt ze dat ik er maar aan moet wennen. Dus wat ik bij Dee probeer te doen is wennen aan dingen waar ik normaal gesproken niet aan zou willen wennen.

Ze lag in het Sleep Six-motel op die spastische, knarsetandende manier van haar te slapen terwijl ik naar het gepleisterde plafond staarde en constateerde dat ik me zelfs na vierentwintig uur met geen mogelijkheid kon ontspannen. Voordat mijn moeder ervandoor ging met die zakenman zei ze weleens dat je slaap kon oproepen door jezelf te laten ophouden met ademen en dat je dan in- en uitgeademd werd door de reusachtige longen van God zelf, die je zal behoeden gedurende de tijd dat je je overgeeft aan de goddelijke zee. Het was de bedoeling dat ik daar rustig van werd, maar ik vond het altijd een doodeng idee om in- en uitgeademd te worden. Als je zoiets op jonge leeftijd hoort blijft de indruk die dat maakt je voor altijd bij. En daar kwamen nog de dingen bij die Dee over de geestenwereld had gezegd en over die heilige dag die Beltane heette. Ik geloofde niet echt in dingen als geesten en Gods longen, maar ik was de hele nacht op geweest en van seks met Dee word ik toch al vaak warrig, dus was het geen wonder dat ik begon te piekeren toen ik daar zo lag.

We hebben een nummer dat Dee heeft geschreven – ze heeft al onze nummers geschreven – dat 'Close You Are' heet, en in tegenstelling tot 'Down in the Sea of Me' is het niet cryptisch en gaat het niet over Dee's traumatische verleden als kind. Waar het wel over gaat is het idee dat we veel dichter bij de mensen staan die we toevallig op een willekeurige dag tegenkomen dan we denken, dat iedereen in deze wereld een smalle groef uitkerft en dat je je maar zelden ver buiten die groef waagt, ook al vind je misschien zelf dat je wereld heel groot is. En dat er andere mensen bij jou in die groeven zitten, en dat 'grooving' – althans in dit nummer – staat voor dansen met alle mensen in je groef. Het refrein van het nummer – *Close you are, grooving!* – klinkt misschien stom als je het zegt (vooral omdat de meeste mensen *groovy* verstaan in plaats van *grooving*) maar het klinkt heel goed als je het Dee hoort zingen. Ze springt als een gek heen en weer als ze het nummer zingt en je blijft lachen als je haar ziet. Het is net of ze twee verschillende mensen tegelijk is, de ene die *Close you are* zingt en de andere die invalt met *grooving!* Dan lijkt ze zo gelukkig en licht, heel anders dan bij 'Down in the Sea of Me'. Als ze dat nummer zingt krijg je het behoorlijk benauwd omdat het dan net lijkt of ze in een groot zwart gat is veranderd waar je ingezogen wordt. Dan kijkt ze gemeen en ga je denken dat iemand met zo'n gezicht je af zou kunnen maken. Zo'n gezicht blijft door je hoofd spoken en het is een hele opluchting als je naar huis rijdt en beseft dat dat gezicht alleen maar een herinnering is. Het probleem is dat je het weer wilt zien als je er maar ver genoeg vandaan bent, dat gezicht dat zo gemeen en zinnelijk en prikkelend is. Dan denk je dat je misschien wel echt bereid bent om in die zee te duiken.

Het liep tegen de middag toen Dee weer wakker werd, zich aankleedde en koffie maakte in het koffiezetapparaatje op onze kamer. Toen pakte ze de moteltelefoon, maar voor ze het nummer draaide zei ze: 'Bij mij in de familie noemen ze me Gwen.'

Ze belde naar de werkkamer van haar tante Julia, die mariene biologie doceerde aan de University of Utah en met wie ze een week eerder had getelefoneerd. Toen haar tante opnam zei Dee: 'Hoi, Julia, met Gwen. Ik ben er nu, ik zit in een motel.' Daarna luisterde ze naar wat haar tante Julia zei. Toen drong het pas tot me door: Gwen. Van Gwendine.

'Dus hij ligt in het Lakeview Hospital, in Bountiful?' vroeg Dee, en luisterde weer.

Ze zei: 'En vanavond komt er niemand? Dat weet je zeker?'

Weer luisterde ze en ik nam een slok koffie. Bij mezelf begon ik 'Close You Are' te zingen. Toen hing ze op, schonk koffie in en zei: 'We moeten naar tante Julia. Ze heeft een legitimatiebewijs dat ik mag gebruiken om mijn broer in het ziekenhuis op te zoeken.'

'Wanneer gaan we weg?'

'Zo dadelijk.'

Ik sloeg haar gade terwijl ze haar koffie dronk. Ik keek naar haar volle lippen en opeens schoot me de brief te binnen, voor het eerst sinds we uit Tampa waren vertrokken.

Ik zei: 'Dat briefje.'

Dee keek me recht aan.

Ik zei: 'Dat briefje dat je hebt geschreven toen je vroeg of ik mee wilde gaan. Je zei dat je het in Utah aan me zou geven.'

'Ja,' zei Dee. 'Ik heb het bij me, maar ik heb me bedacht toen ik het zat te schrijven. Ik heb de brief niet aan jou geschreven, maar aan mijn broer. Dat ga ik in het ziekenhuis doen. Ik ga naast hem zitten en dan lees ik hem de hele brief voor. Ik weet niet of jij wel binnenkomt en bovendien weet ik niet zeker of ik wel wil dat jij het allemaal hoort. Misschien denk je dan wel dat ik gek ben. Dat zouden de meeste mensen denken.'

'Het maakt niet uit,' zei ik, want dat is wat ik altijd tegen Dee zeg.

'Misschien ben ik wel écht gek,' zei ze.

'Hoe lang is die brief?' vroeg ik.

'Lang. Wel tien kantjes. En luister, ik heb ook een fotokopie van het hele ding gemaakt en meegenomen. Ik had gedacht dat ik die wel aan jou kon geven om te bewaren en dat er misschien een moment zou komen, als we weer thuis zijn, dat je hem zou moeten lezen. Maar nu zit ik te denken dat ik die kopie misschien aan mijn tante moet geven.'

'Aan je tante Julia?'

Dee knikte. Ze zei: 'Tante Julia is een rotwijf, maar ik vertrouw haar. Vertrouw je mij?'

Ik vroeg: 'Of ik je vertrouw? In welk verband?'

'Luister, Timmy. Ik heb thuis ook nog een kopie liggen. Hij zit in de bovenste la van mijn commode, in een dichtgeplakte envelop. Daar kun je hem vinden, als je wilt, als er iets gebeurt.'

'Wat zou er kunnen gebeuren?'

'Maak je geen zorgen,' zei ze. 'Het komt allemaal goed. Volgens Julia komen mijn ouders vanavond niet naar het ziekenhuis.'

'Waarom ben ik dan hier?' vroeg ik. 'Mag ik dat dan even vragen? Ik zeg niet dat het niet oké is. Ik zeg niet dat het een probleem is of zo, ook al ben ik straks al veertig uur op. Ik vraag me alleen maar af of je me dat zou kunnen zeggen.'

Ze zei: 'Je doet passief-agressief.'

'O ja?'

'Je kunt beter gewoon agressief proberen te doen.'

'Goed,' zei ik.

Maar toen wist ik eigenlijk niet hoe ik agressief moest doen. Ik overwoog om de piepschuim koffiebeker door de kamer te gooien, of om Dee's tas te doorzoeken, de brief eruit te pakken, mezelf in de wc op te sluiten en hem dan te lezen. Of ik kon iets zeggen in de trant van 'Krijg de tering, Dee.' In plaats daarvan nam ik een slok koffie en zei: 'Misschien zou je het gewoon uit kunnen leggen, zodat ik het snap. Ik zou het fijn vinden om wat meer uitleg te hebben over waarom ik hier ben.'

Dee keek me in de ogen maar het leek net of ze erdoorheen keek en in mijn hersens tuurde, de grijze cellen daar afspeurde of wat er verder nog aan logische onderdelen zaten om te onderzoeken. Het was een blik die ik geloof ik nog nooit had gezien, alsof een deel van haar iets probeerde te zeggen en een ander deel zei dat ze niets moest zeggen en nog weer een ander deel zei: 'Die vent is debiel' en ook nog een deel 'Down in the Sea of Me' wilde zingen. Ten slotte zei ze: 'Timmy, je bent hier om me vast te houden. Om mijn anker te zijn. Je bent hier zodat ik iemand heb die ik kan herkennen. Ik heb een taak voor je. Eén taak. Ik zal het je nu vertellen. Als ik leeg lijk, op een gegeven moment - en ik bedoel leeg alsof mijn verstand er uit is gezogen - als ik er zo uitzie of klink, dan moet je me gewoon beetpakken en me terugbrengen naar deze kamer, of naar het vliegveld, of terug naar Florida.'

'Of naar je tante, die jij vertrouwt?'

Nog terwijl dat over mijn lippen kwam besefte ik dat ik passief-agressief deed. Deze keer wees Dee me niet terecht. Ze zei alleen maar: 'Niet als ik zo ben.' Toen zei ze: 'Tussen haakjes, je stinkt. Neem alsjeblieft een douche voor we weggaan.'

Ik nam een douche en toen reden we in onze huurauto naar de universiteit. We liepen over de campus naar de kantine waar we een tafeltje in een hoek namen en op Dee's tante wachtten. Ten slotte verscheen er een slanke vrouw met blond haar van een jaar of vijfendertig, zo te zien. In tegenstelling tot Dee was ze tenger, waardoor ik vermoedde dat ze geen bloedverwanten waren. Even later wist ik het zeker. De vrouw leek me een stuk beperkter. Daar bedoel ik mee dat haar kijk op de wereld en haar mogelijkheden beperkt waren. Misschien bedoel ik dat ze 'in een smalle groef' leefde, ook al had Dee gezegd dat haar tante over de hele wereld onderzoek had gedaan, dat ze kon scubaduiken en dat ze eens deel had uitgemaakt van een expeditie waarop een nieuwe octopussoort was ontdekt. Dee had gezegd dat veel mannen het te pakken kregen van haar tante Julia, maar toen ik haar aan zag komen lopen dacht ik: ik niet. Geef mij die vrouw uit het vliegtuig maar. Of geef mij Dee maar.

Toen haar tante Julia aan ons tafeltje was komen zitten, stelde Dee ons voor. 'Dit is mijn vriend, Tim. We spelen in een band.'

Haar tante zei: 'Hoi, Tim,' en glimlachte. Ze haalde een portefeuille uit haar tas. 'Hier heb je het,' zei ze. Ze liet een rijbewijs van de staat Utah met foto zien. Julia Wilson. Ik zag de foto. Het verbaasde me dat ze op de foto op Dee leek. Althans het blonde haar en de kattenogen. Misschien was de vorm van haar tantes neus zo'n beetje hetzelfde. Julia was ook ongeveer even groot als Dee, en dus maakte het niet uit dat ze zo'n ander lijf hadden. Mensen kunnen altijd zwaarder worden.

'Je bent toch niet van plan om hem van het leven te beroven, hè?' vroeg Julia. 'Geen cyaankalipilletje in je zak?'

'Zo roekeloos ben ik nou ook weer niet, dat weet je best,' zei Dee.

'Je bent behoorlijk roekeloos,' zei Julia. 'Naar wat ik heb gehoord.'

'Ik wil hem alleen maar zien,' zei Dee. 'Even bij hem zijn. Ik heb een brief geschreven die ik aan mijn broer wil voorlezen. Ze zeggen dat mensen in coma je soms toch kunnen horen. Mensen die uit een coma komen zeggen dat ze zich dingen herinneren. Ze kunnen zich herinneren waar ze waren, en ze kunnen zich bepaalde dingen herinneren die mensen hebben gezegd.'

'Een hoop gedoe, alleen maar om een brief voor te lezen,' zei Julia.

'Dat heb ik er wel voor over.'

Julia zei: 'Hij ligt nu zowat twee maanden in coma. Het goede, verrassende nieuws is dat hij niet is overgegaan in wat ze de vegetatieve staat noemen. Dat is een diepere coma. De kans op herstel is dan kleiner.'

'Ik weet wat een vegetatieve staat is,' zei Dee kortaf. 'Ik lees weleens een boek.'

'Maar goed, je mag het rijbewijs houden,' zei tante Julia. 'Nadat je vorige week had gebeld heb ik mijn rijbewijs als vermist opgegeven, dus krijg ik een nieuw. En je ouders gaan vanmiddag naar een bijeenkomst in Provo, en vandaar willen ze naar het huis in de bergen gaan. Ze geven daar morgen een groot feest. Ik heb tegen je moeder gezegd dat ik niet kom. Niet dat ik ooit naar die feesten van hen ga. Het bezoekuur in het ziekenhuis eindigt om zeven uur, maar je kunt waarschijnlijk wel langer blijven als je een beetje met de bewaker fleemt.'

Ze keek me aan en zei: 'Je vriendin kan iedereen omflemen.'

Ik gaf geen antwoord. Toen greep Dee in haar tas en haalde er een dichtgeplakte witte envelop uit.

Ze zei: 'Tante Julia, ik wil dat je dit bewaart. Het is een kopie van wat ik aan Dillon heb geschreven. Het is eigenlijk meer een brief. Het zou fijn zijn als je hem zou kunnen lezen als ik weer weg ben. Ik weet dat je intelligent bent en dat je snapt dat sommige dingen raadselachtig zijn. Dat mensen liever denken dat sommige dingen niet echt gebeuren ook al weten ze dat ze mogelijk zouden zijn. Ik betwijfel of we elkaar ooit nog zullen zien, dus voor het geval het niet helemaal duidelijk is, ik mag je graag. Jij bent de enige geestelijk gezonde persoon in onze familie. Als ik jou was zou ik maken dat ik wegkwam.'

Julia kneep haar ogen tot spleetjes. 'Gwen, ik ken je ouders –'

'Nee, je kent ze niet.'

Ze nam de kopie van de brief aan.

'Ik werk vanavond door,' zei Julia. 'Ik zit massa's data te verwerken op mijn kamer als je me nodig hebt.' Ze stopte de brief in haar tas. Toen zei ze: 'Tot ziens, Tim. Leuk je ontmoet te hebben.' Terwijl ze opstond om te vertrekken keek ze Dee aan en zei: 'Ik heb jou ook altijd graag gemogen.'

Terug in die waardeloze Ford deed Dee haar ogen dicht voor ze de motor startte. Zo bleef ze even zitten. Toen ze haar ogen weer opendeed zei ze tegen me dat haar broer op een privékamer lag en dat je naam op een speciale lijst moest staan om tijdens het bezoekuur bij hem te mogen. Ze had dat in Tampa vernomen, tijdens haar eerste telefoontje met tante Julia. Daarom had ze Julia's legitimatiebewijs nodig.

We reden noordwaarts over de snelweg naar het ziekenhuis, dat niet in Salt Lake City lag, zo bleek, maar in een voorstadje dat Bountiful heette. Ik had Dee die naam horen noemen toen ze in onze motelkamer aan de telefoon was. Ik had me niet gerealiseerd dat het een stadje was of dat het zowaar het stadje was waar Dee was opgegroeid. Haar broer was klaarblijkelijk overgebracht van een ziekenhuis in Salt Lake City naar een ziekenhuis dichter bij het huis van haar ouders. Maar zoals Dee herhaaldelijk had opgemerkt – ze had het minstens vijf keer gezegd – waren haar ouders in Provo. Ik moet toen echt helemaal daas zijn geweest door gebrek aan slaap, want ik herinner me minstens drie verkeersborden naar het Lakeview Hospital maar het staat me niet bij dat ik het Great Salt Lake zelf ook maar één keer heb gezien.

We zetten de auto op de parkeerplaats en liepen door de hoofdingang het ziekenhuis in. Dee leek kalm en haast gelukkig, maar ik voelde me raar, een beetje labiel. Mijn hersens jakkerden van de ene gedachte naar de volgende. Ik dacht aan Julia met een scuba-uitrusting en aan Dee in een leren minirokje. Ik dacht aan Jerry, die naar football zat te kijken en Dan Marino, de quarterback van de Dolphins, de huid vol schold. Ik dacht aan dolfijnen, aan de beesten, bedoel ik. Ik dacht aan lamantijnen en toen kon ik alleen nog maar aan Dee denken, op het podium tijdens een optreden. We zouden echt, dacht ik, beroemd kunnen worden.

De kamer van Dee's broer lag op de tweede verdieping van het ziekenhuis. Toen we in de lift stapten begon ik het refrein van 'Close You Are' te zingen. Dee schudde haar hoofd naar me, moest toen lachen en viel zachtjes in, en samen zongen we:

Close you are, grooving!
Close you are, groo-ooooving
Find the groove and you can fall into the groove or
leave the groove and there you are
so close you are, groo-ooooving

Ik zong de drie akkoorden die erop volgden en speelde luchtgitaar, maar toen het refrein weer moest komen maakte Dee een stopteken met haar hand, wierp me een matte glimlach toe en keek omhoog naar de etagenummers van de lift.

'Er is niemand bij hem,' zei ze weer. 'Ze zijn allemaal in Provo, op een feest. Laten we dat niet vergeten.'

Het was of ze een groep mensen toesprak.

Ze zei: 'Laten we gewoon rustig naar binnen gaan en doen waar we voor zijn gekomen. Iedereen die het daar niet mee eens is staat het vrij om weg te gaan.'

Daarna zei ze: 'Gaan we ervoor?' maar niet tegen mij, en op dat moment stond ik trouwens aan het stopteken te denken dat ze met haar hand had gemaakt; dat was het gebaar dat ze altijd maakte als we onze langzame versie van 'Stop in the Name of Love' deden. Al waren we de laatste maanden gestopt met 'Stop' omdat onze bassist, Bill, had gezegd dat hij telkens kotsneigingen kreeg als we nummers van Diana Ross speelden, zelfs al bij eentje. Hij had gezegd: 'We lijken goddomme net een stel pooiers, jezusmina.' Later had ik aan Jerry gevraagd wat Bill bedoelde, en Jerry haalde zijn schouders op en zei alleen maar: 'Dee zegt dat we helemaal klaar zijn met dat nummer.'

De liftdeuren gingen open. Dee en ik liepen door een gang. We kwamen langs de vleugel van de intensive care en bleven recht voor ons uit kijken. 'Misschien kan ik jou ook mee naar binnen ritselen,' zei Dee, en ik zei: 'Ik?' en ze zei: 'Ja. Ik denk dat je het wel leuk zult vinden om kennis te maken met mijn broer.'

'Ik denk het ook wel, ja,' zei ik, maar mijn hoofd tolde. Het was gaan tollen door dat nummer dat we hadden gezongen en door de manier waarop Dee haar stopteken had gemaakt.

We vonden de kamer en zoals verwacht stond er een bewaker bij de deur. Dee liet hem het legitimatiebewijs zien dat ze van haar tante Julia had gekregen. Ze zei tegen de bewaker: 'Dit is mijn man.' Ze zei: 'U ziet eruit of u er al een lange dag op hebt zitten.'

De bewaker zei: 'Dat kan u wel zeggen, ja.'

Dee vuurde haar meest argeloze en stralendste glimlach op hem af en ik verwachtte half en half dat ze een couplet van 'Close You Are' zou inzetten. Toen ging het makkelijker dan de bedoeling was geweest. Hij duwde de deur open. We liepen allebei langs de bewaker de kamer van Dee's broer in. Er stonden drie stoelen naast het bed en we gingen zitten. Haar broer zat rechtop in kussens geleund. 'Dillon, ik ben het. Gwen,' zei ze tegen hem.

Er liep een litteken over zijn gezicht van wat wel dertig of veertig hechtingen waren geweest. Er liep ook een litteken over zijn schedel, die was kaalgeschoren maar waarop het haar weer begon te groeien. Zijn wangen waren ingevallen. Zijn lichaam ook. Hij woog hooguit vijftig kilo. Hij was op een apparaat aangesloten dat zijn hartslag weergaf.

Dee keek me aan en zei: 'Ik denk dat je zo meteen buiten bij de bewaker moet gaan zitten terwijl ik de brief voorlees. Ik wil contact leggen met Dillon om hem van alles te vertellen wat ik al heel lang wil uitleggen. Misschien wordt hij nooit meer wakker, maar als hij wel wakker wordt dan heeft hij misschien gehoord wat ik tegen hem wil zeggen. Sorry hoor, Timmy, maar het is zo al zwaar genoeg. Maar als je die brief echt wilt lezen dan heb ik liever dat je hem leest als we weer thuis zijn, zoals ik al zei.'

'Er ligt een kopie in je commode, hè?'

'Precies,' zei ze.

Toen bewoog Dillon zijn arm, waar ik van schrok. Hij begon te mummelen. Wat hij zei klonk als 'azalea'.

'Wat gebeurt er?' vroeg ik. 'Wordt Dillon wakker?'

Dee kneep in haar broers arm. Geen reactie. Ze schudde haar hoofd. 'Mensen in coma maken soms bewegingen, of ze praten,' zei ze. 'Soms kunnen ze zelfs lopen, maar ze zijn niet bij bewustzijn. Ze reageren niet op pijn, tenminste niet uiterlijk, en technisch gesproken kunnen ze niet horen.'

'Ga je die brief nu voorlezen?'

'Zo meteen,' zei Dee. 'Eerst wil ik dat Dilly eraan went dat ik bij hem ben. Misschien moet jij hem ook gedag zeggen. Wil je dat nu doen?'

'Hoi, Dillon,' zei ik.

Ze zei tegen hem: 'Dillon, dit is Tim. Hij is een goeie vent. We zitten in een band. Hij speelt gitaar en ik ben de zangeres. We hebben best wel goeie nummers. Maar we hebben kloteversterkers. We zouden gewoon nieuwe moeten hebben. Het is echt balen.'

'Maar één Peavey is wel goed,' zei ik. 'Dat is onze enige goeie versterker, maar onze bassist pikt hem altijd in.'

Ik keek naar Dee en ze scheen het goed te vinden wat ik net tegen haar broer had gezegd.

Ik zei: 'Hé, Dillon, ik ga weer. Ik laat je alleen met... Gwen en ga een cola halen.'

Hij bewoog weer met zijn arm. Hij leek niet erg op zijn gemak.

Ik zei: 'Ik hoop dat ze Coke hebben want dat vind ik lekkerder dan Pepsi. Als het in godsnaam maar geen Royal Crown Cola is. Dan laat ik het maar zitten en neem ik een druivensap.'

Dee knikte en ik zei: 'Tot kijk, Dillon. Misschien tot later, hè?'

Ik stond op om weg te gaan en Dee zei: 'Timmy gaat nu weg. Hij is een goeie vent. We kunnen hem vertrouwen.'

Voor ik vertrok keek ik naar Dee om me ervan te vergewissen dat ze er niet leeg uitzag. Ze staarde naar Dillon en had die matte glimlach weer op haar gezicht. Dus stapte ik de kamer uit.

De bewaker stond er natuurlijk nog. Ik groette hem en hij zei: 'Dag, meneer Wilson.' Ik vroeg waar ik een automaat kon vinden om een blikje Coke te halen. 'Dan moet u daar de trap af,' zei hij en wees naar een deur. 'Linksaf op de eerste verdieping.' Ik vroeg of er Coke in de automaat zat en hij zei: 'Coke of anders Pepsi.' Ik zei: 'Ik hoop maar dat het Coke is,' en de man zei: 'Nou ja, als het geen Coke is dan is het vast Pepsi.'

Ik bedankte de man en op dat moment kreeg ik waarschijnlijk een soort zinsbegoocheling, want ik ging naar beneden naar de eerste verdieping, sloeg linksaf en keek overal rond maar kon de automaat nergens vinden. Er kwam een man langs die een lege brancard voortduwde. Ik vroeg of hij wist waar ik een Coke kon krijgen, maar in plaats van me de weg naar de automaat te wijzen legde hij uit hoe ik bij het zelfbedieningsrestaurant van het ziekenhuis moest komen. Hij zei dat de cafetaria wel open zou zijn. Die was op de begane grond bij de zijingang van het ziekenhuis. Ik bedankte hem en liep de trap verder af, maar wat één etage omlaag had geleken bracht me niet naar de begane grond maar naar het souterrain. Ik liep rond op zoek naar een lift. Ik kwam langs een archiefruimte en een waskamer. Ik kwam langs een röntgenkamer en een ruimte met andere reusachtige apparaten.

Ten slotte vond ik de lift. Ik ging naar de begane grond maar er was nergens een zijingang te bekennen. Ik doolde rond tot ik de informatiebalie vond. Een vrijwilliger wees me de weg naar de cafetaria. Ik kwam langs een zaaltje vol mensen die naar iemand luisterden die een plastic pop ophield en ik schatte dat het om reanimatie ging of anders een cursus bevallen was. Ik vond de cafetaria, die dicht was.

Maar aan de deur hing een bordje. Daarop stond: CAFETARIA WEER OPEN OM 18.30. Ik keek op mijn horloge. Het was tien voor halfzeven. Het verbaasde me dat het nog zo vroeg was. Het voelde alsof het ook na middernacht had kunnen zijn. Ik wachtte tien minuten. Een kwartier. Twintig minuten. Er kwam niemand, dus liep ik terug naar de informatiebalie. Daar vertelden ze me dat ik op de eerste verdieping een frisdrankautomaat kon vinden. Ik nam de lift naar boven en deze keer vond ik hem meteen. Tegen die tijd kende ik waarschijnlijk de hele plattegrond van het ziekenhuis. Ik kocht een Coke en ging terug naar Dillons kamer.

De bewaker stond er nog steeds. Hij groette me. Hij wilde de deur voor me opendoen maar ik gebaarde dat het niet hoefde. Ik zei: 'Ze wil alleen met hem zijn. Met haar broer.' De man knikte en het drong tot me door dat ik mijn mond voorbij had gepraat omdat Dee zogenaamd Julia was. Het drong niet tot hem door. Ik zei: 'Het was toch Coke, geen Pepsi.'

Ik wilde net op een stoel bij de deur gaan zitten om mijn Coke te drinken toen er een man verscheen. Hij kwam door de gang gelopen en staarde me recht aan. Hij keek wat onzeker. Hij droeg een sportieve bruine broek, een blauw overhemd en een mooie das. Hij was klein en blond, enigszins kalend, en hij had iedereen kunnen zijn. Toen begon hij tegen me te schreeuwen. 'Wie ben jij? Wat voer je hier uit? Dat is een privékamer.' Ik gaf geen antwoord. Toen hij bij de deur was keek hij boos naar de bewaker en vroeg: 'Wie is die vent?' De bewaker keek boos terug en zei: 'Hij staat op de lijst.'

'Nee, hij staat níét op de lijst,' zei de man.

Toen kwam een vrouw de gang door. Ze leek veel meer op Dee dan Julia – hetzelfde lichtblonde haar, hetzelfde gedrongen figuur – al was het haar van de vrouw lang en steil en hing het tot onder haar schouders. Ze droeg een zijdeachtige witte jurk met een dessin van blauwe bloemen. Ze zei: 'Wat is er, Ed? Wat is er aan de hand?' De man duwde de deur open, liep naar binnen en zei op stomverbaasde toon: 'Gwendine?'

Toen schoot de vrouw langs me op haar hoge hakken die op de gladde vloer tikten. Ze zei: 'Dat meen je niet, is Gwen er? Wie is die jongen hier? Gwendine?'

Het rare was dat ik op dat moment slaap kreeg. Ik bedoel zo'n slaap dat ik de neiging kreeg om op de granieten vloer te gaan liggen, mijn ogen dicht te doen en meteen onder zeil te gaan. Ik moest me nota bene hevig verzetten tegen dat verlangen om me op te rollen en te gaan pitten. Het duurde niet lang, niet meer dan tien seconden. Toen begon ik te trillen. Het leek of ik stond te sidderen. Dat duurde ook zowat tien seconden. Toen was ik weer helder en probeerde ik de situatie te doorzien.

Volgens Dee waren haar ouders zo genadeloos als Darth Vader en zo geschift als Caligula (ik had de film gezien). Maar wat ik van hen zag leek behoorlijk normaal. Ze kwamen op me over als een doorsnee-echtpaar uit de betere kringen, een goedgekleed stel op weg naar een feest dat een tussenstop in het ziekenhuis maakte om hun bewusteloze zoon te bezoeken. Op grond van wat Julia had gezegd hoorden ze in Provo te zijn, maar Julia kon het natuurlijk mis hebben gehad. Misschien waren Dee's ouders wel de hele tijd thuis in Bountiful geweest. Als er al een stadje kon bestaan dat Bountiful heette, waarom konden mensen daar dan niet zijn, in plaats van in iemands huis aan het meer bij Provo? Het was allemaal nogal ongerijmd.

Voor de bewaker op het idee kon komen om me tegen te houden besloot ik hen de kamer in te volgen. De man, Dee's vader, zei net: 'Gwen, wat doe jij hier? Je had ons toch kunnen laten weten dat je zou komen?' Toen keek Dee me recht aan en eerst dacht ik dat ze nijdig leek, maar toen deed ze haar mond open en leek ze net een klein verschrikt meisje. Ik riep: 'Dee?' Ze wendde haar blik af, alsof ze niet wist waar mijn stem vandaan kwam. 'Wie is die jongen?' vroeg de vrouw weer. Ze wendde zich naar me toe en vroeg: 'Wie ben jij?' Haar blik stond opeens giftig. Ik zette het ongeopende blikje Coke op een nabij tafeltje. Ik keek de vrouw in de ogen en zei: 'Gwendine hoort bij mij.'

Je moet dat soms doen, een snel besluit nemen. Je doet het niet omdat je zeker weet dat wat je wilt gaan doen goed of fout is maar omdat het besluit zo evident lijkt, en als het echt zo evident is hoe zou het dan fout kunnen zijn? Ik zou daarbij moeten zeggen dat die redenering vooral opgaat als de zaak waarover je het besluit neemt niets te maken heeft met seks of met knokken in een café, om maar wat te noemen, want bij die twee dingen moet je je hormonen incalculeren en dan is het misschien geen kwestie van simpel op je gevoel afgaan. Ik heb nooit geweten wat zelfvertrouwen inhoudt. Ik heb het nooit veel gehad, wat waarschijnlijk de reden is dat ik gauw zenuwachtig ben, ook al kom ik kalm en relaxed over. Ik heb eens tegen Dee gezegd dat ik me alleen maar lekker in mijn vel voel als ik op het podium gitaar sta te spelen en allemaal schokkerige bewegingen maak, mijn vingers over de fretten laat dansen en alles in ijltempo doe. Wat er gebeurt is dat ik binnen dat bewegen, binnen dat voelen, tot rust kom. Ik voel dat mijn vingers het overnemen en ik kan mezelf haast gadeslaan. Dan heb ik het gevoel dat iets buiten mij het allemaal doet en niet ikzelf, en is het net of iedereen die toekijkt er deel van uitmaakt. Dichter bij het punt waarop ik word in- en uitgeademd zal ik nooit kunnen komen, denk ik.

Ik greep Dee vast. Ik snap nog steeds niet precies hoe ik het lef had om het te doen. Ik gooide haar over mijn schouder. Ik griste de brief uit haar hand en stopte hem in haar tas. Ik stak een arm door de schouderriem van de tas en terwijl Dee's moeder gilde: 'Wat doet die jongen?' sprong ik langs hen. Ik was deels brandweerman en deels fullback en deels maniak en deels mezelf.

Ik rende naar buiten langs de bewaker en door de deur die hij een uur ervoor had aangewezen toen ik mijn uitermate ingewikkelde zoektocht naar een blikje Coke was begonnen. Deze keer ging het vanzelf. Ik stormde drie trappen af. Recht tegenover het trappenhuis op de begane grond lag de cafetaria, die nu open was, en daarachter de zijingang van het ziekenhuis. Ik holde naar buiten. Ik voelde Dee's adem pompen en hoorde haar snuiven. Het kostte me een paar tellen om me te oriënteren en het parkeerterrein af te speuren naar waar de auto kon staan. Toen zette ik het weer op een rennen, zonder te kijken of er iemand achter ons aan kwam.

Ik vond de waardeloze Ford en met wat een gecompliceerde manoeuvre bleek te zijn liet ik Dee van mijn schouder glijden, drukte haar tegen het portier en hield haar daar staande met mijn lichaam. Ik liet de tas van mijn arm glijden en grabbelde erin tot ik de autosleutels had gevonden. Ze was zo slap geworden dat ik haar met één hand overeind moest houden terwijl ik het portier openmaakte. Ik liet haar op de achterbank zakken en toen ik naar haar keek wist ik dat ik gelijk had gehad, dat ze leeg was. Even later reed ik de auto naar de ingang van het parkeerterrein, waar ik een parkeerwachter kalmpjes een paar dollar overhandigde. Ik keek rond of ik de man en de vrouw zag, of bewakers die met hun wapen in de aanslag op me af holden. Maar niets van dat alles. Het was allemaal heel onwezenlijk. In mijn hoofd begon ik 'Close You Are' te zingen.

Ik vond de snelweg, reed zuidwaarts en volgde de borden naar het vliegveld. Als ik daar maar eenmaal in de buurt was wist ik wel hoe ik bij het motel moest komen. Dat leek een beter plan dan naar het vliegveld te gaan.

Tegen de tijd dat we er aankwamen was Dee overeind gekrabbeld en moest ze huilen, waarbij ze haar mond tegen de rugleuning duwde zodat haar gesnik nagenoeg tot stilte werd gedempt. Toen waren we terug in de kamer en opeens was ze niet leeg meer. Ze begon te praten. Haar stem klonk normaal, en toen kon ik niet meer met zekerheid zeggen wat er was voorgevallen. Ik had ook het gevoel dat ik elk moment van mijn stokje kon gaan. 'Ik ga liggen, goed?' zei ik. 'Prima,' zei ze. 'Je bent wel aan slapen toe.' Toen ik op het bed ging liggen streelde ze mijn hoofd en zei: 'Timmy, het is goed zo. Wat je daar hebt gedaan was goed. Ze zullen ons niet komen zoeken, denk ik. Er is geen enkele reden waarom ze zouden komen zoeken.' Ze legde haar hand tegen mijn wang, boog zich voorover en gaf me een kus op mijn voorhoofd. Daarna kon ik haast voelen hoe ik me overgaf, weggleed, in- en uitgeademd werd.

3

Monster

Ten behoeve van deze evaluatie heb ik ermee ingestemd om vragen te beantwoorden met betrekking tot de recente confrontatie met de voortvluchtige Katherine Clay Goldman, teneinde dieper in te gaan op de details van mijn schriftelijke rapport, ingediend op 6 mei van dit jaar, aangaande de gebeurtenissen van 30 april. Ik ben agent Leopold Sachs van het Amerikaanse Federal Bureau of Investigation, badgenummer 2663.

Agent Sachs, wilt u alstublieft het verhoor preciseren dat plaatsvond op de ochtend van 30 april 1984 in Salt Lake City, Utah?
Mijn partner, agent Scott Witherspoon, en ik hebben een jonge man, Timothy Birdsey, en een jonge vrouw, Gwendine Morley, beiden 23 jaar, ondervraagd in een Sleep Six-motel enkele kilometers verwijderd van Salt Lake City International Airport.

Met welk doel?
We geloofden dat er mogelijk verband bestond tussen de jonge man en vrouw en Katherine Clay Goldman, aan wier zaak ik sinds 1971 ben toegewezen.

Wat bracht u ertoe dat te geloven?
De jonge man en vrouw zaten naast Katherine Clay Goldman op rij zesentwintig, stoel A, B en C, van een vliegtuig dat op 29 april 1984 om 00.22 uur uit Tampa is opgestegen en om 05.04 uur van dezelfde dag in Salt Lake City is geland. Goldman zat aan het gangpad in stoel C. Birdsey in stoel B. Morley in stoel A, aan het raam. Er waren in totaal achtentwintig rijen in het vliegtuig van Delta Airlines op non-stop vlucht nummer 603.

Reisde Goldman onder een schuilnaam?
Ja, ze reisde onder de naam Tess Eldridge. Ze heeft diezelfde naam ook gebruikt op een vlucht van de luchthaven Orly bij Parijs naar Tampa, Florida, op 28 april 1984. We geloven dat haar tussenstop in Frankrijk eerder van logistike aard dan doelbewust was, maar we hebben haar reisroute daarvóór niet kunnen nagaan.

Kent u nog andere schuilnamen die Katherine Clay Goldman heeft gebruikt?
Ze heeft er vele gebruikt. We hebben de volgende kunnen vaststellen: Lynette Templeton, Lynette Elson, Christine Lofgren, Anthea Horwitz, Rose Emmett-Browne, Rosalyn Emmett, Miranda Emmett, Joelle Beals, Jessica Beals, Joanna Glassman, River, Leah Silver, Ursula Wilcox, Brotislawa Szerkowszcyzna, Aviva Luria, Sima Perlman. Er zijn er ongetwijfeld nog veel meer.

Beschrijft u alstublieft de oorsprong van de zaak-Goldman en uw betrokkenheid daarbij.
Ik ben in februari 1971 toegewezen aan de zaak, zeven maanden na de bomaanslag op een leegstaand pakhuis in Reno, Nevada. De zelfgemaakte bom werd op 22 juli 1970 om 16.36 uur tot ontploffing gebracht. Om redenen die nog steeds onbekend zijn bevonden zich twee mannen en een vrouw, alle drie accountant bij een overheidsinstantie, in het gebouw op het moment van de ontploffing. Alle drie werden gedood en om hen te identificeren moest hun gebit vergeleken worden met de gebitsgegevens van de slachtoffers. Vijf maanden later werden twee radicale activisten uit de jaren zestig, Gloria Eads en Daniel Helmuth, aangehouden. Beiden bekenden betrokken te zijn geweest bij de bomaanslag, die naar ze verklaarden was georganiseerd door Katherine Clay Goldman, met wie ze beweerden sinds januari 1970 deel te hebben uitgemaakt van een onafhankelijke radicale groepering. In ruil voor strafvermindering verstrekten Eads en Helmuth informatie die ons had moeten helpen om Goldman op te sporen. Mogelijk hebben ze ons om de tuin geleid of Goldman kende hen goed genoeg om op de informatie te anticipe-

ren. Ik vermoed het laatste. Uiteindelijk heeft de informatie niets opgeleverd. Voorts verklaarden Eads en Helmuth beiden dat er per ongeluk doden waren gevallen bij de bomaanslag; het was alleen de bedoeling om een pakhuis op te blazen dat herhaaldelijk als opslagplaats voor wapenvoorraden van de overheid was gebruikt. We hebben nog steeds geen vastomlijnd idee waarom de drie accountants zich ten tijde van de ontploffing in het pakhuis bevonden. De theorieën daarover lopen uiteen van toeval tot samenzwering tot heimelijke seksuele relaties.

Was Goldman in de jaren zestig aangesloten bij een radicale factie?

Ze werd aanvankelijk verondersteld een van de oprichters van *Weatherman* te zijn, beter bekend als *The Weathermen*, een revolutionaire groepering die in 1969 was gevormd als subfactie van een grotere organisatie die *Students for a Democratic Society* heette. In de loop van de jaren zijn er echter diverse kopstukken van *Weatherman* (dat later de *Weather Underground Organization* werd) ontmaskerd en die hebben geen van allen bevestigd Katherine Clay Goldman te hebben gekend of van haar te hebben gehoord. Er is toen geconcludeerd dat ze helemaal op zichzelf had gehandeld en waarschijnlijk nooit lid van *Weatherman* was geweest. Het feit dat er blijkbaar per ongeluk doden waren gevallen sterkte ons in de overtuiging dat Goldman, zoals zoveel leden van de *Weather Underground Organization*, op den duur wel naar buiten zou treden. De *Weather Underground* had het klaargespeeld om niemand te doden, ondanks de talrijke bomaanslagen die ze tussen 1970 en 1974 had opgeëist, maar toch rekende ik erop dat we uiteindelijk wel een telefoontje van Goldman zouden krijgen met een schikkingsvoorstel of op z'n minst een vraag naar de mogelijkheden daarvan. We hebben nooit iets vernomen.

Wordt Goldman verdacht van andere misdrijven sinds de bomaanslag op het pakhuis in Reno, Nevada?

Ze is de hoofdverdachte van de onopgeloste verdwijning van twee leden van de Ku-Klux-Klan uit het stadje Selma in North Carolina, in 1975. Die ontvoeringen vonden eind april van dat jaar plaats, waarna ze van de radar verdween tot er een lange, gemaskerde vrouw te zien was op drie afzonderlijke videofilms van bewakingscamera's bij de beroving van banken in Tucson, Arizona, Colorado Springs, Colorado en Austin, Texas. Alle drie de berovingen vonden plaats in 1978 en binnen een tijdsbestek van acht maanden. Bij elke beroving waren vijf overvallers betrokken, en bij geen ervan was sprake van incidenten, anders dan het verlies van enkele bankkluizen vol contant geld. Ik heb de banden bestudeerd maar kon niet bevestigen dat de grote gemaskerde vrouw inderdaad Goldman was.

Hebt u beëdigde getuigenverklaringen waarin enig verband wordt aangetoond tussen haar en de twee ontvoeringen in Selma, North Carolina?
We hebben één ondertekend attest dat een vrouw die aan Goldmans signalement beantwoordt diezelfde avond in een buurtwinkel in Selma is gezien.

Stelt u dat Goldman nooit onomstotelijk met enig misdrijf in verband is gebracht, behalve met de bomaanslag op het pakhuis in Reno, Nevada?
Inderdaad. Maar die bomaanslag en de rapportages van haar voortdurende revolutionaire activiteiten zijn voldoende geweest om haar status als een gevaar voor de nationale veiligheid te bestendigen.

Hebt u enige verklaring voor het feit waarom het zo moeilijk is gebleken om Goldman op te sporen?
Die heb ik niet. Maar ik kan u vertellen dat ik om en nabij vijftig verschillende plekken heb ontdekt waar ze zich eerder had opgehouden, dat ik haar tweemaal op enkele uren na ben misgelopen en één keer op enkele minuten na. En bij één puur toevallige gelegenheid in Portland, Oregon, heb ik haar minder dan een half straatblok voor me uit de straat zien oversteken. Ik rende in een reflex achter haar aan en werd bijna aangereden door een passerende auto, maar toen ik op de plek kwam waar ik haar logischerwijs had moeten onder-

scheppen was ze verdwenen. Dat was drie jaar geleden, in juni 1981. Ik heb toen een rapport van het voorval ingediend waardoor de mythe die Goldman omgaf verder aangewakkerd scheen te worden.

Beschrijft u de mythe waaraan u refereert.
Er doen allerlei verhalen de ronde. Sommige lijken zo verregaand dat ik alleen maar mijn hoofd kan schudden. Bijvoorbeeld het verhaal dat ze zelf een undercoveragent van de FBI is. Dat ik weliswaar echt op deze zaak ben gezet maar dat het allemaal een doorwrochte façade is om te zorgen dat haar loyaliteit niet in twijfel wordt getrokken binnen de organisatie waarin ze is geïnfiltreerd. Een ander verhaal is dat ze een afstammeling is van de befaamde anarchiste Emma Goldman, die in 1940 is gestorven. Ik heb daar onderzoek naar gedaan en ben tot de slotsom gekomen dat ze onmogelijk familie van Emma Goldman kan zijn. Daarbij heb ik wel ontdekt dat Katherine Clay Goldmans stamboom teruggaat tot kolonisten van Virginia in de achttiende eeuw. En misschien is het interessant om te weten dat is vastgesteld dat ze een bloedverwant is van de bekende negentiende-eeuwse politicus Henry Clay, die 'de Grote Verzoener' werd genoemd vanwege zijn rol bij het tot stand brengen van het Compromis van 1850, dat naar algemeen wordt aangenomen het uitbreken van de Burgeroorlog met elf jaar heeft vertraagd. De naam Clay in Katherine Clay Goldman is vermoedelijk via zijn lijn doorgegeven. Een ander vermakelijk feit waarop ik ben gestuit, was dat een man genaamd Alexander Berkman, die Emma Goldmans minnaar is geweest, in 1892 is veroordeeld wegens de moordaanslag op een fabrieksbaas die Henry Clay Frick heette. Ik schrijf daar geen enkele betekenis aan toe maar vermeld het alleen maar en wil eraan toevoegen dat aanhangers van samenzweringstheorieën ertoe neigen om zwaar op het toeval te leunen.

Kunt u die laatste zienswijze toelichten?
Als je maar diep genoeg in de geschiedenis van iets duikt zul je dingen ontdekken die ogenschijnlijk verband met elkaar houden maar in wezen niet. Neem bijvoorbeeld alle parallellen die tussen Lincoln

en Kennedy zijn getrokken. In het begin mogen die griezelig lijken, maar er zijn heel eenvoudig zogenaamde parallellen of correlaties te vinden tussen verzamelingen feiten die nauwelijks enig verband met elkaar hebben, zoals zowel sceptici als statistici vaak stellen. Er zijn op amusante wijze parallellen getrokken tussen de dood van JFK en die van Jezus Christus, waaruit we zouden kunnen concluderen dat JFK een mythe was die in het leven is geroepen om de christelijke ideologie te belichamen. Een serieus gemeend voorbeeld van dezelfde wens om betekenis uit toeval te persen kan worden toegeschreven aan een groep orthodoxe joden in Jeruzalem die betogen dat ze onweerlegbaar kunnen bewijzen dat God bestaat wanneer ze de zogeheten 'codes' toepassen op het Oude Testament. Die codes zijn een vereenvoudigde, gemoderniseerde versie van bepaalde grondbeginselen van een oude kabbalistische leer genaamd gematria. Voor het toepassen ervan wordt een bepaalde Bijbelse tekst gekozen waarin met vaste tussenruimtes letters worden geselecteerd, en dat levert dan bepaalde fonetisch correcte namen op zoals Dayan, Sadat, Einstein, Hitler, Munchen. Een Amerikaanse hoogleraar wiskunde heeft onlangs gedemonstreerd dat hij het merendeel van die eigennamen kon vinden door dezelfde techniek op *Moby Dick* toe te passen. Hij wilde daarmee aantonen dat het een kwestie van kansberekening is dat er bepaalde patronen of combinaties opduiken.

In uw rapport verwijst u naar de legendes van de *tzaddikim nistarim* en de golem van het Praagse getto. Legt u alstublieft uit welk verband ze met de Goldman-mythe hebben.

De *tzaddikim nistarim* of 'geheime rechtschapenen' zijn meer algemeen bekend als de *lamed vavniks* uit de chassidisch-joodse overlevering. Meer dan eens is gesuggereerd dat Goldman lid van die sekte zou zijn, of iets van dien aard aangezien een vrouw formeel niet een van de *lamed vavniks* kon zijn; de term laat zich vertalen als 'de zesendertig' en verwijst naar de zesendertig geestelijken van wie het voortbestaan van de wereld afhangt. Volgens een Talmoedische interpretatie zijn er op elk moment altijd zesendertig in de wereld; als er maar één zou ontbreken dan was het afgelopen met de wereld.

Naar verluidt rechtvaardigen ze de bestaansgrond van de mens in Gods ogen, en omwille van die nederige dienaren zal God de wereld behoeden ook al is de rest van de mensheid ontaard in barbarisme en verderf. Als de identiteit en de ware missie van een van de zesendertig wordt ontdekt zal die *lamed vavnik* meteen sterven of verdwijnen, en op dat moment wordt zijn taak automatisch door iemand anders overgenomen. Dat illustreert nog eens hoe absurd deze theorie uitpakt met betrekking tot Katherine Clay Goldman, want elke speculatie dat ze tot de sekte behoort zou volgens de legende tot haar onmiddellijke verdwijning leiden indien die speculatie waar is. Zoals ik in mijn rapport heb opgemerkt doen er heel wat bizarre denkbeelden de ronde over Goldman. Ze gaan zo ver dat zelfs is geopperd dat haar achternaam beschouwd kan worden als een verbastering van het woord 'golem', naar de legendarische golems uit de Middeleeuwen, levende schepsels die uit dode materie waren gemaakt, waarbij het favoriete materiaal om die golems te modelleren destijds – u raadde het al – klei was, *clay*. Het idee daarbij is dat Goldman hetzij figuurlijk of letterlijk verwant is aan de befaamde Golem van Praag, die naar verluidt in de zestiende eeuw door een beroemde rabbijn is geschapen ter bescherming van onderdrukte joden. Uit onze dossiers blijkt dat Goldman zich bewust is van die onzin en het wel geestig vindt. Kortom, als ik serieus zou moeten ingaan op elk sterk verhaal dat ik ooit over Goldman heb gehoord, dan zou ik ook de suggestie in overweging moeten nemen dat ze een plek buiten de tijd heeft ontdekt, een verborgen shangri-la of Avalon waarheen ze terugkeert wanneer dat nodig blijkt – met andere woorden, dat het Clay-monster gewoon haar poortje zoekt als ze aan gevangenneming moet ontkomen en de wereld verlaat.

Het Clay-monster?
Dat is een bijnaam die agent Witherspoon en ik hebben verzonnen. Als je verwikkeld bent in een zaak die zo verwarrend is als deze, neem je vanzelf je toevlucht tot ironie. We gebruiken die naam alleen maar onder ons.

Om terug te keren naar het voorval op 30 april 1984, wilt u beschrijven wat u achtereenvolgens die ochtend hebt gedaan? Beschrijft u met name hoe u mondeling contact hebt gelegd met de jonge man en vrouw die naast Goldman in het vliegtuig hadden gezeten.
Nadat we de nacht ervoor laat in Salt Lake City waren geland, zijn we vroeg opgestaan. We hadden de middag ervoor uit anonieme bron vernomen dat de vrouw die als Tess Eldridge reisde hoogstwaarschijnlijk Katherine Clay Goldman was. We hadden achterhaald dat ze op rij zesentwintig had gezeten, zoals al vermeld, samen met Timothy Birdsey en Gwendine Morley. We gingen op onderzoek uit en hadden de jonge man en vrouw binnen vier uur opgespoord. We konden hen traceren aan de hand van het kenteken van hun huurauto. We hebben de parkeerplaatsen van negen motels afgezocht en troffen de auto aan op het parkeerterrein van het Sleep Six-motel vlak bij de weg naar het vliegveld. We staken ons licht op bij de receptie en stelden vast dat hun kamer op de eerste verdieping lag. We klopten aan maar er werd niet opengedaan, dus ging ik terug naar de receptie om een sleutel van de kamer te halen. Terwijl agent Witherspoon me met zijn pistool rugdekking gaf stak ik de sleutel in het slot, duwde de deur open en stapte opzij. Alles was stil op het geluid van stromend water in de badkamer na. We zagen dat Timothy Birdsey lag te slapen en gingen ervan uit dat Gwendine Morley onder de douche stond. Het was haast niet te geloven maar Birdsey werd nog steeds niet wakker, ook niet nadat we naar binnen waren gegaan. Het was halfelf 's morgens. Terwijl agent Witherspoon nog steeds met getrokken pistool bij de deur stond ging ik op de badkamerdeur kloppen. De jonge vrouw riep: 'Hé, schone slaper, je bent wakker,' en ik zei tegen haar dat ik niet haar vriend was en stelde haar toen op de hoogte van de aanwezigheid van agent Witherspoon en mezelf. Even later verscheen de jonge vrouw in een lang T-shirt en haar onderbroek. Ik schatte haar lengte op 1 meter 60 en haar gewicht op ongeveer 60 kilo. Ze had blond haar en groene ogen. Ze was het type meisje dat mijn vader *zaftig* zou hebben genoemd, wat wil zeggen dat ze stevig en voluptueus was. Het was beslist een meisje dat veel mensen aantrekkelijk en ook uitdagend

zouden vinden, maar ik zag voornamelijk een kind, alhoewel ze ook iets wijs leek te hebben, iets wat je soms bij de minst voor de hand liggende mensen ziet. Mijn dochter Renée had dat ook. Toen ze vijf was keek ik haar 's ochtends altijd even aan en dacht dan bij mezelf dat die kleine meid alles al gezien had. Ze is nu een goede advocate, het soort dat je liever niet tegenover je hebt in een rechtszaal. Ik wil hier maar mee zeggen dat ik aan mijn dochter moest denken toen ik Gwendine Morley zag en dat ik haar mis. Of dat enig effect op mijn latere handelen had weet ik niet.

Wat gebeurde er in de motelkamer nadat u contact had gelegd met Gwendine Morley?
Ik liet haar mijn FBI-badge zien en ze vroeg meteen aan agent Witherspoon naar de zijne. Nadat hij die had getoond vroeg ze of haar ouders ons hadden gestuurd, wat we niet begrepen. Ik zei nee, haar ouders hadden ons niet gestuurd, en ze herhaalde de vraag enkele malen. Toen werd de jonge man, Timothy Birdsey, eindelijk wakker. Al dat rumoer om hem heen en hij had geen vin verroerd. Mijn conclusie was evident. Hij zat onder de drugs. Hij was een slungelige jonge man met acne, golvend haar tot op zijn schouders en een grote neus. Ik vond het eigenlijk onbevattelijk, en Scotty zei dat later ook, dat die twee bij elkaar hoorden. Birdsey gilde: 'Laat haar los!' en hij schoot verrassend snel overeind, sprong in zijn onderbroek van het bed en dook op agent Witherspoon af, die al sinds jaar en dag een zwarte band in aikido heeft en zich omdraaide, de door de lucht vliegende jonge man opving en hem toen in één beweging op zijn buik op de vloer wierp en hem met een elleboog in zijn nek neerdrukte. Birdsey bleef nog even proberen om zich los te wurmen, en het beeld dat zich opdringt is dat van een twee meter lange haai die op het dek van iemands boot is geland. Een kranige jongen, moet ik zeggen, maar niet erg snugger onder de gegeven omstandigheden. Ten slotte verslapte hij en agent Witherspoon deelde hem en de jonge vrouw mee dat we ze alleen maar een paar vragen kwamen stellen. Toen gooide Gwendine Morley het over een andere boeg en vroeg of we soms met een onderzoek naar haar ouders bezig waren.

Ik begreep die vraag net zomin als de eerste. Ik keek het meisje scherp aan. Haar ogen waren groot en schenen werelden in zich te sluiten, zoals al vermeld. Ik vertelde haar nogmaals dat onze aanwezigheid volstrekt niets te maken had met haar ouders, die Edward en Delilah Morley heten. Haar vader is een gerenommeerde bedrijfsjurist en haar moeder is vastgoedmakelaar. Ze zijn schatrijk: ze hebben om en nabij tien miljoen dollar aan aandelen en onroerend goed geërfd van wijlen Delilah Morleys grootvader, Otis Wilson, en als de vader van de vrouw overlijdt erven ze waarschijnlijk nog veel meer. Tot mijn verbazing blijken ze geen mormonen te zijn, en ze schijnen ook geen sterke band te hebben met de lutherse kerk, waartoe ze behoren. Ze wonen in een voorstadje dat Bountiful heet, een kilometer of dertig ten noorden van Salt Lake City. Toen de jonge vrouw overtuigd scheen dat we niets van haar ouders af wisten behalve de gegevens die ik net heb opgesomd, begonnen we onze ondervraging.

Hebt u enig verband vastgesteld tussen Katherine Clay Goldman en de jonge man en vrouw?
Aanvankelijk niet.

Preciseer.
Uit ons onderhoud met Timothy Birdsey en Gwendine Morley bleek dat ze niet wisten wie Goldman was en dat het toeval was dat ze naast haar zaten op Delta Airlines-vlucht 603.

Beschrijft u alstublieft de relevante details van het onderhoud die verband houden met Katherine Clay Goldman.
Birdsey en Morley bevestigden dat ze naast een lange vrouw met geverfd zwart haar hadden gezeten. Ze verklaarden alle twee dat de vrouw niet erg spraakzaam was geweest. Birdsey, die zei dat hij tijdens de vlucht niet had geslapen, verklaarde dat de vrouw evenmin had geslapen en dat ze ook niet had zitten lezen; ze had helemaal niets gedaan. Ik vroeg wat hijzelf had gedaan en hij wreef langs zijn neus op een manier die aan een onbewuste tic deed denken, dus

drong ik aan. Hij probeerde mijn vraag te ontwijken tot Morley begon te lachen en zei dat Timmy, zoals ze hem noemde, de slechtste leugenaar was die ze kende. Hij wilde verhullen dat ze op een gegeven moment met z'n tweeën waren opgestaan en de Mile High Club-truc hadden gedaan, waarmee ze bedoelde dat ze geslachtsgemeenschap hadden gehad in een wc achter in het vliegtuig. Goldman stond op om hen langs te laten, zeiden ze, en Birdsey zei dat hij zich bij terugkomst schuldig voelde dat hij haar weer moest storen, maar dat ze beleefd en aardig was geweest. Ik had de indruk dat Birdsey, als zoveel anderen, voor de charmante en opvallend innemende uitstraling was gevallen waar Katherine Clay Goldman nooit om verlegen schijnt te zitten. Dat is onderdeel van haar tactiek om zichzelf te beschermen. Ze weet net zo makkelijk mensen voor zich te winnen als de behendigste oplichter. Dus het verbaasde me niets toen Birdsey vertelde dat hij had geprobeerd een gesprek met haar aan te knopen nadat Gwendine Morley in slaap was gevallen, en dat Katherine Clay Goldman alleen maar haar hoofd had geschud en er niet op in was gegaan, en dat ze daarna de rest van de vlucht had gezwegen. Birdsey zei dat hij had gezien dat ze in haar eentje de bagagehal uit was gelopen, dat ze maar één stuk handbagage bij zich had, een koffertje dat hij als marineblauw omschreef. Resumerend, het scheen dat dit stel – dat vijf uur lang hetzij naast haar zat of onbekommerd seks bedreef op de wc een paar meter achter de voortvluchtige wier spoor ik al dertien jaar met korte tussenpozen volg – slechts twee bruikbare details wist te verschaffen: dat ze zwart haar had en een blauw reiskoffertje. Het lijkt erop dat Goldman hen vakkundig heeft genegeerd zonder zelfs maar één enigszins vermeldenswaardig detail prijs te geven, zoals gewoonlijk, want zowel haar haar als haar koffertje zullen ongetwijfeld binnen de kortste keren van kleur veranderen. Het was allemaal zo verbijsterend futiel dat ik me na afloop onwillekeurig afvroeg of die twee jongelui meer wisten dan ze hadden losgelaten, of er niet een briljante samenzweringsact was opgevoerd. Een verhoor van een halfuur, met wat aanvoelde als één ouwelijke getuige en één die zo jong overkwam dat het bijna even aandoenlijk was, volstond echter om ons ervan te overtuigen dat ze te goeder trouw waren en dat ze, zoals gezegd, geen van tweeën enig benul hadden wie Goldman was.

U hebt in uw schriftelijke rapport vermeld dat er een dossier uit 1949 bestond, inmiddels vrijgegeven, betreffende Birdseys grootvader, George Gunther Birdsey. Wilt u de relevante feiten uit dat dossier samenvatten?
George Gunther Birdsey is tweemaal ondervraagd, in 1946 en in 1948, omdat hij ervan werd verdacht een voormalige nazi en SS-officier te zijn die in 1945 uit Duitsland was gevlucht. De FBI was in hem geïnteresseerd omdat hij mogelijk wist waar Josef Mengele zich ophield. Hij ontkende dat, en niet alleen kon niemand bewijzen dat hij bij de SS had gezeten, maar hij beweerde zelfs dat hij tijdens de oorlog ruim drie jaar lang joden in zijn souterrain had laten onderduiken. *Ik joden verstopt* is een citaat dat keer op keer opduikt in de transcriptie van zijn twee ondervragingen. In 1954 stak George Gunther Birdsey de loop van een geweer in zijn mond en haalde de trekker over. Zijn zoon, James Birdsey, heeft ook zelfmoord gepleegd. Die zelfmoord vond plaats in 1978, kort nadat zijn vrouw, Cecile Birdsey, hem had verlaten voor een man genaamd Leonard Hutchinson, eigenaar van een keten van supermarktjes in en om Mobile, Alabama, waar hij en Cecile Birdsey nog steeds wonen. James Birdseys zelfmoord werd uitgevoerd met een .38 pistool dat hij op de rechterkant van zijn hoofd afvuurde. Timothy Birdsey woont in Homosassa, Florida, bij zijn grootmoeder, Alicia Birdsey.

U hebt ook in uw rapport vermeld dat Gwendine Morley u een brief gaf die ze aan haar jongere broer, Dillon Morley, had geschreven en voorgelezen toen hij in coma in een ziekenhuis in het stadje Bountiful lag. U hebt verklaard dat het voorlezen van die brief aan haar broer Gwendine Morleys enige verklaring was voor haar bezoek aan Salt Lake City.
Dat is correct.

Beschrijft u alstublieft de omstandigheden waaronder ze u de brief heeft gegeven.
Tegen het einde van onze ondervraging gaf ze me de brief en zei ze dat als ik iets nuttigs wilde doen dat ik dan de brief moest lezen en vervolgens achter haar ouders aan moest gaan. Ik zei dat ik de brief zou lezen en contact met haar zou opnemen als we vonden dat er actie was geboden. Ik stopte de brief in mijn zak en zag het destijds als een diplomatiek gebaar en verder niets. Ze vertelde me dat haar tante, Julia Wilson, een hoogleraar mariene biologie aan de University of Utah, ook een exemplaar van de brief had gekregen voorafgaand aan Gwendine Morleys bezoek aan haar broer in het ziekenhuis in Bountiful, dat plaatsvond op de avond van de dag voor ons onderhoud. We vroegen Gwendine Morley hoe laat ze terug was gekomen uit het ziekenhuis en ze beweerde dat ze om halfacht of iets later terug was in het motel. Daarna merkte ze voor de goede orde op dat Timothy Birdsey niet haar geliefde was. Kennelijk had ik in mijn gesprek met haar de woorden 'uw geliefde' gebruikt. Ze verklaarde dat zij en Timmy in een band zaten en dat Timmy haar gitarist was. We hebben dat nagetrokken en het schijnt juist te zijn. Gwendine Morleys geliefde is de drummer van de band, Jerry Flanagan, met wie ze samenwoont in Homosassa, Florida.

In uw rapport hebt u opgemerkt dat Gwendine Morleys brief was geschreven in een stijl die u omschreef als 'polyfoon' en 'intraspreektalig'. Vindt u die woorden nog steeds accuraat als omschrijving?
Ja.

Ter wille van dit onderhoud en dit dossier zullen we de brief van Morley straks hardop voorlezen. Zijn er nog andere dingen die u wenst te verduidelijken?
Niet op dit moment.

Wat nu volgt is de volledige tekst van de brief van Morley, door agent Sachs als bijlage gevoegd bij zijn rapport van 6 mei 1984 over de gebeurtenissen op 30 april 1984.

Liefste Dillon,
Vijf jaar zijn verstreken sinds ik je voor het laatst heb gezien. Ik was blij om van tante Julia te horen dat je naar een plek ver weg was vertrokken. Ik hoopte dat je zou bellen toen ik Julia mijn nummer gaf, maar ik zat er ook een beetje over in omdat ik niet wist wat ik dan moest zeggen. Zelfs nu je in coma ligt weet ik niet waar ik moet beginnen of eindigen. Ik zal eerst dit zeggen: als alles volgens plan verloopt en ik dit in eigen persoon aan je voorlees, dan is het morgen de dag voor 1 mei, de aanvang van de Keltische heilige dag die bekendstaat als Beltane, één van de twee belangrijkste rituele dagen die het Keltische jaar opdelen. Ik zou je een heleboel kunnen vertellen over wat ik over de achtergronden van Beltane heb geleerd, maar op dit moment is wat ertoe doet het volgende. Voor ons allebei is het een slechte dag, ook al bleef het niet tot Beltane beperkt wat wij hebben doorgemaakt, zoals ik zal proberen aan te geven. Die dingen gebeurden de hele tijd, op elke heilige dag en ook op andere dagen. Er zit een logica in de waanzin en er zit geen logica in. Het enige dat ik met zekerheid kan zeggen is dat sommige van de ergste dingen met Beltane zijn gebeurd.

Ik heb de laatste tijd manieren proberen te bedenken om je wakker te maken. Ik denk vaak aan stomme televisiereclames die we vroeger meezongen. Ik dacht dat als ik tegen jou de jingle ging zingen van de Superstinkende-Vingerverf-Met-Prachtkleuren-Die-In-Badschuim-Verandert, dat ik je dan wel wakker zou krijgen. Maar als ik dit aan je voorlees houdt dat in dat je niet wakker bent geworden in de tijd dat ik hier bij je ben, ondanks mijn gezang en alle keren dat ik tegen je heb gezegd dat ik van je hou. Ik hoop maar dat je me toch hoort, ergens in je hersens, ook al ben je niet wakker. Wat ik nu ga zeggen is belangrijk. Als je niet meer wakker kunt worden en ver weg kunt vluchten, zal het veel beter voor je zijn om te sterven. Daar wil ik je van doordringen.

Nu moet ik iets doen wat raar zal lijken en daarom heb ik dit opgeschreven.

Ik wil toelaten dat bepaalde persoonlijkheden van mij tegen je praten, en dat bedoel ik letterlijk. Tot nu toe kan ik alleen rechtstreeks contact met die persoonlijkheden krijgen als ik schrijf of als ik bij mijn psychotherapeut in Florida zit. Ik zal zijn naam hier niet opschrijven, maar als we elkaar ooit nog spreken zal ik je zijn naam geven. De dingen die mijn persoonlijkheden gaan zeggen zullen onmogelijk lijken en je zult ze niet willen geloven. Het zal me zelfs moeite kosten om dit voor te lezen want je moet begrijpen dat ze me hebben geleerd om die dingen nooit uit te spreken. Ze hebben me geleerd om er nooit aan te denken. Ze hebben me geleerd om ze niet te kennen. Maar zoals je zult zien is het me gelukt om ze uit te spreken en te kennen. Tot nu toe heb ik er alleen met mijn therapeut over gepraat maar nu zeg ik ze ook tegen jou en tegen iedereen die deze brief onder ogen krijgt.

Hallo. Het is net een experiment of het programmeren van een apparaat. Tijdens een ritueel gebeurt er iets met je maar dat ben jij niet, het is een andere jij die zich afsplitst zodra het moet. Je gaat naar bed maar je wordt wakker en er is iets met je gedaan dat niet herinnerd kan worden, want als dat wel kon dan zou je niet jezelf kunnen zijn. Elke heilige dag (en er zijn veel heilige dagen) ga je naar een donkere plek met een heleboel kaarsen. Mensen die je meende te kennen praten met stemmen die anders klinken.

Elk van die persoonlijkheden heeft een bepaalde leeftijd, Dillon. Ik kan dingen tussendoor zeggen, zoals nu, omdat ik hun bewustzijn deel. De ik die over het ritueel sprak is dertien.

Het doel is om te zorgen dat we in een geheime wereld leven. De godheid komt vruchtbaarheid en kracht doorgeven ten dienste van de oorlogsgodin Morrigu zelfs als je bang bent hoeft dat niet je bent op een plek verborgen die niet gezien kan worden dus we hebben veel geluk ik vind echt dat ik geluk heb.

Die persoonlijkheid is tien, Dillon. Met andere woorden, ik was tien jaar oud toen ze van me afsplitste.

Er zijn dingen waarbij je gestraft wordt en andere dingen waarbij je straf uitdeelt. We werden gedwongen om giftabletjes te geven aan twee meisjes met vastgebonden armen en een blinddoek die glansde en bruin was. Ze zeiden tegen me dat ik het tabletje op haar tong moest leggen en haar bij haar keel moest pakken en haar mond dicht moest houden, en als ik het niet deed zouden ze het aan jou geven en zou het mijn schuld zijn. Ze zeiden hetzelfde tegen jou en we gaven de meisjes de tabletjes. Ze werden de kamer uit gebracht en jij zei dat de tabletjes misschien in werkelijkheid snoepjes waren en ik zei sst want dat dacht ik ook. Toen zeiden ze tegen ons dat we zouden worden beschermd omdat het voor het hogere doel was en daarna werden we door veel mensen omhelsd. Ik wil er niet aan denken dat het echt vergif was en ik hoop dat wat we later zagen echt kattendarmen waren. Soms als je je voeten niet kunt voelen zijn het kattendarmen.

Wat ze bedoelt, Dillon, is dat haar voeten soms gevoelloos worden. Ze moest eens laarzen met spijkers in de neus aandoen en een kat schoppen tot hij dood en verminkt was. Daarna werden de resten over haar hoofd en om haar schouders gehangen. Ze is zeven. Ik zal er nu niet meer tussen komen en een aantal persoonlijkheden na elkaar laten spreken. De meeste zijn zich bewust van andere ikken waardoor ze met elkaar kunnen communiceren.

Je volgt de bal met je ogen door de kamer en hoopt maar dat hij niet bij jou komt want dan is het jouw beurt en zo gaat het nou eenmaal, het is niemands schuld, het hangt af van hoe de bal stuitert, dat snappen we.

Ze gebruiken liever woorden als 'samenkomst' en 'bezoekers' en 'serieuze tijd' en 'pleziertijd' en 'naar bed'. Splitsen. Dat is makkelijk want als ze nog heel jong is kun je haar vormen. Dat wordt een speciaal wezen en veilig want niemand gelooft het. Let op de basketbal.

Hallo. Ze heeft het over een gepubliceerd onderzoek waarin proefpersonen werd gevraagd om naar een videofilm van een basketbalwedstrijd te kijken en het aantal passes te tellen. Uit het aansluitende vraaggesprek bleek dat een aanzienlijk percentage van de geteste mensen zo op het tellen van passes was gefixeerd dat ze niet opmerkten dat er een man in een gorillakostuum het veld op was gelopen. We verzinnen dit niet.

Er was een verschrompelde bal van Bloed en Slijm. Hij kwam vroeg en werd gepakt en geofferd door een Hogepriesteres. Priesteres was de Rijzende Morrigu Diana. Ze is niet de Hoogste Priesteres maar ze is derde in de Machtshiërarchie die langs de Vrouwelijke Lijn wordt doorgegeven. Een van ons zou de volgende Hogepriesteres worden.

Hallo, ik ben degene die weet wat er werkelijk gebeurt. Luister. Als een kind door fysiek en psychisch trauma wordt overweldigd gaat ze dood of leert ze om af te splitsen en andere ikken te creëren die onderdak bieden aan (1) pijn, (2) afgrijzen, (3) geheimen, (4) liefde. Natuurlijk is er liefde. Er is altijd liefde. Waarom zou je denken dat er geen liefde is? Ik heb een boek over al die dingen gelezen. In een psychiatrische inrichting noemen ze het meervoudige persoonlijkheidsstoornis. De meeste artsen zouden zeggen dat het gefingeerde herinneringen zijn. Er is iets ergs gebeurd maar niet de dingen die ik zeg en er is beslist geen hogepriesteres.

Het beste woord is 'meervoudigheid'. We hebben medebewuste meervoudigheid, wat betekent dat we kunnen omschakelen zonder dat het op Dr. Jekyll en Mr. Hyde lijkt. Ieder van ons heeft een taak zoals sexy zijn of gekwetst zijn of het begin van een ritueel weten. Meervoudigheid is altijd een reactie op een jeugdtrauma. Het is geen genetisch bepaalde aandoening zoals schizofrenie. Er zijn mensen die omschakelen en niet medebewust zijn en van hen wordt gezegd dat ze aan tijd- of geheugenverlies lijden. Degenen die niet medebewust zijn blijven dat omdat ze niet kunnen inzien of geloven dat ze zo zijn, of omdat ze niet door opzettelijke, systematische programmering zo zijn geworden.

Nee, zo zit het niet. Het is niet opzettelijk, ook al is het een programma. Niemand heeft enig idee wat er gebeurt. Je bent je bewust van wat je doet, in een afgelegen hoekje van je hersens. Je bent niet in staat om te vluchten uit waarin je bent opgesloten dus omschrijf je het op een andere manier of anders verstop je je door een tunnel in te gaan.

Ik wil je herinneren aan die man in het gorillakostuum, zoals je vertelde.

Ze hebben ons verteld dat we heel gelukkig zijn!

In een ritueel kan een jong kind als een soort batterij gebruikt worden.

Hallo, ik ben degene die weet wat er echt gebeurt. In de Koreaanse Oorlog beoefenden de Chinezen de kunst van het hersenspoelen en daar is een boek over geschreven en daar hebben ze het over gehad bij het Patty Hearst-proces en de techniek die ze gebruikten wordt in dat boek behandeld. Het kan lukken, maar als je een volwassene hersenspoelt duurt het maar kort. Het is heel anders als je het met een kind van een jaar oud doet. De zenuwbanen liggen wijd open, klaar voor van alles. Als je Latijn zou spreken zou een kleuter Latijn leren. Kun je je voorstellen dat een kleuter Latijn spreekt?

Ik ga nu een einde aan die discussie maken, Dillon. Zoals ik al zei kun je het misschien niet helemaal volgen, ook al snap je het ergens wel. Alle mensen hebben verschillende ikken en hun stemming kan in een oogwenk omslaan, maar voor mij is het heel anders. Alles in mij is in hokjes verdeeld. Het is alsof ik de beheerder van alle persoonlijkheden ben en ik de verantwoordelijkheid heb gedelegeerd aan een heleboel verschillende werknemers, waaronder sommige die ik nooit heb ontmoet. Daarom ben ik niet krankzinnig. Het is allemaal gebeurd maar het is verborgen voor mij gehouden door die vernuftige persoonlijkheden. Met andere woorden, de enige tijd die ik heb verloren was de tijd tijdens het misbruik. Ik had uiteindelijk wel krankzinnig kunnen worden maar ik heb het probleem kunnen opsporen toen ik eenmaal was weggelopen en het tot me doordrong dat bepaalde dingen niet klopten. Er is bijvoorbeeld ontdekt dat een van mijn netvliezen beschadigd is, een bewijs van ernstig hoofdletsel dat ik me niet kan herinneren. Soms begon ik 's nachts te trillen of een been deed zeer terwijl dat nergens op sloeg of ik kreeg het gevoel dat ik stikte of werd gewurgd, maar de volgende ochtend voelde ik er niets meer van en ik heb heel lang aangenomen dat het nachtmerries waren. Ten langen leste heb ik met behulp van mijn therapeut geleerd dat het herinneringen waren die in mijn lichaam waren opgeslagen. Na een tijdje, als ik bepaalde persoonlijkheden samenvoegde, ontdekte ik de oorsprong van bepaalde fysieke herinneringen. Ik voel me wel verder weg als er een ik naar buiten treedt maar ik kan toch luisteren naar wat die zegt, en zoals ik al heb aangegeven in deze brief kan ik elk moment terugkomen. Ik ga nog steeds door met het samenvoegen van die persoonlijkheden en zo vorm ik wat mijn therapeut 'de constellatie van mijn wezenlijke ik' noemt, al is het soms niet duidelijk wat mijn ik is. Ik doe het langzaam. Ik leer dingen waar ik klaar voor ben. Het is niet zo dat alles is opgelost en ik heb problemen en soms stort ik in en soms gedraag ik me als een nymfomane en soms als ik zing komen er ikken tevoorschijn op het podium al schijnt niemand dat ooit te merken. De mensen denken algauw dat het te maken heeft met talent. Volgens mij was het wel slim van je om naar Israël en al die andere plekken te gaan. Ergens wist je het en misschien wilde je wel doodgaan toen je daar was en alles wat er nu gebeurt is raar voor je, een afknapper. Als je besluit om het nog een keer te proberen doe het dan simpeler. Neem een pil. Dat is het enige wat ik op dit moment kan bedenken om te zeggen, maar ik weet zeker dat ik later veel meer dingen zal bedenken. Blijf niet te lang slapen, liefste Dilly, mijn dillybilly. Probeer de ene of de andere kant op te gaan en doe het gauw. Er is een kans dat ik je nooit meer zie maar het zal onmogelijk zijn om ons tweeën te scheiden. Daar hebben ze wel voor gezorgd. Er zitten een paar persoonlijkheden van jou in mij. Die zullen bij me blijven, wat je ook doet.

Wat is uw mening als ervaren FBI-agent over de beweringen van Gwendine Morley en haar vermeende medebewuste meervoudigheid?

Wat ze zegt is niet gedocumenteerd maar lijkt me wel mogelijk. Ik heb tamelijk veel over dit onderwerp gelezen. Het tweede boek waar ze in de brief op zinspeelt is volgens mij *Thought Reform and the Psychology of Totalism* van Robert Jay Lifton. Het is gepubliceerd in 1961 en welbekend.

En u vindt niet dat Gwendine Morley mogelijk aan waanideeën lijdt of psychotisch is of een warhoofd?

Er is niets in haar brief of in haar optreden tijdens onze interactie dat erop wijst dat ze aan waanideeën lijdt of psychotisch is. Of ze een warhoofd is, dat is een kwestie van standpunt. Wat ons abnormaal voorkomt en daarom misschien in staat is tot de dubieuze 'meervoudigheid' die wordt gedemonstreerd door het vermeende koor van zogenaamde persoonlijkheden in de brief, zou ook als een hogere vorm van organisatie gezien kunnen worden die uit extreme omstandigheden is voortgekomen en noodzakelijk is om onder die omstandigheden te overleven.

U zegt dat en tegelijkertijd sluit u zich aan bij mensen die zeer sceptisch staan tegenover Katherine Clay Goldman?
Ik sluit me aan bij mensen die sceptisch staan tegenover alle verhalen die ik heb gehoord, maar ik heb zelf geen sluitende theorie over Katherine Clay Goldmans activiteiten of beweegredenen of over haar ware identiteit. In haar geval heb ik zelfs na dertien jaar gewoon nog niet genoeg informatie om op af te gaan.

In uw rapport hebt u het over ervaring in de omgang met sektes en hun activiteiten. Wilt u daar wat dieper op ingaan?
In 1965 heb ik met een voormalige partner een sekte ontbonden die in het noorden van West-Virginia actief was. Dat was mijn enige succes op dat vlak. In twee andere gevallen, het ene in Rhode Island en het andere in het zuiden van Californië, is dat niet gelukt. Het zijn altijd moeilijke kwesties. Sektes kunnen vele gedaantes aannemen, van religieus en/of ritualistisch tot voornamelijk gericht op het systematiseren van een vorm van vervolging en/of schending van mensenrechten, van begeesterd door hogere sociopolitieke intenties tot de kennelijk enige doelstelling om rijkdom en macht te behouden. Die categorieën sluiten elkaar niet uit. Daarbij dient opgemerkt te worden dat niet alle sektes zich met criminele activiteiten bezighouden, maar vele wel. Het kan maanden of jaren duren om ze op te rollen en meestal heb je iemand binnen de organisatie nodig. Je moet ooggetuigen hebben en foto's en harde bewijzen. Niemand gelooft in die dingen en niemand heeft er oren naar. Je komt ze tegen in een flutroman of een slechte film. Je wilt ze ergens wegstoppen, samen met het Monster van de Amazone. Niemand wilde ons geloven over die sekte in West-Virginia en we hadden stapels harde bewijzen. Er was sprake van moorden, martelingen, verkrachtingen en incest.

Onder de mensen die bij de activiteiten van de sekte waren betrokken bevonden zich gekozen stadsbestuurders, plaatselijke zakenlui, advocaten, artsen, politiefunctionarissen en voormalige militairen. Velen van hen waren fatsoenlijke burgers, op het oog. Uiteindelijk bleven alleen de aanklachten die met narcotica verband hielden overeind. Vijf mannen en vrouwen die als de leiders van de sekte werden bestempeld zaten gevangenisstraffen van vier tot zeven jaar uit. Gezien de neiging tot ongeloof en verzet tegen het idee van rituele gewelddadigheden binnen een kliek van overigens normaal lijkende mensen in ons goeie ouwe Amerika werd dat als een mooi resultaat beschouwd.

Beschrijft u alstublieft uw activiteiten die meteen op uw ondervraging van Timothy Birdsey en Gwendine Morley volgden.
Agent Witherspoon en ik gingen lunchen in een cafetaria en bespraken daarbij onze volgende stappen. Het leek me een goed idee om nog een dag in Salt Lake City te blijven om busstations en het vliegveld te controleren, ook al ging ik ervan uit dat de ongrijpbare Katherine Clay Goldman al lang in rook was opgegaan als ze haar oude kunstjes weer opvoerde. We zetten de grote lijnen van een plan de campagne uit. We aten hamburgers. Toen we klaar waren met de lunch lazen we alle twee de brief van Gwendine Morley. Zoals ik al eerder heb vermeld had ik de brief aangepakt in de veronderstelling dat hij niet veel om het lijf zou hebben. Het hoeft geen betoog dat agent Witherspoon noch ikzelf had verwacht dat het om een dergelijke inhoud ging. Ik las de brief als eerste. Toen agent Witherspoon hem had gelezen, vroeg hij mij wat ik van die materie af wist. Ik vertelde hem min of meer wat ik u net heb verteld. Ik zei ook tegen hem dat ik van mening was dat we het voorlopig moesten laten rusten, dat dit niet onze zaak was en ook al was het wel onze zaak dat we niet waren toegerust om hem af te handelen. Agent Witherspoon wierp tegen dat het wel degelijk onze zaak was aangezien we de hele morgen hadden besteed aan het opsporen en ondervragen van Gwendine Morley, die in dat vliegtuig op dezelfde rij als Katherine Clay Goldman had gezeten. Daar had hij natuurlijk gelijk in, maar ik

wist dat hij er heimelijk op vlaste om tijdens Beltane een inval te doen om die vermeende sekte op te rollen. Heimelijk wilde ik dat ook, maar ik wist dat het onmogelijk zou zijn. Ik stemde ermee in om de Morley-connectie verder uit te zoeken zolang we maar niet uit het oog verloren dat we op jacht waren naar informatie die ons kon helpen om Katherine Clay Goldman op te sporen. Toen besloten we dat we als eerste met de tante zouden gaan praten, met Julia Wilson, die ook een exemplaar van de brief had gekregen. We hadden haar naam en adres in ons dossier. We gingen Julia Wilson thuis opzoeken, vlak bij de universiteit. Het kenteken van een rode Toyota stationcar die op haar oprit stond geparkeerd kwam overeen met het kenteken uit ons dossier. Agent Witherspoon en ik klopten aan en de deur werd opengedaan door een tienermeisje, haar dochter. Toen verscheen Julia Wilson die de dochter, Dara Wilson, veertien jaar oud, naar haar kamer stuurde. We legden uit dat we op weg waren naar het ziekenhuis om te kijken hoe het met Dillon Morley ging. We zeiden ook dat we met Gwendine hadden gesproken en dat zij ons had verteld dat ze een exemplaar van de brief die ze aan haar broer had geschreven aan haar tante had toevertrouwd. Julia Wilson bevestigde dat ze een exemplaar van de brief had gekregen en dat haar nicht inderdaad naar Salt Lake City was gekomen met het doel om de brief aan Dillon Morley voor te lezen. We vroegen of ze de brief had gelezen. Julia Wilson antwoordde dat ze hem niet had gelezen. Ik vroeg of ze Gwendine als een stabiele vrouw zou omschrijven en ze zei 'stabiel genoeg' maar vertelde ook dat ze na de middelbare school was weggelopen, haar haar had afgeknipt en zich 'dat slettige voorkomen' had aangemeten, in Julia Wilsons woorden. Ze vroeg of we haar laatste vriendje hadden ontmoet. We bevestigden dat en gingen er verder niet op in. Julia Wilson beweerde dat ze geen nadere informatie voor ons had en dat ze een college moest voorbereiden. Ik vroeg wat het voor college was en ze zei dat het over de kwispeldans van bijen ging. Ik zei dat ik dacht dat ze mariene biologie doceerde en ze zei dat ze ook een inleidende cursus ethologie gaf. Ik gaf haar mijn kaartje en ze deed meteen de deur dicht. Toen we wegreden legde ik aan agent Witherspoon uit wat de kwispeldans van bijen was, op zijn verzoek. Toen opperde agent Witherspoon dat Julia Wilson iets verborgen had gehouden en ik beaamde dat. Mijn intuïtie zei me echter dat Julia Wilson weliswaar een lastige tante was, maar dat haar nicht snugger genoeg was om te weten wie ze kon vertrouwen.

Is Julia Wilson een directe bloedverwant van Gwendine en Dillon Morley?
Nee. Haar echtgenoot Paul is de directe bloedverwant. Hij is de jongste van drie kinderen waarvan er één is overleden, en Julia Wilson is zijn tweede vrouw. Er werden echter wel meteen enkele vraagtekens bij dat huwelijk gezet. Bronnen binnen het Bureau hebben ons laten weten dat Paul Wilson zich de laatste tijd vaak in Houston ophoudt.

U hebt het Bureau in Washington D.C. telefonisch om informatie gevraagd na uw bezoek aan Julia Wilson. Wat bent u destijds verder nog te weten gekomen?
Dat Dillon Morley eenentwintig was en twee maanden ervoor een motorongeluk had gehad in het zuiden van Israël, waar hij woonde. Na het ongeval heeft hij bijna drie weken in een ziekenhuis in Jeruzalem gelegen en daarna is hij met een privévliegtuig dat door zijn ouders was gecharterd teruggebracht naar Utah. Zijn ouders wonen drie kilometer van het ziekenhuis in Bountiful. Ze hebben ook nog een tweede huis in de Wasatch Mountains, in een streek die bekendstaat als de Mount Olympus Wilderness, buiten de gemeentegrens van een dorp dat East Millcreek heet. Dillon Morley woonde sinds tien maanden in Israël en had daarvoor een halfjaar in Griekenland doorgebracht, op verschillende eilanden waaronder Mykonos en Kreta. Daaraan voorafgaand heeft hij bijna een jaar in Nederland gewoond.

Wat hebt u vervolgens gedaan?
We zijn naar het ziekenhuis in Bountiful gereden om te kijken hoe het met Dillon Morley ging.

En daar hebt u iets verrassends ontdekt?
Ja. We ontdekten dat het bezoek aan Dillon Morley beperkt was tot acht personen die op een lijst stonden die in het bezit was van de receptie en van de bewaker die bij de deur van Dillon Morleys kamer was geposteerd. Tot de mensen op de lijst behoorden Julia Wilson, haar man en haar dochter, en natuurlijk Edward en Delilah Morley. Er stonden nog drie andere namen op die ik niet herkende. Althans, die namen zeiden me eerst niets. Ik keek naar agent Witherspoon en wilde net de namen hardop voorlezen, maar voor ik dat kon doen ging er een belletje rinkelen bij een van de namen. Ik keek nog een keer. De drie namen waren John Myerson, Kitty Myerson en Tess Eldridge. Tess Eldridge was het pseudoniem waaronder het Claymonster op dat moment opereerde. Het sloeg nergens op. Of toch? Ik overhandigde de lijst aan agent Witherspoon en zag diens mond openvallen. Daarna liepen we met gezwinde pas door de centrale gang van het ziekenhuis. We namen een lift naar de tweede verdieping en liepen een gang door. We vonden de kamer met een bewaker voor de deur. We zeiden tegen de bewaker dat we voor Dillon Morley kwamen en hij zei dat we alleen naar binnen mochten als onze namen op de lijst stonden. 'Bedoel je deze lijst?' vroeg agent Witherspoon en hield hem omhoog, waarna de bewaker zenuwachtig werd en zijn eerdere verklaring bijstelde. Hij legde uit dat hij conform zijn laatste instructies geen enkele bezoeker mocht toelaten, zelfs niet als de naam van de bezoeker op de lijst stond. Agent Witherspoon liet hem zijn badge zien en de man zei: 'Sorry, maar ik mag jullie niet binnenlaten.' Agent Witherspoon pakte de man bij zijn arm, draaide hem om en duwde hem tegen de muur en zei: 'Ik moet je met klem aanraden om aan ons verzoek gehoor te geven, jongeman.' Toen jammerde de bewaker dat Dillon Morley zich niet in de kamer bevond. 'Doe de deur open,' zei agent Witherspoon, en de bewaker, die een jaar of vijfendertig leek, haalde een sleutel tevoorschijn. Ze hadden de avond tevoren wat trammelant gehad, legde hij uit. Er was een meisje gekomen, zijn zus, met een legitimatiebewijs dat van een tante was die wel op de lijst stond. We drongen aan op meer informatie maar hij beweerde dat een andere bewaker dienst

had gehad. Hij wist alleen dat er een achtervolging was geweest. De zus was gevlucht en de ouders waren bang dat ze was gekomen om haar broer iets aan te doen, dus hadden ze hem verplaatst. Ik vroeg waar de patiënt naartoe was gebracht en de bewaker zei dat hij dat niet wist.

Daarna ging u terug naar beneden en hebt u de tante gebeld, Julia Wilson?

Dat klopt. Het leek het meest logische om te doen. De tienerdochter nam de telefoon op. Ze herkende mijn stem en zei: 'O, u bent die man van de FBI.' Toen klonk er gestommel en de hoorn viel. Toen kwam Julia Wilson aan de telefoon. Ze deelde me mee dat ik één minuut had om te zeggen wat ik op mijn lever had voor ze zou ophangen. Ik zei: 'Ze hebben hem verplaatst. Ze hebben Dillon ergens anders heen gebracht. Hebben ze dat al eens eerder met hem gedaan?' Na een ogenblik stilte zei ze dat ze dat niet wist. Ik vroeg waar ze hem heen gebracht konden hebben en ze opperde de twee voor de hand liggende plekken: hun huis in Bountiful of hun buitenhuis in de Wasatch Mountains. Ik vroeg om een routebeschrijving naar de beide woningen en na weer een stilte en een diepe zucht gaf ze die langzaam en duidelijk en controleerde ze of ik alles correct had genoteerd. Toen ze was uitgesproken vroeg ze waarom ze hem hadden verplaatst. Ik zei dat ik het net zomin wist als zij, dat zij het misschien nog beter wist. Ze zei niets. Ik vroeg waar haar man Paul zich op dat moment bevond en ze zei dat Paul in Houston was bij zijn nieuwste vriendin. Waren zij en haar man uit elkaar? vroeg ik, en ze zei: 'Ja, dat kun je wel zeggen.' Toen vroeg ik hoe zijn relatie met zijn zus was, met Delilah Morley. 'Hij heeft de pest aan Lila,' zei Wilson. Ik vroeg waarom zijn naam dan op de bezoekerslijst stond. Julia Wilson zei dat ze dat niet wist. Ik vroeg waarom haar naam en die van haar dochter ook op de lijst stonden, en ze zei: 'Dillon mocht me graag en daarom vonden ze het waarschijnlijk het handigst om onze namen erbij te zetten, al ben ik de enige van ons drieën die bij hem langs is geweest. En ik heb Gwen inderdaad mijn legitimatiebewijs gegeven. Verder nog wat?' Ik vroeg of ze de andere namen op de lijst kende. Ze beweerde dat ze niet wist welke namen erop stonden, dus vroeg ik wie John en Kitty Myerson waren. Ze zei: 'Kitty is een volle nicht van Gwen en Dillons vader, Edward Morley. John is haar man, een bedrijfsjurist. Hij en Ed zijn vroeger compagnons geweest. Ik heb ze al in geen jaren meer gesproken.' Ik vroeg of de Myersons in Salt Lake City woonden en ze zei nee, ze woonden in het stadje Logan, een uur naar het noorden. Toen vroeg ik of ze me ook kon vertellen wie Tess Eldridge was. Ze vroeg: 'Tess Eldridge?' Ik zei ja, en ze vroeg: 'Staat Tess Eldridge ook op de lijst?' Ik zei ja en ze zei: 'Wat raar.' Ik vroeg hoezo en ze legde uit dat Tess Eldridge korte tijd getrouwd was geweest met Arthur Wilson, de oudere broer van Delilah Morley, maar dat ze in maart 1957 haar biezen had gepakt, iets meer dan een jaar na het huwelijk, op haar tweeëntwintigste. Ze geloofden dat ze een beatnik in San Francisco was geworden. Arthur Wilson was erin geslaagd het huwelijk nietig te laten verklaren of van haar te scheiden, dat wist Julia Wilson niet precies. Hij was hertrouwd en naar het westen van Canada verhuisd, waar hij bij het skiën in de Bugaboos was verongelukt. Julia Wilson had hem nooit ontmoet want het skiongeluk had een paar jaar voor ze Paul had leren kennen plaatsgevonden. Ik vroeg of Tess Eldridge daarom korte tijd Tess Wilson had geheten, maar ze zei dat Eldridge nooit officieel haar achternaam had veranderd. Ze voegde eraan toe dat dit allemaal nagetrokken moest worden omdat het informatie was die ze jaren geleden had gehoord. Ik vroeg of ze nog andere dingen over Tess Eldridge wist, kleine dingen over haar jeugd, bijvoorbeeld, en ze zei nee. Ik besloot mijn ondervraging met te informeren of ze ooit van Beltane had gehoord. Ze vroeg of dat iemands naam was. Ik ontkende dat en raadde haar aan om de brief van haar nicht te lezen.

Wat bent u verder nog te weten gekomen over Tess Eldridge?
Niet veel. We hebben bevestiging gekregen van Julia Wilsons informatie omtrent het huwelijk van Eldridge met Arthur Wilson, dat nadien nietig is verklaard. We hebben ook iemand in San Francisco opgespoord, een voormalige toneelmeester genaamd Arnold Mila-

no, zevenenzestig jaar oud, die beweert dat Tess Eldridge toneelactrice was en in 1960 en 1961 had opgetreden tijdens de *Mummers of San Francisco* – de Shakespeare-festivals die 's zomers in de openlucht werden gehouden. Hij verklaarde dat Eldridge in 1964 aan een overdosis heroïne was overleden, maar dat hebben we niet aan de hand van officiële bewijsstukken kunnen verifiëren. We hebben een afweging gemaakt tussen het idee dat Tess Eldridge alleen maar een pseudoniem was en de mogelijkheid dat Goldman daadwerkelijk Tess Eldridge is of was, maar het feitelijke bewijs dat die laatste optie zou ondersteunen moeten we nog ontdekken. We snappen evenmin hoe of waarom haar naam op de gelimiteerde bezoekerslijst terecht is gekomen. Het lijkt ons het meest aannemelijk dat het een list van Goldman zelf was, wellicht om agent Witherspoon en mij naar het huis van de Morleys in de Wasatch Mountains te lokken.

U hebt een kopie van die lijst gemaakt?
Ja. De lijst is samen met mijn rapport ingediend. In het ziekenhuis hebben we ook een kopie gemaakt van de brief van Gwendine Morley. Ik wist niet zeker wat ons in het huis van de Morleys te wachten stond en wilde afschriften van beide documenten achter de hand hebben voor de zekerheid.

Daarna bent u naar het huis in de Wasatch Mountains gegaan?
Eerst zijn we bij het huis in Bountiful gestopt. Het had een onbewaakte poort waar ik overheen kon klimmen om de grote in Brits-koloniale stijl opgetrokken villa nader te bekijken. Er was niemand aanwezig. Korte tijd daarna begon de avond te vallen en reden we in onze gehuurde Buick met hoge snelheid over een bochtige bergweg. Bij elke scherpe bocht leek de auto aan te lopen, en ik was bang dat een van de wielen eraf zou vliegen als we niet gauw bij het huis arriveerden. Julia Wilsons routebeschrijving klopte echter precies en weldra vonden we het buitenhuis van de Morleys. We versperden de lange, slingerende oprit met onze auto op een plek net buiten het zicht van het huis. Toen stapten we uit en liepen we de oprit verder op.

Wat zag u toen jullie bij het huis kwamen?

We telden de auto's op een parkeerplaats naast een grote vrijstaande garage. Er stonden in totaal negen voertuigen. Zes personenauto's, twee pick-ups en een bestelwagen. We noteerden alle kentekens. Daarna liepen we om het huis heen naar de achterkant. Daar was een terras met een bescheiden zwembad en een soort groot badhok. Op een brandende lamp aan het hok na was het terras donker. Terwijl agent Witherspoon me rugdekking gaf kroop ik naar een groepje struiken voor een raam in de achtergevel en toen agent Witherspoon het teken veilig gaf richtte ik me half op en keek naar binnen. Ik verwachtte bijna middeleeuwse martelwerktuigen te zien, losse kooien, zwepen en ketenen, een schandpaal, of in elk geval iets wat erop wees dat er een sekteritueel aan de gang was. Wat ik zag was een groep mensen met een glas in de hand. Er stonden wijnglazen en schalen met kaas en crackers. Er stonden rauwe wortels, broccoli en repen rode paprika geschikt rondom een kom met een dipsaus van blauwe kaas. Ik zocht rond naar een bewusteloze jongen maar zag er geen. Ik realiseerde me dat het meer voor hand lag dat sekterituelen in het souterrain plaatsvonden. Ik speurde de achtergevel voorbij het terras af naar een kelderraam of een luik, maar vanwaar ik gehurkt zat zag ik alleen de betonnen fundering. Ik keek weer naar al die mensen binnen met een glas in de hand en zocht de kamer af naar een grote, zelfverzekerde vrouw met zwart haar. Tot dat moment had ik nog geen theorie geformuleerd waarmee kon worden verklaard wat Katherine Clay Goldman met dat feest daar te maken had. Het enige dat ik wist was dat ze niet in die kamer was of dat ik in elk geval haar vermomming nog niet had doorzien.

Beschrijft u uw entree op het feest en wat er daarna plaatsvond.

We liepen om het huis heen naar de voordeur, klopten aan en werden begroet door een vrouw die vroeg of we waren verdwaald. We vertelden dat we van de FBI waren en dat we graag, als het mogelijk was, Edward of Delilah Morley wilden spreken. Ze zei dat zij Delilah Morley was en agent Witherspoon vroeg haar waar haar zoon was. Ik voegde daaraan toe dat het ziekenhuis in Bountiful had gemeld dat haar zoon Dillon uit zijn privékamer was weggehaald. 'Mijn zoon is hier,' zei de vrouw. Ik vroeg of we hem konden bezoeken en ze vertelde dat haar zoon in coma lag. We vroegen waarom haar zoon nu daar was en ze legde uit dat ze hem nu en dan een verandering van omgeving wilden bieden, dat het goed was om hem mee te nemen naar verschillende plekken zodat hij wat beweging kreeg, dat soort dingen. Ik vroeg of er problemen in het ziekenhuis waren geweest. 'Bij mijn weten niet,' zei ze, haar eerste fout.

Ze maakte twee fouten in totaal?
Ja.

Beschrijft u de tweede fout die haar verhaal ondergroef.
Ik legde uit dat ons rapport aangaf dat haar dochter Gwendine naar het ziekenhuis was geweest om Dillon te zien. De reactie van Delilah Morley was: 'Nou, waarom niet? Ze is zijn zus.' Ik wees erop dat Gwendine niet op de lijst stond.

Wat gebeurde er toen?
De vrouw sloeg haar armen over elkaar. Ze scheen niet van de wijs gebracht. Ze zei dat haar zoon in het badhok bij het zwembad lag en dat ze me erheen kon brengen als ik dat wenste. Ik bedankte haar en zei dat ik er de voorkeur aan gaf om alleen te gaan en haar in huis bij agent Witherspoon achter te laten. Inmiddels begonnen de gasten op het feest naar ons te staren en te fluisteren. Delilah Morley leidde me door het huis naar een achterdeur die op het terras bij het zwembad uitkwam. Toen ik door het raam naar binnen had staan kijken was ik een meter of drie van de deur verwijderd geweest. Ik zag het badhok met de lamp en ik vond het dom van ons dat we niet de moeite hadden genomen om het te inspecteren. Maar het maakte niet uit. Er was niets veranderd in de vijf minuten die waren verstreken. Ik liet de vrouw bij haar achterdeur staan en zei dat ik het verder wel alleen afkon.

Het was donker in het badhok?
Ja.

Beschrijft u alstublieft nauwkeurig wat er gebeurde toen u naar binnen ging.
Voor ik naar binnen stapte probeerde ik te bedenken waarom ze Dillon Morley daar zouden onderbrengen. De meest voor de hand liggende reden scheen te zijn dat het de enige plek op de begane grond was waar hij het feest niet zou storen. De andere gedachten die ik had waren onrustbarender, evenals het feit dat hij daar in het pikkedonker lag. Ik redeneerde dat een donkere ruimte niet iets was om je al te druk over te maken aangezien hij toch in coma lag. Ik duwde de deur open en tastte naar een lichtschakelaar. Ik keek om en zag dat Delilah Morley door het raam van de achterdeur naar me stond te kijken. Ik deed het licht aan en zag Dillon in een dure leren rolstoel zitten, vastgesnoerd met een nylon veiligheidsriem. De vloer was van gladde tegels. De wanden waren gepleisterd. Het hok had zo'n systeemplafond van losse panelen. De jongen zat met zijn ogen dicht, zijn levenloze gezicht doorsneden door twee lange, golvende littekens van hechtingen waardoor hij er in mijn ogen meer als een nette, niet zo groene versie van het monster van Frankenstein uitzag. Zijn ogen bleven dicht maar ik vroeg me toch even af of hij mij op een onnaspeurbare of onbewuste manier gewaar was geworden. Maar toen werden die gedachten onderbroken. Ik hoorde geritsel. Ik trok mijn pistool en draaide me om. Ik verwachtte zijn moeder of zijn vader buiten voor het badhok te zien staan maar er was niemand, dus keerde ik me weer om naar Dillon Morley. Ik keek of zijn arm of been misschien had bewogen. Ik vroeg me af wat ik zou doen als hij dat moment had gekozen om wakker te worden. Ik hoorde weer geritsel en staarde naar de jongen. Dillon Morley had geen vin verroerd. Toen gebeurde het onmogelijke, al was het niet Dillon die na twee maanden uit een coma ontwaakte. Een van de panelen in het systeemplafond vlak achter hem begon te schuiven. Toen verschenen er twee lange benen. Misschien had ik het moeten zien aankomen. Ik hief mijn pistool en deed een stap achteruit. Haar lichaam

gleed omlaag uit het plafond. Ze maakte nauwelijks geluid toen ze zich losliet en op de vloer van het badhok neerkwam. Ze keek me aan en er was geen vergissing mogelijk: haar blauwe ogen, haar wipneusje precies zoals het altijd wordt afgebeeld, haar haar zwartgeverfd. Na de zachte plof van haar landing leek ze zo stil als licht dat op een weiland valt. Ze maakte geen geluid bij het ademen tot ze sprak. Ze zei: 'Hallo, agent Sachs.' Ik zei hallo terug, mijn stem even zacht als de hare maar lang niet zo helder en vol. Haar timbre was duidelijk geoefend, een noodzaak. Wat was ik van plan te gaan doen? vroeg ze. Ik zei dat ik van plan was haar te arresteren. 'Je bent hier niet voor mij gekomen,' zei ze. Ik zei: 'Maar je bent hier nou eenmaal. Soms gaan die dingen gewoon zo.' Ze glimlachte mat. 'Nee,' zei ze. Ik wachtte tot ze die ontkenning zou toelichten. Ze zei: 'Wat is je voornaam eigenlijk, agent Sachs? Die ben ik in al die jaren niet te weten gekomen. Ik weet dat je in Bethesda woont, in Maryland. Ik weet dat je ex-vrouw in South Orange woont, in New Jersey. Ik weet dat je dochter een redelijk progressieve advocaat in San Diego is.' Ik vroeg of dat een dreigement inhield tegen mijn ex-vrouw en mijn dochter. Ze zei: 'Natuurlijk niet.' Toen vertelde ik haar mijn voornaam.

Gelooft u dat ze uw ex-vrouw of uw dochter bedreigde?
Destijds hield ik daar wel rekening mee. Achteraf gezien denk ik van niet.

Gaat u alstublieft verder met uw beschrijving van de ontmoeting.
Ze zei dat ik hem daar moest laten. Dat ik Dillon Morley daar moest laten. Dat ik naar binnen moest gaan en daar met mijn partner moest wachten tot ze weg was met de comateuze jongen. Ik wees erop dat ik een geladen pistool in mijn hand had en vroeg of zij er ook een had. Ze zei misschien wel en toen zei ik dat ik haar te pakken had. Ik zei dat het ondenkbaar was dat ze ongehinderd zou kunnen vertrekken. 'Dan zal ik het anders stellen,' zei ze. 'Als ik me voor jou uit de voeten moet maken dan ga ik in m'n eentje, maar als je me hier alleen laat kan ik deze jongen misschien behoeden voor dingen die je je niet

kunt voorstellen.' Was dat haar nieuwe spel? vroeg ik. Goede daden verrichten? Ze voerde aan dat het geen spel was wat ze deed. 'Wie ben je nu echt?' vroeg ik. 'Ben je Tess Eldridge?' Op haar onverstoorbare wijze ontweek ze de vraag. Ze zei: 'Wie ik ben is een ingewikkelde zaak en je zou het niet zo een-twee-drie begrijpen.' Ik hield nog steeds mijn pistool op Goldmans gezicht gericht toen ik opperde dat mijn partner en ik Dillon Morley zonder problemen uit het huis konden weghalen. Ze betoogde dat we niet wettelijk bevoegd waren om dat te doen, en ook al waren we het wel dan konden we hem verder toch niet helpen. Ik vroeg of ze van mening was dat zijzelf Dillon wel kon helpen om uit zijn coma te ontwaken. Ze zei dat niets zeker was. Ze zei: 'Nu moet je snel een besluit nemen, anders moet ik het voor je doen.' Ik zei: 'Sorry, maar er valt niets te beslissen.' Bijna nog voor die woorden over mijn lippen waren gekomen was ze op me afgesprongen. Maar zelfs dat lijkt te sterk uitgedrukt. Het leek of ze in de tijd die het kostte om met de ogen te knipperen tegen me opknalde, zo hard als een doorgewinterde linebacker. Het volgende moment lag ik plat op mijn rug. Ik had tot dan toe niet geweten dat Goldman bedreven was in enige vechtsport. Ik zou haar vaardigheid graag omschrijven als een demonstratie van een bepaalde discipline, maar ze bewoog met zo'n snelheid dat haar manoeuvre minder een beweging was dan een gedachteflits. Zij het dat ik op mijn rug lag en zij mijn pistool in haar hand hield en een van haar knieën tegen mijn luchtpijp drukte. Ze legde uit dat ze me niet zou doden maar dat ik maar één verkeerde beweging hoefde te maken of dat aanbod werd meteen weer ingetrokken. Ze trok haar knie terug, stond op en haalde het magazijn uit mijn pistool. Ze zei dat ik het terug zou vinden op de oprit, naast mijn auto, als ze weg was. Daarna droeg ze me op om het huis binnen te gaan en tot zestig te tellen. Als ik bij zestig was mocht ik verder doen wat ik wilde, zei ze. Voor haar part mocht ik dan achter haar aan komen, de hele wereld over, maar gedurende zestig seconden na mijn vertrek uit het badhok moest ik precies doen wat ze zei als ik mijn leven liefhad. Ik keek Katherine Clay Goldman scherp aan. Ze zag er veel ouder uit dan op alle foto's die we in het archief hadden. Ik wilde tegen haar zeggen dat ik vreselijk de pest aan haar had. Ik wilde tegen haar zeggen dat ze er goed uitzag. Ik wilde tegen haar zeggen dat ik haar wel zou krijgen, hoe lang het ook mocht duren. In plaats van dat alles vroeg ik toestemming om mijn vrije hand in de binnenzak van mijn jasje te steken en er een stuk papier uit te halen. Dat vond ze goed en ik haalde er een kopie van de brief uit. Ik hield hem omhoog en zei dat hij misschien van pas kon komen, dat hij door Gwendine Morley, de zus van de comateuze jongen, was geschreven en dat zij hem de avond ervoor aan haar broer had voorgelezen. Goldman vouwde de brief op en bedankte me, al had ik de vreemde gewaarwording dat er niets in de brief stond dat ze niet al wist.

Is het waar dat u haar op vrijwel elk moment voorafgaand aan haar uitval neer had kunnen schieten?
Ja. In theorie.

Hebt u het overwogen?
Nee.

Waarom niet?
Omdat ik geen reden had om aan te nemen dat ze zou ontsnappen. Ik kan nog steeds geen verklaring geven voor het succes of de snelheid van haar aanval.

Hebt u op enig moment het gevoel gehad dat u geen zeggenschap had over uw wil?
Wat een vreemde vraag. Nee, dat gevoel heb ik niet gehad.

Beschrijft u voor ons wat er door u heen ging nadat ze u had vrijgelaten.
Goldman gooide me mijn ongeladen pistool toe en toen ik opstond besefte ik dat ik misschien nog een laatste kans had om haar te overmeesteren. Ik berekende dat het ongeveer drie seconden zou kosten om haar onschadelijk te maken, als het lukte. De scène flitste door mijn hersens, zoals talloze keren eerder, maar voor ik op de uitda-

ging om het te doen kon ingaan drong het tot me door dat ik het voordeel dat ik misschien had gehad al had verspeeld en dat Goldman, die behoedzaam een stap achteruit deed, precies had aangevoeld wat er door mijn hoofd ging.

Rondt u alstublieft uw samenvatting van de gebeurtenissen af.
Ik liep het badhok uit en over het terras van het zwembad terug naar het huis. Ik keek naar Scotty en knikte. Delilah Morley kwam naar ons toe. Ze zei dat Dillon soms sprak. Dat hij soms bewoog. De artsen zeiden dat het normaal was maar dat hij toch niet bij bewustzijn was. Hij had niet gesproken noch bewogen, zei ik tegen haar. In gedachten stond ik te tellen. Ik was bij twintig. Ik vroeg Delilah Morley of ik een glas whisky met een blokje ijs kon krijgen. De vrouw knikte en liep naar de bar. Ik staarde door het raam in de achtergevel naar buiten. Ik zag het donkere silhouet van Katherine Clay Goldman die de jongen in zijn rolstoel over het terras duwde. Hem voortduwde naar wat ongetwijfeld nog één of twee paar helpende handen waren. Er stond daar inmiddels een auto. Hij was langzaam met gedoofde koplampen door het donker genaderd. Ik kon de motor zacht horen ronken maar niemand had dat in de gaten, tot de koplampen ineens aanfloepten en we de bestelwagen over het gras van de achtertuin voorbij zagen rijden. Agent Witherspoon gilde: 'Wat krijgen we nou?' en keek me aan. Toen gilde ik zelf: 'Wat gebeurt daar?' De vrouw staarde me aan met een blik vol haat en agent Witherspoon riep: 'Van wie is die bestelwagen?' Niemand antwoordde, uiteraard. We volgden een stuk of wat mensen die naar de voorkant van het huis holden om te kijken. De bestelwagen had zich een weg naar de oprit gebaand en slalomde door de wirwar van geparkeerde auto's. Toen zag ik haar. Ze had het raampje omlaag. Agent Witherspoon herkende haar meteen en beweerde later dat hij zich net zo snel had gerealiseerd wat er in het badhok was voorgevallen. Ze scheurde voorbij en agent Witherspoon rende met getrokken pistool achter de bestelwagen aan. Hij kon niet dichtbij genoeg komen om te schieten. Een minuut later was hij terug met het bericht dat ze onze gehuurde Buick total loss had geramd. Hij belde in het

huis met het Bureau in D.C. en liet een oproep uitgaan om naar Katherine Clay Goldman uit te kijken, al wist ik zeker dat het geruime tijd zou duren voor ze weer zou worden waargenomen. Daarna namen we verklaringen van ooggetuigen op van wie niemand de vrouw achter het stuur van de bestelwagen had herkend, zoals ze beweerden. We legden Delilah Morley het vuur na aan de schenen over haar rol in wat we diverse keren bestempelden als een complot betreffende haar zoon, wat ze ontkende, net als haar man. We beloofden terug te komen met een huiszoekingsbevel, maar de Morleys deden geen pogingen om ons van dienst te zijn; meer dan eens keek Ed Morley me streng aan en vroeg: 'Waarom hebben jullie onze zoon weggehaald, verdomme?' Toen we klaar waren met het opnemen van verklaringen belden we een taxi. We hadden een minuut of twintig buiten gewacht toen hij kwam. De chauffeur vroeg of dat onze in de prak gereden Buick was. Ik was er al naar wezen kijken. Zoals beloofd had ik het magazijn van mijn pistool teruggevonden op de grond naast de wagen, die op zijn zijkant lag, met zijn neus omhoog tegen een steile aardwal. Goldman wist duidelijk hoe ze gebruik moest maken van de wetten der natuurkunde in situaties als het rammen van een geparkeerde auto. Ik zei tegen de chauffeur dat de vernielde Buick inderdaad van ons was geweest. Ik hoorde geronk van een andere auto. Er kwam nog een auto de oprit op en even was ik bang dat we twee taxi's hadden besteld, maar er verscheen een donkergekleurde Mercedes Benz met halogeenlampen. Toen hij op ons afkwam werden we twee seconden lang nagenoeg verblind door zijn felle grootlicht. Toen de auto stilhield stapte er een vrouw uit aan de passagierskant. Ze droeg een donkere rok, leren laarzen, een bruin topje en een klein flonkerend diadeem. 'Bent u Kitty Myerson?' riep ik, en ze keek naar me op. Ze had scharlakenrode lippenstift op. Voor ze antwoordde gingen de koplampen van de auto uit. Het silhouet van de vrouw zei: 'Ja.' Toen liep ze langs ons. Ze werd gevolgd door een groter silhouet waarvan ik aannam dat het haar man was. Ik ving een glimp op van zijn gezicht in het licht van de veranda toen hij iets tegen zijn vrouw fluisterde, even naar me keek en zijn arm om haar rug legde. 'Kan ik u ergens mee helpen?' riep ik, en de man zei: 'We redden het prima zonder uw hulp vandaag.' Kitty Myerson tuitte haar lippen. Ze greep de deurklink vast en zei: 'Goedenavond.' Het was gissen of misschien was het intuïtie, maar toen dat stel door de voordeur naar binnen stapte bekroop me het gevoel ik dat ik naar iets griezeligs keek waaraan de jongen maar net ontkomen was.

4

Langs de puinhopen

I. VIER BRIEVEN

Mijn naam is Jennifer. Ik heb gehoord dat de meeste Jennifers niet 'aardig' zijn, dat ik Jenny zou worden genoemd als ik vrolijker en sprankelender was en dat ik Jen zou heten als ik hartelijk en meelevend was. Ik ben echter altijd Jennifer genoemd, en hoewel ik geen voorstander ben van idiote generalisaties - de net aangehaalde werden gedebiteerd door een jongen met wie ik vorig jaar vijf maanden ben gegaan - ben ik beslist geen meisje dat je aardig zou noemen.

Wat nu volgt is een kroniek van de lente van 1984, mijn laatste jaar van de middelbare school, en hoewel er veel dingen van belang lijken geloof ik dat ik moet beginnen met de brieven van mijn moeder. Het waren er vier in totaal. Ik ontdekte ze eind maart in de la van haar nachtkastje. Ik was net klaar met een werkstuk over Aldous Huxleys *Heerlijke nieuwe wereld* en omdat het woensdag was wist ik dat ze laat thuiskwam, want dat was de avond dat ze haar ronde als kinderarts in het ziekenhuis deed. Misschien kwam het doordat mijn moeder zo terughoudend is - mijn vader, die acteur is, heeft haar eens 'lumineus ingetogen' genoemd - dat ik regelmatig rondstruinde in haar slaapkamer, waar ik lades doorzocht, paperassen op haar bureau inspecteerde, naar aanwijzingen speurde dat ze heimelijk iemand anders was dan de vrouw die ik dacht te kennen.

Ze had mijn jongere zus Rocky en mij eens verteld hoe ze in de herfst van 1939 met haar moeder en vader uit het door de Sovjets bezette oosten van Polen was ontsnapt door in het maanlicht over bietenvelden te rennen. Ze hadden zich in een schuur verstopt toen er soldaten van het Rode Leger waren gekomen die haar vaders broer Lejb en diens vrouw meenamen. Ze hadden Lejbs honden, twee grote sterke honden, bij zich. De honden waren hen gevolgd ook al had mijn oma geprobeerd ze weg te jagen. Toen mijn moeder met haar ouders over die bietenvelden rende waren de honden meegerend. Ten slotte raakten ze de honden kwijt en op een gegeven moment hadden ze zich in een hooiberg verstopt om te rusten. Een poos later renden ze weer verder en toen de zon opkwam zagen ze de twee grote honden weer, alsof ze nooit weg waren geweest. Ze renden voor hun leven en de honden verdwenen telkens en doken dan weer op. Mijn moeder beweerde dat ze elke keer als ze de honden weer zag nieuwe moed kreeg dat ze met haar ouders zou ontsnappen.

Er was ergens een lange trein – mijn versie van hun vlucht is duidelijk erg impressionistisch – en het plan was om in een van de achterste wagons te klimmen die een heel eind van het station af stonden waar de trein was gestopt. Op een of andere manier speelden ze het klaar. Ze klommen in een wagon die met zakken graan was geladen en verstopten zich tussen de zakken terwijl de trein naar het noordoosten denderde, naar Litouwen. De twee grote honden werden uiteraard nooit meer gezien. Ik was twaalf toen mijn moeder voor het eerst de bijzonderheden van haar vlucht aan ons vertelde, en ik heb me vaak afgevraagd hoeveel ze had weggelaten en welke stukjes van het verhaal ze had opgesmukt. Ik heb me voornamelijk afgevraagd of het laten opdraven van die twee haast magische honden alleen maar diende om het verhaal zo te vertellen dat we het niet zouden vergeten. Het punt is dat ik soms over die honden droom, en in mijn dromen zijn ze reusachtig en gelukzalig, een beetje als Aslan in *De kronieken van Narnia*, behalve dat die honden net uit beeld onzichtbare soldaten aan stukken scheuren. En ik bedoel helemaal uiteenrijten, hen verslinden, hun lichamen tot onherkenbare vormeloze klompen verminken. Dan komen ze weer in beeld en zijn het gewoon onbekommerde, onnozele, rondsnuffelende honden die blaffen en van die onverhoedse diepe jodelgeluiden maken die honden altijd maken.

Maar goed, de brieven. Ze waren alle vier van recente datum, op verschillende dagen in februari en maart afgestempeld. Er waren er twee uit Nederland. Eentje kwam uit de Socialistische Sovjet-

Republiek Litouwen. Eentje kwam uit Israël. Ze waren alle vier in van die vliesdunne enveloppen gepost die op witte uienschillen leken; als klein meisje dacht ik dat ze echt van uienschillen waren gemaakt. Ze waren alle vier geopend en de meest recente, die uit Israël, was drie dagen ervoor gearriveerd. Ik begon te lezen en concludeerde algauw dat mijn moeder contact had gezocht met vertegenwoordigers van diverse Europese instanties in de hoop informatie over haar vader te vergaren. Het scheen ook dat wat ze aan die mensen had geschreven gebaseerd was op de minieme kans dat haar vader de Tweede Wereldoorlog had overleefd, ook al had ze Rocky en mij lang geleden verteld dat hij in 1941 was vermoord.

Er bestond een verhaal over vijfhonderd joodse mannen waaraan voortdurend werd gerefereerd in die brieven van mensen die bij instanties werkten die negenendertig jaar na het einde van de oorlog nog steeds mensen probeerden te helpen bij het vaststellen van het precieze lot van verdwenen familieleden. Ik kende het verhaal niet en ik had toen ook niet het idee dat ik het aan mijn moeder zou vragen. Ze was een goede moeder ook al was ik meestal boos op haar, maar over praten over de oorlog deden zij en mijn oma op z'n best eigenaardig en op z'n ergst hysterisch. Het was mazzel dat we überhaupt over hun vlucht uit Polen te horen hadden gekregen. En dan was er ook nog het verhaal over haar uitreisvisum uit Litouwen, hoewel dat minder een verhaal was en meer een waslijst van logistieke details. Het enige lid van onze familie dat openlijk over de Holocaust sprak was tante Doris, de jongere zus van mijn oma, die in een Litouws getto opgesloten had gezeten en daarna in Auschwitz en daarom niet zomaar een vluchteling was maar een pure Overlever. Ze was in 1945 geïmmigreerd en had sindsdien in het noorden van New Jersey gewoond, maar haar verhaal was niet dat van mijn moeder. Wat ik van haar verhaal wist leek meer op wat ik uit de documentaire kende die we in de les tijdens mijn laatste jaar op de Hebreeuwse school hadden gezien, kort voor mijn afgrijselijke bat mitswa.

Dit zijn de vier brieven, woordelijk door mij overgepend in een dagboek waar ik het zo dadelijk over zal hebben. De eerste brief die ik las was gedateerd 26 februari en kwam uit Amsterdam. Een man genaamd Schoonhoven had geschreven:

Geachte dr. Rabinowitz,
We hebben bevolkingsregisters doorgespit vanaf 1939 en zijn geen vermelding tegengekomen van een Poolse of Litouwse man genaamd Jonas Rabinowitz. We hebben het besproken met Jacob van der Hoek, een curator van het Anne Frank Huis, maar dat heeft ook niets opgeleverd. We hebben koffiegedronken met Isaac Buchman van het Haifa Instituut en hij stelt voor dat u bij zijn broer Zvi – die bij het Yad Vashem Holocaust Museum in Jeruzalem werkt – navraag doet naar transportlijsten. Er staan namen op transportlijsten naar kampen vanuit verschillende steden en voor Kovno in Litouwen gold dat voornamelijk voor de drie jaren 1942-1944. We zijn blij dat u goede hoop houdt en leven mee met uw onzekerheid. We kennen het verhaal van de vijfhonderd joodse mannen niet, en we hebben het nagetrokken bij het Anne Frank Huis maar niemand heeft dat verhaal of iets dergelijks gehoord. U bent van harte welkom als u naar Amsterdam komt en kunt dan op korte termijn een afspraak met ons maken als u dat wilt.

Met spijt in het hart,
Hans-Willem Schoonhoven

De tweede brief kwam uit de stad Delft in Nederland. Hij was gedateerd 8 maart en geschreven door een vrouw. Ze schreef:

Geachte dr. Rabinowitz,
Ik heb onderzoek gedaan naar twee adressen op Plein Delftzicht en daar met de huisbaas en diverse bewoners van een appartementencomplex gesproken. Niemand van hen kan zich uw vader Jonas Rabinowitz herinneren, en niemand heeft ooit het verhaal van de vijfhonderd joodse mannen gehoord. Ik kan alleen maar zeggen dat er veel van dergelijke verhalen de ronde doen.

Met vriendelijke groeten,
Annemieke Voorhees

De derde brief, met het poststempel *Vilnius, Lietuvos TSR*, was gedateerd 18 maart en bevatte een aantal regels en woorden die waren doorgestreept, ik nam aan door censuurambtenaren van de overheid. De brief was niet ondertekend en de anonieme opsteller schreef:

Aan mevrouw doctor Beverly Rabinowitz:
Het is niet zozeer aan mij om zeggen wat wel en niet is en in een geval als dit ik ontdek je zult niet vinden wat je gaat zoeken. Dit land is nu andere plek dan toen voor korte periode en zo zal het altijd gaan met verandering na verloop van de tijd. (doorgestreepte zin) Ik ben niet zo blij van wat gebeurd is en moet alleen zeggen ik weet van een groep met intellectuelen uit Kaunas in 1941, en allen moeten dood zijn want niemand was teruggezien. Dat is lang geleden en er kunnen veel plekken voor verstoppen zijn maar niet zoveel als je naast greppel staat die je hebben gegraven bij Vierde Fort en dan worden doodgeschoten en in greppel vallen. Zoals u zegt is geen waarschijnlijk scenario. (doorgestreepte zin) Een vrouw die Olga heet zei eens tegen me de gelukkigen zijn die snel doodgaan en ongelukkigen die overleven in zo'n geval en zoals u ziet die gevallen blijven gebeuren in plaatsen op de hele wereld en ik ken mensen in Israël die vaak zeggen 'nooit zullen we vergeten' maar in veel plaatsen is vergeten hoewel we steeds zoeken (doorgestreepte woorden) vandaag is waarom ik voel Olga zegt waarheid genoeg. Wees niet zo droevig dat iemand als uw vader niet overleven want voor hem is zo beter en voor u. Ik heb weten van gevallen dat mensen overleven en soms is er zelfmoord en altijd is er ellende zoals u kunt voorstellen maar is ook mogelijk in het geval dat u beschrijft om voor te stellen wat u wilt. (doorgestreepte zin) Ik ben een oude man en ik praat met mensen want dat is mijn passie en ik schrijf brieven maar ik zeg altijd wat in mijn hart en beslis dat het beste moet zijn. Ik heb deze woorden overgelezen om mijn spelling goed te vinden maar het spijt

me dat mijn Engels niet beter is zo dit alles meer klinken als een vriend. Ik ken u niet maar dat is mijn hoop in deze wereld om als vriend klinken.

Dat was veruit mijn favoriete brief. Ik wou alleen dat ik de naam wist van de man die hem had geschreven.

De laatste brief kwam uit Jeruzalem en was gedateerd 25 maart. Hij was van Zvi Buchman, de broer van de man die in de brief van de Nederlander werd genoemd. Hij schreef:

Geachte dr. Rabinowitz,

Ik heb uw brief met grote interesse gelezen. Het is mijn werk om gevallen als dit op te sporen en bewijsmateriaal te vinden om historische gebeurtenissen te documenteren die licht kunnen werpen op het leven of de dood van elk van de zes miljoen die zijn omgekomen. Ik heb op uw verzoek archiefmateriaal van Yad Vashem doorzocht, waaronder passagierslijsten voor treinen van Kovno in Litouwen en registers van de concentratiekampen Treblinka, Chelmno, Sobibór en Auschwitz-Birkenau. Ik heb in geen van die documenten een registratie gevonden van uw vader, Yonah (Jonah, Jojna, Janas, Jonas) Rabinowitz. Er is natuurlijk nog veel meer archiefmateriaal bij Yad Vashem, en een grondige bestudering ervan zou maanden duren, misschien wel jaren. Ik heb op de voor de hand liggende plekken gezocht, maar in gevallen als het uwe zijn de plekken waar je iets van belang vindt meestal niet zo evident. Over de zaak van de vijfhonderd joodse mannen die u hebt beschreven heb ik de historicus Shlomo Weisgold van de Hebreeuwse Universiteit in Jeruzalem geraadpleegd, en hij heeft verklaringen overgelegd over 534 joodse intellectuelen die veronderstelden dat ze waren uitgekozen om archiveringswerkzaamheden in Kovno te verrichten maar die begin augustus 1941 naar het negentiende-eeuwse Russische fort buiten de stad (dat bekendstond als het Vierde Fort) werden gebracht en geëxecuteerd. Er zijn geen verklaringen betreffende andere details van uw verhaal, noch bewijsmateriaal dat sommigen de massamoord zouden hebben overleefd, maar hij heeft een kopie van uw brief in zijn archief opgeslagen met een aantekening om contact met mij op te nemen voor het geval hij op een verwijzing stuit. Laat me alstublieft weten of ik u wellicht nog op andere manieren van dienst kan zijn.

Tiheyeh briah (sterkte)
Zvi Buchman

En wat te denken van die brieven? Mijn moeder had klaarblijkelijk heel precieze inlichtingen ingewonnen, met instructies aangaande bepaalde concentratiekampen en zo. Ze had dat afgelopen winter gedaan, waarschijnlijk na de jammerlijke kwestie van mijn arrestatie (samen met Alison Belle) wegens het opblazen van de brievenbus van een lerares. Mijn moeder had merkwaardig bedaard geleken over het incident, dat zich in januari afspeelde toen ze in Florida was met haar vriend, de mariene bioloog. Ik vraag me nu nog steeds af: hoe kwam het dat het allemaal nog erger voor me werd dan het al was, nadat ik die vier brieven had gelezen?

II. OORLOG IS VREDE

Voor meneer Kananbaums lessen over utopische literatuur zouden we *1984* gaan lezen. Hij had die roman vast elk jaar op het programma sinds hij in de jaren zeventig als leraar Engels was begonnen, maar hij deed net of het allemaal vreselijk veel voorstelde omdat het jaar, zoals ik al heb verteld, 1984 was. Hij had ons net onze werkstukken over *Heerlijke nieuwe wereld* teruggegeven (ze waren, in zijn woorden, allemaal verbijsterend middelmatig) en deelde ons mee dat we geen scriptie over Orwell hoefden te maken maar in plaats daarvan een dagboek moesten bijhouden, zowel op school als thuis, met allerlei impressies over *1984*.

'En niet alleen over het boek,' voegde hij eraan toe. 'Over het boek en over de wereld waarin we leven. Het boek en jullie leven, ons leven, nu.'

Hij haalde twee pakken met elk twaalf gelinieerde schriften tevoorschijn. Elk pak was verpakt in cellofaan, dat hij er aftrok, tot een prop verfrommelde en in een prullenbak gooide. Hij deelde ze uit en vroeg ons allemaal om de datum boven aan de eerste bladzij te zetten. Ik schreef de datum op – *4 april 1984* – en las nog even snel zijn commentaar op mijn werkstuk over. Hij had geschreven: *Jennifer, zoals gewoonlijk ligt jouw intelligentie ver boven die van de meeste laatstejaars. Ik zou graag willen dat je iets meer tijd neemt om je visie verder uit te werken, bijvoorbeeld waarom soma in een dergelijke dystopie noodzakelijk is. Niettemin heb je een buitengewoon scherp inzicht. Cijfer: 10.*

'Laten we even oefenen,' zei meneer Kananbaum, een stevige, kleine man met kort blond haar en een intellectueel ogende rechthoekige bril. 'Jullie hebben tien minuten om een impressie te geven van de laatste film die jullie hebben gezien.'

Een paar leerlingen keken beduusd op en meneer Kananbaum zei: 'Wat is er? Ik neem aan dat jullie allemaal films kijken. Schrijf maar een stukje over de film die je het laatst hebt gezien.'

Het geval wilde dat de laatste film die ik had gezien *Dressed to Kill* was, die de maand ervoor veelvuldig op HBO was geweest, de betaalzender op de kabel. Sommige jongens in de klas hadden hem al vijf of zes keer gezien of in elk geval de openingsscène waarin Angie Dickinson haar borsten inzeept en zichzelf streelt onder de douche, hoewel ze blijkbaar een stand-in hadden gebruikt voor de close-ups. In mijn nieuwe dagboek schreef ik dat ik die film had willen zien omdat ik om een of andere reden gefascineerd ben door Angie Dickinson. Ik schreef dat ze vrij snel doodgaat in de film, dat ze op brute wijze wordt vermoord door een nog niet omgebouwde travestiet die later de therapeut blijkt te zijn die haar voor haar seksverslaving had behandeld, dat de niet erg subtiele onderliggende boodschap van de film scheen te zijn dat het haar verdiende loon was omdat ze zo promiscue was. Ik schreef dat ze ook doodging aan het slot van *Big Bad Mama* en dat er altijd mensen doodgaan in haar films en er een heleboel bloot in voorkomt. Ik schreef dat Angie Dickinson niet bang is om van die rollen als seksobject te spelen, dat ze het leuk schijnt te vinden. Net als in de film *Pretty Maids All in a Row,* waarin ze met een student naar bed gaat die maar half zo oud is als zijzelf, maar in die film schijnt de onderliggende boodschap te zijn dat het goed was voor de student. Ik schreef dat Angie Dickinson een beetje gestoord is, dat al haar films troep zijn maar dat ik het lastig vind om niet gefascineerd te zijn. Ik schreef dat Meryl Streep een betere actrice is en dat ze een haakneus en ongelijke jukbeenderen heeft, wat bewijst dat je geen volmaakt gezicht hoeft te hebben om knap te zijn. Ik schreef dat Meryl Streep het tegendeel van Angie Dickinson is en dat ik me soms afvraag wie van de twee ik zou willen zijn als ik mocht kiezen. Ik schreef dat Meryl Streep tot haar tachtigste in films zal blijven spelen omdat er altijd rollen voor een goede actrice zullen zijn en dat Angie Dickinson alleen nog in films zal spelen zolang ze haar gezicht eruit kunnen laten zien alsof het geen rimpels heeft. Ik vroeg me af wat dat allemaal in hemelsnaam met *1984* te maken zou kunnen hebben maar dat schreef ik niet op. Toen zei meneer Kananbaum dat de tijd om was en vroeg hij vrijwilligers om hun stukjes voor te lezen.

Drie leerlingen hadden over *Footloose* geschreven, twee over *Splash* en twee over *Romancing the Stone*. Die films draaiden nog in de bioscoop. Dan waren er alle toevallige films die anderen op HBO of op Showtime hadden gezien en stukjes over *Rocky III, Risky Business, Apocalypse Now* en *National Lampoon's Vacation*. Net toen ik dacht dat ik ertussendoor was geglipt en niet hoefde voor te lezen, zei meneer Kananbaum: 'En jij, Jennifer?'

Ik loog en zei dat ik ook over *Splash* had geschreven en dat die film naar mijn mening voldoende behandeld was. Kananbaum stond erop dat ik mijn stukje voorlas, dus verzon ik maar iets over dat zeemeerminnen mannelijke fantasieën waren en dat *Splash* over tien jaar uiterst banaal gevonden zou worden, ook al zou je redelijkerwijs kunnen aanvoeren dat het thema veel weg had van 'The Wife of Bath's Tale' dat ik in de derde klas had gelezen, toen ik niet had gesnapt dat Chaucer zo'n genie was alleen maar omdat hij een verhaal had kunnen schrijven dat een tegenwicht bood voor zijn eigen rabiate vrouwenhaat. Ik deed het voorkomen alsof ik uit mijn dagboek voorlas maar ik vermoedde dat Kananbaum doorhad dat ik maar wat zat te bazelen. Toen ik klaar was knikte hij ernstig en kwalificeerde hij mijn ideeën als interessant en scherpzinnig. Twee rijen achter me fluisterde mijn voormalige vriendin en medecrimineel en huidige aartsvijand Alison Belle: 'Die meid is een genie of anders krankjorum.'

Toen zei meneer Kananbaum: 'De oefening die we net hebben gedaan zal vanavond wat zinniger lijken als jullie hoofdstuk één lezen, pagina één tot en met twintig.' Hij schreef drie zinnen op met blokletters en legde uit dat het de leuzen waren van de Partij in *1984*. Hij liet ze ons overschrijven in ons dagboek en zei dat we een stukje moesten schrijven over wat er door ons heen ging bij OORLOG IS VREDE, VRIJHEID IS SLAVERNIJ, ONWETENDHEID IS WAARHEID. 'Stel jezelf deze vraag,' zei hij, 'is het mogelijk dat iets ook zijn tegendeel kan zijn?' Een jongen die Peter Stamey heette stak zijn hand op en vroeg: 'Bedoelt u dat we ons dat alleen af hoeven te vragen, of moeten we het ook opschrijven?' Een meisje dat Lissette Willis heette zei: 'Hè hè, lekker dom.' Iemand lachte en meneer Kananbaum zei: 'Iedereen heeft de komende zes weken de taak om een dagboek vol te schrijven. Zolang het maar betrekking heeft op 1984 mag je de bladzijden vullen met wat je maar wilt.'

Die avond las ik thuis het eerste hoofdstuk en zag ik hoe slim meneer Kananbaum was geweest. 4 april 1984 is precies de datum waarop de hoofdpersoon van het boek, Winston, zijn subversieve actie begint met de aanvang van zíjn dagboek, ten gevolge waarvan hij uiteindelijk gevangen wordt genomen en door middel van marteling wordt heropgevoed. Nog slimmer: Winstons eerste aantekening in zijn dagboek is een bespiegeling over een film die hij de avond tevoren had gezien. Ik las verder na hoofdstuk één. Ik kwam tot het slot van hoofdstuk drie, pakte toen mijn dagboek en staarde naar de drie leuzen. Ik vroeg me af of iets ook zijn tegendeel kon zijn en besloot dat het me niet interesseerde.

Ik schreef: *Mijn moeder is uit het door de oorlog verscheurde Polen ontsnapt toen ze vijf was. Ze is uit het door de Sovjets bezette Litouwen ontsnapt vóór de inval van de nazi's, toen ze zes was. Ze is in 1934 geboren en in november aanstaande wordt ze vijftig. Al die dingen in hoofdstuk één over de verrader Goldstein en de voor de hand liggende analogie met de nazi's zijn niets nieuws voor me, en de leuzen evenmin. Ik heb dit boek gelezen toen ik twaalf was, net als* Animal Farm. *Ik was het stukje over Winstons dagboek en zijn beschrijving van de oorlogsfilm vergeten, maar ik kon me wel het meisje met het donkere haar van het Antiseks Jeugdverbond herinneren en de Twee Minuten Haat-scène. Ik moet zeggen dat het me ergens wel een goed idee lijkt om elke dag twee minuten dingen te haten.*

Toen ging ik naar de kamer van mijn moeder en pakte de brieven. Het was woensdag. Rocky zat beneden op de bank afwisselend haar wiskundehuiswerk te doen en in de telefoon te giebelen. De brieven waren niet aangeraakt. Dat wist ik omdat ik twee lange haren uit mijn hoofd had getrokken en ze loodrecht op elkaar over de bovenste brief had gelegd. Als iemand de brieven had gepakt zouden de onzichtbare haren verschoven zijn. Ik begon de brieven opnieuw te lezen en werd bevangen door een irrationele aandrang. Ik wilde de brieven stelen. In plaats daarvan schreef ik ze over in mijn dagboek. Ter inleiding schreef ik: *Dit zijn vier brieven die mijn moeder in 1984 heeft gekregen.* Het kostte me haast een uur om ze over te schrijven, vooral door dat kromme Engels. Onder de laatste brief schreef ik: *Wat vindt u ervan, meneer Bruce Kananbaum? Deze mensen suggereren allemaal dat mijn moeder haar tijd verspilt met haar zoektocht. Is dat wat Orwell bedoelde met* ONWETENDHEID IS WAARHEID*?*

De volgende dag werd Alison Belle aangewezen om haar dagboekstukje over de drie leuzen van de Partij voor te lezen. Ze droeg haar roomkleurige leren bomberjack en zoals gewoonlijk wanneer ze de kans kregen zaten de meeste jongens in de klas naar haar te staren. Het was goed mogelijk dat Alison het ter plekke zat te verzinnen en dat ze, in tegenstelling tot mij met mijn geïmproviseerde stukje van de vorige dag, waarschijnlijk helemaal niets had opgeschreven.

Alison schraapte haar keel en las of zei: 'Ik heb het hoofdstuk gelezen en ik kon alleen maar aan MTV denken en dom als ik ben begon ik me af te vragen of dat in de visie van de schrijver zou kunnen passen. Het enige dat ik kon bedenken was: hé is Big Brother eigenlijk J.J. Jackson of die halvegare malloot VJ Alan Hunter, want echt waar, als je die serveersters ziet die zo knap worden in de videoclips van ZZ Top of als je Michael Jackson zijn *moonwalk* ziet doen dan lijkt het totaal niet totalitair, maar gewoon stom.'

'MTV,' zei meneer Kananbaum. 'Wil iemand er iets over zeggen of die J.J. Jackson net Big Brother is?'

Peter Stamey zei: 'Hij is de op een na tofste VJ. Mark Goodman is de beste. Ik vind Alan Hunter ook een halvegare.'

'En MTV zelf?' vroeg meneer Kananbaum. 'Zouden we kunnen zeggen dat dat net het telescherm uit het boek is?'

'Voor mijn ex-vriendje wel,' zei Alison, en de halve klas gierde het uit. Ik had geen idee waarom dat zo grappig werd gevonden.

'Voor mij is het wel net een telescherm,' zei Peter Stamey, die triest genoeg de minst geremde figuur van de klas was. 'Ik bedoel, ik zit er de héle tijd aan vastgeplakt. Ik bedoel, die clips van ZZ Top zijn ontzettend gaaf, en helemáál als die serveersters allemaal loos gaan. En die vogels met die baarden, ik bedoel, wie zijn dat?'

'Dat is ZZ Top,' zei iemand. 'Daarom staan ze met een gitaar in hun handen te zingen.'

Op dat moment zou ik bijna gewenst hebben dat Kananbaum het lef had om ons allemaal af te straffen met een popmuziekquiz of meteen zijn plan in te trekken om ons een dagboek te laten schrijven in plaats van een eindscriptie. Ik was niet optimistisch gestemd dat de resultaten van dat stukje onderwijsvernieuwing nog veel beter zouden worden. Het zat er niet in dat zich een climactische ommekeer zou voordoen, een glorieus moment waarbij meneer Kananbaum een heroïsche toespraak afstak en ons allemaal tot een meer beschouwende levenswijze inspireerde.

Hij zei: 'Laten we eens wat verder kijken dan MTV. Zullen we het over iets anders hebben?'

Hij keek me aan en beging wat waarschijnlijk zijn grootste vergissing van die dag was.

'Jennifer?' zei hij. 'Wil je voorlezen wat je gisteravond écht hebt opgeschreven?'

Ik zei: 'Ik weet niet zeker of ik dat wel wil.'

'Waarom niet?'

'U zou zich beledigd kunnen voelen.'

'Dat zien we dan wel,' zei Kananbaum. Met een overdreven handgebaar gaf hij aan dat ik kon beginnen. Ik las mijn dagboeknotitie voor, inclusief de hele tekst van de vier brieven. Het enige dat ik wegliet was zijn voornaam aan het slot. Toen ik klaar was zei hij: 'Nou, dat was heel interessant. En heel relevant.'

'Ik ben blij dat u er zo over denkt,' zei ik.

Achter me zat Peter Stamey te geeuwen.

III. BRIEVENBUSSEN, PORTEFEUILLES ENZOVOORT

Het probleem met Kananbaum was dat hij het op twee fronten tegelijk te pakken scheen te hebben. Het ene front was ik, en het andere was natuurlijk Alison. En hij wist uiteraard dat Alison en ik naar verluidt in januari de brievenbus van onze lerares Amerikaanse geschiedenis, Mildred Turner, hadden opgeblazen. Dat was niet ver bezijden de waarheid maar het was niet het hele verhaal.

Alisons zesentwintigjarige voormalige vriendje, Raymond, was degene die een M-80, het equivalent van een kwart staaf dynamiet, had meegebracht, aangestoken en in de brievenbus gegooid. Daarna rende hij terug naar de auto. Hij dook achter het stuur en sloeg het portier dicht. Om redenen die nu onverklaarbaar lijken waren Alison en ik uit Raymonds auto gestapt om toe te kijken. Meteen na de explosie zagen we de zwaailichten en hoorden we het geluid van een naderende sirene. De politieauto moet vlak in de buurt geweest zijn. Met zijn aangeboren lafheid scheurde Raymond weg en liet Alison en mij achter op iemands gazon tegenover het huis van mevrouw Turner. We deden niet eens moeite om weg te rennen. We droegen strakke kleren. Meneer Turner kwam naar buiten en een uur later stond ik mijn zus Rocky te bellen op een politiebureau in East Brunswick. Toen duidelijk was geworden dat ik een nacht in de jeugdgevangenis zou moeten doorbrengen was ik in een snotterende debiel veranderd.

De politie kreeg Raymond uiteindelijk te pakken maar hij nam een goede advocaat in de arm en loog er flink op los. Hij beweerde dat ik de lont had aangestoken en Alison de M-80 in de brievenbus had gegooid. Hij zei dat hij alleen maar de chauffeur was geweest en niet eens had geweten waar we hem naartoe lieten rijden. We wisten welk spelletje hij speelde: Raymond had al een strafblad, ook al was het niet om iets ernstigs. Hij wist dat Alison en ik er waarschijnlijk vanaf zouden komen met een taakstraf van honderd uur openbare dienstverlening. Misschien had hij zelfs voelen aankomen dat mevrouw Turner de hele toestand zou doorzien en geen aanklacht in zou dienen, en zo ging het ook.

Om – op een beetje halfzachte manier – haar integriteit te demonstreren sprak mevrouw Turner met onze ouders en stelde ze voor dat ze af zou zien van een aanklacht op voorwaarde dat Alison en ik haar kwamen helpen met het opruimen van haar kelder. Ze stond er ook op dat Alison en ik allebei in haar klas bleven. Vijf zaterdagen achter elkaar gingen we erheen om dozen uit te zoeken, schoon te maken, spullen naar de stoeprand te dragen en naar mevrouw Turner te luisteren die bij elk corvee één keer stelde dat we haar ooit nog eens dankbaar zouden zijn voor deze les in vergiffenis. We speelden goed mee, vond ik, al zei ze op de laatste zaterdag van ons dienstcontract, toen ik een kwartier langer bleef om haar met het ophangen van een nieuwe spiegel te helpen: 'Er is geen hoop voor je vriendin. Besef je dat?' Ik zei nee, hoewel ik het wel besefte. Ze zei: 'Je vriendin heeft wat Aristoteles het kwaadwillige temperament noemde. Hij verdeelde temperament in vier types: rechtschapen, competent, incompetent en kwaadwillig. Wil je weten wat de vier aristotelische temperamenten inhouden?' Ik wist precies wat ze inhielden maar het was duidelijk dat ze het wilde uitleggen, dus gaf ik haar haar zin.

Ze gaf het voorbeeld van de portefeuille, heel simpel: wat doe je als je een portefeuille op straat vindt? Het rechtschapen temperament geeft de portefeuille zonder erbij na te denken terug aan de eigenaar. Het competente temperament denkt bij zichzelf: 'Goh, ik zou deze portefeuille en al het geld erin best willen houden,' maar weet dat de enige juiste optie is om hem terug te geven en lost het morele dilemma op door dat te doen. Het incompetente temperament denkt hetzelfde maar kan er geen weerstand aan bieden om het geld te houden en de rest in een afvalcontainer achter de dichtstbijzijnde snackbar te gooien. Het kwaadwillige temperament houdt de portefeuille zonder er verder mee te zitten en probeert misschien zelfs om de creditcards te gebruiken.

'En wat ben jij?' vroeg mevrouw Turner. 'Volgens mij ben je hetzij competent of incompetent. Je hebt natuurlijk zelf de keuze. Ik verwacht niet dat je een toonbeeld van rechtschapenheid wordt, maar je bent zo intelligent dat ik niet graag zou zien dat je een zootje van je leven maakt.'

Ik zei: 'Dit hele gedoe was echt een gigantische vergissing en het spijt me echt.'

'Ik ben blij om dat te horen, al was het maar van een van jullie tweeën,' zei mevrouw Turner. Ze liep met me mee naar de voordeur en zei: 'Weet je, ik vind het echt verbijsterend dat je vriendin bent met zo'n meisje. Het is natuurlijk zonneklaar dat jullie eigenlijk geen vriendinnen meer zijn. De vraag is: Zou je dat nog steeds willen?'

Daar had ze me. Ze was niet dom, ook al had ze een hoge dunk van William Jennings Bryan, de Amerikaanse politicus uit het begin van de twintigste eeuw die zo fel tegen darwinisme en evolutie was gekant. Zou ik nog steeds vriendin willen zijn met Alison, die me na onze nacht in de gevangenis als een baksteen had laten vallen? Voor ik vertrok keek ik mevrouw Turner recht in de ogen en zei: 'Soms wel, en soms niet.'

Want wie had het kunnen denken? Eerlijk waar. Op een zonnige middag in december sta ik met Alison buiten op het schoolplein. Ik draag mijn vingerloze handschoenen en we roken alle twee en we hebben wat gekletst en dan moeten we lachen om iets wat we op *Saturday Night Live* hadden gezien, en de volgende dag zitten we na school met haar zesentwintigjarige vriendje in zijn auto en Alison rijdt door het keurige stadje Bernardsville waar ik nog nooit van had gehoord en Raymond hangt uit het raampje aan de passagierskant en slaat met een honkbalknuppel tientallen brievenbussen aan gort.

We zochten naar leuke bussen met afbeeldingen van vogels, cijfers met krullen en er was er zelfs eentje bij die met mozaïektegeltjes was bekleed. Ik was jarenlang bang geweest voor Alison maar opeens, vanaf Thanksgiving zo'n beetje, waren we de enige vijfdejaars in de klas van mevrouw Turner en binnen enkele weken leek het net of we dikke vriendinnen waren.

Alison Belle. Ze heeft op z'n minst vijf verschillende vriendjes gehad sinds de derde klas. Alison rookt thuis in huis. Ze is aan de pil. Vorig jaar heeft Alison tegen chronische vriendjesafpakker Nina Fowler gezegd dat ze met een spuitbus KUT op haar oprit zou kalken en had ze Nina zo bang gemaakt dat die niet durfde te zeggen dat ze wist wie het had gedaan toen haar vader op een ochtend de drie helgroene reuzenletters op de oprit ontdekte en ook op de garagedeuren. Er was duidelijk iets mis met me dat ik Alison leuk vond. Er was iets mis met me dat ik het fijn vond dat ze mij leuk vond. Ze zei weleens: 'Je bent zó briljant' of ze noemde me het Verveelde Genie want ik was echt verveeld, duidelijk verveeld genoeg om met haar en Raymond om te gaan. Toen op een dag zei Alison: 'Hé, Verveelde Meid, enig idee wat je vandaag wilt gaan doen?' Van mevrouw Turner had ik net een voldoende gekregen voor een werkstuk dat duidelijk een uitmuntend waard was over wat een vreselijke president Woodrow Wilson eigenlijk was geweest ten tijde van de Eerste Wereldoorlog, en ik zei: 'Ik zou de brievenbus van onze lerares wel op willen blazen.'

Ik meende het niet, maar misschien ook wel. Wie weet? Het heeft geen zin om de verrassende gebeurtenissen die volgden te verklaren. Of misschien heb ik ze al voldoende verklaard. De enige relevante kwestie die ik niet schijn te hebben verklaard is of ik vond dat mevrouw Turner het bij het juiste eind had bij haar beoordeling van mijn temperament. Als ik erop zou hebben gereageerd dan had ik tegen haar gezegd dat de vier aristotelische temperamenten misschien duizend jaar geleden nog enige zin hadden gehad maar dat ze nu buitengewoon achterhaald leken. Ik zou haar hebben verteld dat ik in de eerste klas, toen ik echt een ontzettende nerd was, een poos *Dungeons & Dragons* had gespeeld met drie even nerdachtige jongens die bij mij in de wiskundeklas voor begaafde leerlingen zaten. Ik zou haar hebben verteld dat alle wezens in *Dungeons & Dragons* worden ingedeeld naar hun tweeledige 'grondplan'. Ze worden in ethisch opzicht gekarakteriseerd als ordelijk, neutraal of chaotisch en in moreel opzicht als goed, neutraal of slecht. Zo zijn vampiers bijvoorbeeld meestal 'ordelijk slecht'. Zeemonsters zijn 'chaotisch slecht'. Eenhoorns zijn 'ordelijk goed'. Kabouters zijn 'ordelijk neutraal'. Geleiachtige klontjes zijn 'neutraal neutraal'. Op dezelfde manier kunnen de personages die je in het avontuur speelt een grondplan hebben. Mijn beste en dierbaarste personage was een dievegge van het veertiende niveau die ik Cassandra had genoemd en 'chaotisch goed' als grondplan had, maar toen las ze een perkamentrol waardoor ze anders werd. Iedereen moest de kamer verlaten en toen legde de spelleider, Kevin, me uit dat de perkamentrol een vloek bevatte waardoor Cassandra 'chaotisch slecht' was geworden. Ik vroeg aan hem hoe ik haar weer terug kon veranderen. Hij zei dat ze dan een andere perkamentrol moest vinden, maar het probleem was dat ze toen al vreselijk bezig was de andere personages te bedriegen en in gevaar te brengen. De twee andere jongens – de ene had een tovenaar van het achttiende niveau en de andere een krijger van het vijftiende niveau – kregen snel in de gaten wat er aan de hand was en doodden haar. Ze vroegen of ik een ander personage wilde creëren. Ik zei nee en ging die dag naar huis en huilde en speelde geen *Dungeons & Dragons* meer. Als ik dat allemaal aan mevrouw Turner had kunnen vertellen dan zou ik hebben gezegd dat ik chaotisch goed lijk te zijn en dat ik dat ook wil zijn maar dat het soms net is of ik behekst ben. Soms wil ik iets zijn wat erger is dan chaotisch slecht of kwaadwillig, maar gelukkig duurt dat nooit lang.

IV. ER MOETEN VERBANDEN WORDEN GELEGD

Ik begon Kananbaums opdrachten om op 1984 te reageren en de dingen die ik in de roman las te negeren en schreef in plaats daarvan in mijn dagboek over de Vijfhonderd Joodse Mannen.

Op 14 april schreef ik: *Misschien waren de Vijfhonderd Joodse Mannen zo'n soort organisme waar we bij biologie over hebben gelezen dat op een gegeven moment in zijn levenscyclus van een aantal individuen tot één collectief orgaan evolueert. Misschien dat de mensen die hen doodschoten daardoor werden beetgenomen. Misschien veranderden de mannen in een reusachtige slijmerige brij die omlaag sijpelde in de greppel en weglekte.*

Op 18 april schreef ik: *Ik had vorig jaar een vriendje dat Derek Hottel heette en door sommige mensen Derek Hotshot werd genoemd en door anderen Hotel. Het is op een waardeloze manier uitgegaan maar ik denk nog weleens aan hem en soms zou ik wel met hem willen praten. Ik vraag me af of hij er inmiddels in is geslaagd om alle teksten te ontcijferen van de vijf nummers op de R.E.M.-EP* Chronic Town *waar hij zo bezeten van was. Ik heb eens geopperd dat de teksten gewoon nonsens waren maar Derek zei, en ik citeer: 'Er moeten verbanden worden gelegd.' Hij vroeg of ik ooit de tekstregel uit* King Lear *had gehoord die aan het slot van het nummer 'I Am the Walrus' wordt gesproken. Ik zei nee. Ik zei: Nou en? Wat is het verband dat er gelegd moet worden? Derek zei dat het verband het feit was dat je wist waar die woorden vandaan kwamen en ik zei dat dat geen verband was. Dat is een tautologie, legde ik uit, geen verband, maar meneer Hotshot was gezakt voor geometrie en had geen aanleg voor concepten van formele logica.*

Op 23 april schreef ik: *Vijfhonderd mannen zijn heel veel mannen. Dat zijn veel meer mannen dan er Californische condors in de wereld zijn. Dat is meer dan het totaal aantal bestaande kunstwerken van Michelangelo en Da Vinci bij elkaar opgeteld. Dat is net zoveel mannen als er leerlingen op mijn school zitten. Je zou denken dat minstens eentje het er levend vanaf had kunnen brengen.*

Op 25 april schreef ik: *Waarom schrijf ik dit allemaal op? Ik heb gedroomd dat er vijfhonderd joodse mannen in onze woonkamer lagen. Ze waren allemaal doodgeschoten en ze bloedden op het meubilair en het vloerkleed. Er kan zoveel gebeuren dat een moeder ontgaat. Niet alleen op school maar ook in een woonkamer. Ik heb een keer bijna seks gehad met Derek op dezelfde plek waar al die joodse mannen in mijn droom lagen te bloeden. Derek had echter geen condoom bij zich en kort daarna verhuisde hij met zijn familie naar Ohio. Ik moet me de laatste tijd verzetten tegen de aan-*

drang om hem op te bellen en tegen hem te gaan krijsen. Hij wist dat mijn moeder bij haar vriend zou zijn en dat mijn zusje bij een vriendinnetje bleef slapen. Wat voor debiel neemt er dan geen condoom mee?

Op 26 april schreef ik: *Volgens een boek dat ik heb gelezen zijn er in Litouwen 200.000 joden vermoord nadat de republiek onder het bewind van de nazi's was gekomen. In veel gevallen werden die joden vermoord door Litouwers die samenwerkten met de* Einsatzgruppen, *wat een handig eufemisme was voor moordbrigades. Sommige daarvan werden geleid door Duitse officieren met een doctorsgraad en hadden als enige taak om gruwelijke bloedbaden aan te richten onder joodse mannen, vrouwen en kinderen. Van die 200.000 slachtoffers behoorden er klaarblijkelijk vijfhonderd tot een groep van misleide joodse intellectuelen die in Kovno woonden. Dat is de Poolse naam voor Kaunas, heb ik vastgesteld, want op elke kaart die ik heb gezien staat dat in plaats van Kovno.*

Op 27 april schreef ik: *Mijn moeder is in de herfst van 1940 uit Kovno weggegaan, dus kennelijk was ze er niet bij op de Dag van de Vijfhonderd Joodse Mannen, zoals ik het net zo goed kan noemen. Mijn moeder vluchtte met haar moeder per trein dwars door Siberië omdat het haar vader was gelukt visa te bemachtigen voor het Nederlandse eiland Curaçao. Als dat raar klinkt klopt dat. Het Nederlandse consulaat in Kovno had blijkbaar bedacht dat er formeel geen inreisvisum was vereist voor Curaçao aangezien de plaatselijke Nederlandse gouverneur persoonlijk toestemming diende te geven om het eiland te betreden en de betreffende gouverneur die toestemming hoogst zelden verleende en zeker niet aan Pools-joodse vluchtelingen. Het was dus een farce, een nepvisum voor Curaçao dat weer een nepdoorreisvisum voor Japan vereiste, en dankzij de Japanse consul Chiune Sugihara (over wie ik zevenenzestig verschillende artikelen in tijdschriften en kranten heb gevonden in de perscatalogus van de bibliotheek, plus drieëntwintig boekverwijzingen) kregen zo'n zesduizend joden een doorreisvisum voor Japan en konden ze uit Litouwen ontsnappen voor de nazi's het land bezetten. Hij schreef dag en nacht van die nepdoorreisvisa uit voor Pools-joodse vluchtelingen die tegenwoordig collectief worden aangeduid met de idiote term 'Sugihara-joden', zonder daarmee iets af te doen aan de heldendaden van de man die een maand lang ternauwernood sliep om dit te kunnen doen, en die klaarblijkelijk nog steeds visa uit het raam van de trein gooide toen die uit Kovno wegreed nadat de Sovjets hem hadden gedwongen op te krassen. Niet alle mensen met zo'n visum kregen echter de kans om er gebruik van te maken. Een enkele reis via de trans-Siberische spoorweg kostte tweehonderd Amerikaanse dollars. Als je niet genoeg geld had moest je financiële steun vragen bij een van de diverse liefdadigheidsinstellingen die daar een vestiging hadden. Zoals viel te verwachten was er niet veel geld beschikbaar. Mijn opa had weliswaar een familievisum gekregen, maar het* American Jewish Joint Distribution Committee *(door mijn oma 'de Joint' genoemd) kon slechts borg staan voor twee kaartjes, en daarom moest mijn opa achterblijven. Mijn moeders reis over land en zee naar de Verenigde Staten duurde meer dan een maand en het enige niet-logistieke detail waar ik van weet is dat mijn oma de eerste twee dagen constant heeft gehuild, vermoedelijk omdat mijn opa niet mee had gekund. Met andere woorden, hij bleef achter in Kovno en in plaats van een van de Sugihara-joden te worden (echt, ik erger me vreselijk aan die uitdrukking) werd hij een van Vijfhonderd Joodse Mannen (ik begin me ook aan die uitdrukking te ergeren).*

Op 1 mei schreef ik: *Jezus christus, meneer Kananbaum, bent u van plan dit allemaal te verzamelen? Vindt u dat niet een tikkeltje totalitair? Bent u hier de Big Brother of wat? Dat had u ons best drie weken geleden kunnen vertellen. Ik waardeer het dat u me de laatste tijd met rust hebt gelaten in de les maar ik vind dat u eigenlijk niet het recht hebt om dit te lezen. Niettemin, als u dit nu leest houdt dat in dat u het wel hebt (zie 'tautologie' in de notitie van 18 april) en als het niet duidelijk is, ik ben de laatste dagen nogal in de war. En dat niet alleen, maar ik zit ook te wachten op antwoord van universiteiten waarvan ik niet eens weet of ik er wel heen wil. Zou u naar Yale gaan? Naar Brown? Denkt u dat iemand daar me meer kan vertellen dan ik al weet? Mijn moeder heeft op Barnard gezeten en ze is arts. Mijn oma vindt dat ze een man had moeten zoeken met wie ze wel samen kon blijven. Mijn opa is hoogstwaarschijnlijk doodgeschoten door nazi's en daarna samen met vierhonderdnegenennegentig andere bloedende mannen begraven. En Alison Belle loopt rond te vertellen dat ik gek ben en het zou best kunnen dat ik neurotisch ben en dat mijn angst door deze les wordt veroorzaakt. Want dan denk ik aan Big Brother en dat het misschien wel fijn is om van Big Brother te houden. Peter Stamey zou zeker van hem houden,*

zolang er maar videoclips van ZZ Top op het telescherm worden vertoond.
Op 2 mei schreef ik: *Ik hoop dat u hebt genoten van mijn dagboek.*

V. GREEN, IK WIL JE ZO GRAAG GROEN

Mijn achternaam is Green. Mijn moeder heeft korte tijd Beverly Rabinowitz-Green geheten, maar toen liep haar huwelijk met mijn vader, Richard Green, stuk. Hij ging er na een paar jaar vandoor omdat hij wilde proberen een beroemde filmster te worden. Hij trok naar Los Angeles. Hij heeft rollen gespeeld in drie verschillende televisiepilots die allemaal flopten. Hij heeft ook reclamespotjes gedaan, en als ik aan hem denk zie ik vaak een hoestende man voor me die uit bed stapt om NyQuill te nemen. Zijn hoofdrol in dat spotje was het enige wapenfeit dat ik altijd aanhaalde als ik aan mensen vertelde dat mijn vader acteur was.

Mijn ouders waren zeker aan de drugs of zo. Ze gingen scheiden en daarná kregen ze mijn zusje. Het was natuurlijk een ongelukje, al zegt mijn moeder graag dat er geen ongelukjes bestaan. Eén gevolg van dat stomme gedoe na hun scheiding is dat mijn zusje Rabinowitz heet van haar achternaam. Ik heb me altijd afgevraagd wanneer ze nou eens overstapt op haar echte naam, Roxanne, maar op haar dertiende is ze er nog steeds niet van overtuigd dat Rocky Rabinowitz als een stripgangster klinkt, hoe vaak ik dat ook heb gezegd. Intussen had ik geen andere keus dan de jaren te verduren dat mensen me dingen noemden als 'Greenpeace', 'Jen Greenwitch' (dan zei ik: 'Voor jou is dat Jennifer Greenwitch') en 'Soylent Green', naar die maffe sciencefictionfilm van Richard Fleischer. Maar mijn vader, die nadat hij een paar jaar uit beeld was geweest een relatie met me begon op te bouwen toen ik een jaar of zes was, had geprobeerd me aan te praten dat de naam oké was. Dan zei hij: 'Green, ik hunker naar je groen,' wat een versregel van Federico García Lorca is. In de zomer voor mijn laatste jaar op de middelbare school heb ik hem opgezocht en toen sleepte hij me mee naar een nachtelijke Truffautmarathon in een hippe bioscoop in Santa Monica, en in een van de pauzes, toen ik de actrice Nathalie Baye de hemel in prees, zei hij dat Green een betere naam was dan Rabinowitz als ik actrice wilde worden. Ik vroeg hem of hij als jood last van zelfhaat had. Hij moest lachen en zei dat ik volgens hem meer geschikt was voor regisseren. Maar ik drong aan en ten slotte zei hij: 'Moet je horen, mijn kleine *greenpea*, je hoort trots te zijn op je geloof en je erfgoed, maar in de showbusiness is het soms handiger om niet een naam te hebben die ook als uithangbord voor de Hebreeuwse natie dient.' Hij had gezegd dat hij op dat moment een joodse vriendin had. Ze was actrice en heette Leah Davis. Het klonk goed, veel beter dan haar echte naam. 'Hoe heet ze in het echt?' vroeg ik, en hij zei: 'Bloomstein. Geen slechte naam, maar niet zo een waar mensen voor vallen.'

Een beetje zoals Goldstein, vijand van de partij in *1984*. Op de dag dat Kananbaum onze dagboeken terug zou geven, herinnerde hij de klas aan mijn onconventionele dagboeknotitie van drie weken eerder en vroeg hij of we doorhadden dat Orwell met zijn keuze om de mekkerende, verguisde verrader de naam Goldstein te geven een glasheldere impliciete boodschap had afgegeven die naar antisemitisme verwees.

Peter Stamey was dan wel oliedom maar ook in staat tot absurde inzichten. Hij vroeg: 'Maar als het een impliciete boodschap is, betekent dat dan niet dat het juist niet glashelder is?'

Iemand vroeg: 'Waarom veranderde Goldstein in een schaap bij die video?'

'Is het een misdenk,' teemde Alison Belle, 'dat ik hier zit te denken dat de meesten van jullie véél dommer zijn dan schapen?'

Ik moest toegeven dat ik gespannen was. Ik zat me af te vragen wat Kananbaums reactie zou zijn op de manische notities in mijn dagboek. Hij had de dagboeken in twee keurig rechte stapels op zijn bureau gelegd en de hele les zat ik naar die stapels te staren alsof ze een soort occult rekwisiet waren voor een zo dadelijk op te voeren doodsritueel. Ten slotte begon hij onze namen af te roepen, een voor een. Mensen sjokten naar voren, kregen hun dagboek terug en liepen door naar de deur. Alison Belle was als eerste aan de beurt, wat logisch leek, in alfabetische zin. Het werd echter snel duidelijk dat de volgorde niet alfabetisch was. Tegen de tijd dat Peter zijn dagboek terugkreeg – hij was als vijfde afgeroepen – begon ik te beseffen dat ik als laatste aan de beurt zou zijn.

En zo was het ook. Iedereen weg. Ik alleen met Kananbaum. Hij nam niet de moeite om mijn naam af te roepen. Hij zei: 'Voor het geval je erover inzit, ik heb het niet gelezen.'

'Hebt u het niet gelezen?'

'Ik wist dat je niet wou dat ik het las,' zei hij.

'Misschien wou ik het juist wel,' zei ik.

'Dan heb je me voor de gek gehouden.'

'Hebt u de dagboeken van de anderen wel allemaal gelezen?'

'Ja,' zei hij. 'Ook dat van Alison.'

'Wat bedoelt u daarmee?'

Hij zei: 'Ik vroeg me af of je enig idee hebt van sommige dingen die Alison heeft geschreven.'

'Wat voor dingen?' vroeg ik.

'Je hebt geen idee?'

Ik wist niet waar dit heen ging, dus leek het tactvol om te zeggen: 'Misschien wel.'

Hij zei: 'Ik zou willen voorstellen dat je het er met Alison over hebt. Ik wil ook dat je weet dat het niet geeft. Je mag verder in je dagboek schrijven wat je wilt. Ik ga het niet lezen.'

'En als ik wil dat u het wel leest?'

Hij glimlachte een beetje flemend en zei toen: 'Nou ja, dat kun je me dan laten weten.'

En opeens zat ik met de vraag wanneer en hoe ik met Alison moest praten, die me in haar macht scheen te hebben alleen maar omdat ze een of andere geniepige toespeling op mijn karakter had gemaakt en misschien had verklapt dat ik degene was die had voorgesteld om mevrouw Turners brievenbus op te blazen. Je zou hebben verwacht dat het schoolhoofd, Vincent Luongo, na onze gezamenlijke geschiedenisles bij mevrouw Turner zou hebben gezorgd dat Alison en ik nooit meer in dezelfde klas terechtkwamen, maar nee – in plaats daarvan had Luongo een vertrouwelijk gesprek georganiseerd tussen Alison, mij en meneer Kananbaum. Daarbij vertelde Kananbaum ons dat hij over 'het incident' had gehoord, dat het klonk of het allemaal wat uit de hand was gelopen en dat hij ons graag allebei in het voorjaar bij hem in de klas wilde hebben zolang we geen plannen koesterden om de voorbije gebeurtenissen te herhalen. We zeiden dat we die niet hadden, uiteraard, en bedankten hem hartelijk voor zijn begrip. Daarna bracht hij ons beiden terug naar het kantoor van het schoolhoofd, waar hij tegen Luongo zei dat alles was geregeld.

Later diezelfde dag was Alison naar me toe gekomen en had ze gevraagd: 'Wanneer wil je zijn brievenbus doen?'

'Grappig,' zei ik, en toen zei Alison, 'ik meen het.'

Ik zei: 'Nooit. Nooit wil ik meer in de buurt komen van jou en je lijpe vriendje.'

'Ik heb het al een hele tijd geleden uitgemaakt met Raymond,' zei ze.

'Geweldig,' zei ik tegen haar. 'Dat betekent zeker dat je nu een beter mens bent. Dat je door deze zware beproeving bent gegroeid en veranderd.'

Alisons lippen krulden als die van Angie Dickinson toen ze banken beroofde in *Big Bad Mama*. 'Wil je vijanden zijn?' vroeg ze.

Omdat daar niets anders op te zeggen viel zei ik: 'Jawel hoor.'

Dat was in maart. Nu was het mei. We hadden al die tijd geen woord met elkaar gewisseld. Ik vond haar na het laatste lesuur op het schoolplein en zei: 'Alison, kunnen we even praten?'

Ze stond daar met twee meisjes uit de derde klas, zeker omdat ze een sigaret had gebietst. Ze zei: 'Het Verveeld Genie wil praten met *moi*?'

Ik zei: 'Kunnen jullie ons even alleen laten?' tegen de meisjes en die liepen weg.

'Ik heb met Kananbaum gesproken,' zei ik.

'O ja?'

'Hij vroeg of ik enig idee had wat jij in je dagboek had geschreven.'

'Dat is heel interessant,' zei ze. 'Dat lijkt me interessant en relevant.'

'Wat heb je geschreven?' vroeg ik.

'Een hoop dingen. Maar ik vermoed dat hij het gedeelte bedoelt waarin ik schreef dat jij hem wil neuken.'

'Wàt? Heb je geschreven dat ik hem wil neuken?'

'Ik heb het niet in die bewoordingen gezegd. Ik heb geschreven dat jij en ik nog steeds zo ontzettend dankbaar waren om bij hem in de klas te zitten en dat we het vaak over hem hebben en dat jij de laatste tijd met voorstellen bent gekomen om hem te vragen ons beiden uit te nodigen voor een etentje bij hem thuis. Ik heb geschreven dat je te verlegen bent om het te vragen maar dat ik daar niet zo'n moeite mee heb en wist dat een eventuele uitnodiging van hem onder ons drieën zou blijven, wat er ook zou gebeuren, en dat hij vast naar een beetje gezelschap hunkerde sinds zijn leuke vrouwtje hem de bons had gegeven. Of iets in die geest. Je snapt wel wat ik bedoel.'

Ik zei: 'Je bent finaal geschift.'

'Nee, dat ben ik niet,' zei Alison, en ik bedacht dat ze niet zozeer op Angie Dickinson leek als op de Sneeuwkoningin in dat absurde kindersprookje.

'Waarom doe je dit?' vroeg ik.

'Vijanden zijn is best een klus,' zei Alison. 'En zoals O'Brien uitlegt aan Winston terwijl hij hem martelt, het doel van vervolging is vervolging. Het doel van macht is, eh, macht.'

Ik zei: 'Je hebt al een stuk vooruitgelezen.'

'Het wordt lachen,' zei Alison. 'En het tofste ervan is dat hij ons niks kan maken. Hij gaat het echt niet doorvertellen want dan ruïneren we hem. Een alleenstaande vent die Engels geeft op een middelbare school en alimentatie betaalt kan zich niet echt veroorloven om ontslagen te worden. Doe weer eens iets slechts, Green. Ik weet dat het je zal bevallen.'

'Je bent monsterlijk,' zei ik.

Ze kneep haar ogen halfdicht en zei: 'Interessante opmerking.'

Ik zei: 'Ik heb het helemaal gehad met dit gekloot, en met jou.'

Alison haalde haar schouders op. Haar golvende haar woei voor haar gezicht en terwijl ze het wegstreek zei ze: 'Ik heb het gepland voor zaterdag om zes uur. Ik heb hem een datum en een tijd gegeven om het makkelijk voor hem te maken. Ik heb gezegd dat hij nee tegen jou moet zeggen als dat zijn antwoord is. Heeft meneer Kananbaum nee tegen je gezegd?'

Ik stond perplex. Ik zei: 'Ik heb geen idee wat voor drugs je hebt genomen of wat je nu vraagt.'

Ze zei: 'In de les. Toen hij je dagboek teruggaf. Ik nam aan dat hij het jouwe daarom voor het laatst bewaarde. Heeft hij nee gezegd of wat?'

Ik schudde mijn hoofd.

'Zie je wel,' zei Alison, en ik kon het deel van mezelf voelen dat chaotisch was, al wist ik nog niet of het chaotisch goed of slecht was. 'Nou, ik weet wel wat ik die avond ga doen,' zei Alison. 'Of je er bij bent of niet, het zal best leuk worden. Daarna nog vier weken les, joepie! Benieuwd wat hij ons met *A Clockwork Orange* wil laten doen.'

'Denk je echt dat hij ons niks kan maken?'

'Hoorde ik het Verveeld Genie net het woord "ons" gebruiken?'

Ik liep weg. Ik beefde. Ik zocht mijn afgeragde auto en stompte op het stuur en schreeuwde het uit. Toen ik die dag thuiskwam vond ik acceptatiebrieven van Yale, Brown, UCLA en Colgate in de bus. Mijn vier eigen brieven. Bingo, dacht ik. Daarna ging ik naar boven naar mijn kamer en huilde. Ik kon me niet voorstellen dat het echt zou gebeuren wat Alison had bedacht. Ik kon me niet voorstellen dat Alison het zo uitgekiend kon plannen. En ik kon me niet voorstellen dat meneer Kananbaum zo'n sufferd kon zijn. Niettemin stond ik mezelf toe om er even over te mijmeren. Zou het de moeite waard zijn om me nog een keer zo onbezonnen, zo machtig te voelen?

VI. O KANANBAUM, O KANANBAUM

Op 11 mei schreef ik: *Omdat u dit nooit zult lezen kan ik alles opschrijven. Ik kan zeggen ja, ik heb erover nagedacht. Het zou interessant zijn om te zien hoe u zich gedraagt als Alison en ik uw geile fantasieën ten uitvoer brengen. Volgens mij zou u willen dat we u sarren. Daar zou u in het begin een kick van krijgen. Van gemeen doen zoals Alison dat kan. Daarna zou u mij willen. Zou u meer visie en diepgang willen. Misschien zou u willen dat ik u een hoop verhalen vertel, waarvan er eentje in de buurt zou komen van dat ene ware verhaal van de Vijfhonderd Joodse Mannen. Misschien zou u willen dat ik de omstandigheden beschreef, hoe ik ze zou redden, hoe ik u zou redden. Hoe ik u kon doodschieten en daarna kon redden. Hoe ik u kon doodschieten maar toch zou weten hoe ik u redde, dat ik niet van plan was om u te doden, dat u samen met de andere mannen in de greppel zou vallen maar dat u eruit zou kunnen klauteren. Wat moeten we doen, meneer Bruce Kananbaum? Ik op mijn knieën? Alison staand op een tafel met uw gezicht in haar kruis? Ze zal u laten smeken, dat weet u. En dan zal ze u vragen: Wie van ons tweeën? Dan vraagt ze: Wie wilt u nou echt?*

VII. UITEINDELIJK BEN IK MISSCHIEN EEN LUIPAARD

Nu ik aan die hele toestand terugdenk, moet ik zeggen dat het bespottelijk was dat ik dacht het te kunnen voorkomen. Dat ik zelfs dacht te weten wat er aan de hand was. De hele week keek ik naar zijn ogen in de les, zag ik dat hij mijn blik en die van Alison ontweek. Keek ik naar hem terwijl ik niets van hem hoefde te zeggen. Keek ik naar hem terwijl Alison van hem mocht kreunen en kwebbelen. Keek ik naar hem terwijl hij deed alsof Peter Stameys dagboeknotities intelligent waren en alsof alles wat de klas over de martelscènes met Winston te berde bracht van scherp inzicht getuigde. Keek ik naar hem toen hij zijn hoofd schudde en de roman samenvatte als 'een onheilspellend visioen dat griezelig raak getroffen is' en toen hij ter afsluiting zei: 'Misschien is het 1984 en zal het dat altijd blijven.' Toen de bel ging na de les van vrijdag liep ik de klas uit, bleef even staan en ging toen weer naar binnen. Het lokaal was leeg. Ik deed de deur dicht en zei: 'Doe het niet.'

'Wat moet ik niet doen?' vroeg Kananbaum.

Ik haalde diep adem voor ik antwoordde. 'Het.'

Hij zette zijn bril af en poetste de glazen op met zijn mouw. Hij zette hem weer op en zei: 'Jennifer, ik ben niet van plan om je een onvoldoende te geven. Ik heb de indruk dat dit trimester een moeilijke periode voor je is geweest. Ik weet dat je *1984* niet met veel plezier hebt gelezen. Ik ga je het hoogste cijfer geven, niet dat je dat nodig hebt. En wat betreft de dingen die Alison heeft geschreven, ik heb met haar gesproken en ze zei dat jullie het hebben bijgelegd.'

Ik schudde mijn hoofd en zei: 'Ik meen het, meneer Kananbaum. Doe het niet.'

Hij glimlachte verwonderd en zei: 'Jennifer, is alles verder oké?'

'Alles is prima,' zei ik.

'Wat probeer je me dan duidelijk te maken?'

Ik zei: 'Ik probeer duidelijk te maken hoe het met Alison en mij zit.'

'Hebben jullie met elkaar gesproken, zoals ze beweert?'

'Ja!' riep ik tegen hem.

'Is er dan iets anders wat je me wilt vertellen?'

Ik snapte er niets van. Er klopte iets niet. Of Kananbaum was te goeder trouw, of Kananbaum hield zich van de domme.

Ik zei: 'Ik wil u vertellen dat Alison geschift is.'

'Ze is een beetje extravagant,' zei Kananbaum. 'Dat is waar.'

Ik zei: 'Ik weet niet wat ze in haar dagboek heeft geschreven. Wilt u het me alstublieft vertellen?'

'Ik dacht dat jullie gepraat hadden?'

'Dat klopt, maar ze heeft niet verteld wat ze heeft geschreven.'

'Echt waar?'

'Echt waar,' zei ik.

'Alison heeft geschreven dat je kwaad bent op mij,' zei Kananbaum. 'Ze heeft ook geschreven dat je van plan was om mijn brievenbus te vernielen.'

'En gelooft u haar?'

Hij zei: 'Het zou niet de eerste keer zijn dat je iemands brievenbus vernielt.'

'En wat zaterdag aangaat?' vervolgde ik. 'Morgen, dus? Morgenavond?'

Kananbaum gaapte me aan, in de war. Behalve dat hij in de war leek zoals een schuldige kijkt wanneer hij wordt betrapt. Zijn mond ging open om iets te zeggen. Er kwamen geen woorden uit.

Ik zei: 'Doe het niet.'

'Wat niet?' vroeg hij.

Ik zei: 'Big Brother is watching you.'

Kananbaum glimlachte en toen kreeg hij zichzelf weer in de hand. Hij zei: 'Heb je nu geen Spaans, bij meneer Gregory?'

Het was frappant. De man geloofde nog steeds dat hij me zand in de ogen had gestrooid.

Zaterdagmorgen at ik Cheerios en keek ik met Rocky naar MTV. Zaterdagmiddag ging mijn moeder naar haar vriend David in Piscataway. Ik wist dat ze op een gegeven moment zou opbellen en dat ze, zoals altijd, een bericht zou inspreken dat we moesten bellen als we haar wilden spreken of haar thuis nodig hadden. Als we niet belden zou ze de volgende ochtend vroeg terugkomen. In al die tijd dat ze met David ging hadden we nog nooit gebeld.

Zaterdagavond bracht ik Rocky naar het huis van een vriendinnetje. Daarna reed ik weer naar huis. Ik bleef in mijn op sterven liggende Subaru uit 1971 zitten. Die had mijn moeder enkele jaren ervoor gekocht voor een paar honderd dollar en had hem door een bevriende automonteur laten opknappen zodat ik een auto zou hebben als ik mijn rijbewijs haalde. Ik had me nog even afgevraagd waarom ze niet gewoon een nieuwe Honda Civic of een andere goedkope auto voor me had gekocht die langer dan een paar jaar mee zou gaan. Daarna had ik het uit mijn hoofd gezet omdat ik besefte dat mijn moeder bepaalde karaktertrekken had die ik nooit zou snappen.

Wat ik echter wél snapte was hetgeen mijn vijand Alison Belle had bekokstoofd. Ergens was ze echt een meesterlijke intrigante. Op een of andere manier had ze doorgehad dat ik hoe dan ook zou komen. Ik vroeg me af of ze nog steeds geloofde dat ik het er misschien op zou wagen en gekleed als een snol bij Kananbaum op de stoep zou staan. Zou Kananbaum dan niet omvallen van verbazing? En wat zou ik dan hebben gevoeld? Zou ik beschaamd zijn weggerend als meneer Kananbaum vroeg waarom ik in minirok bij hem op de stoep stond? Of zou ik een toer bouwen, zorgen dat hij erin trapte? Zou ik meedoen met Alison en ontdekken wat voor onvoorstelbare dingen er konden gebeuren?

Ik zette de radio aan op de oprit. Ik hoorde Van Halen en Phil Collins. Ik schakelde naar AM en luisterde naar een inning van een honkbalwedstrijd. Ik wachtte tot acht uur. Toen reed ik naar meneer Kananbaums bungalow. Alisons rode Chevy Cavalier Type-10 stond op zijn oprit geparkeerd. Allemaal zoals verwacht, behalve dat ik had gedacht dat ze minder brutaal zou zijn en op z'n minst buiten op straat zou hebben geparkeerd.

Het was donker in huis. Kananbaums auto, een groene Toyota, stond naast die van Alison. Ik liet de motor stationair draaien langs de stoeprand en speurde naar beweging in de slaapkamer. Ik zag niets. Toen stapte ik uit met mijn oude honkbalknuppel, nog bewaard van Bat Day in het Shea Stadium ergens in 1973. Er stond een handtekening in de knuppel gegraveerd, *Ed Kranepool*, die volgens mijn vader een productief lid van de New York Mets was geweest. Ik haalde zo hard mogelijk uit naar meneer Kananbaums blikken brievenbus. Het maakte niet eens zoveel herrie maar de deuk was groot genoeg. Er ging geen licht aan. Ik reed weg.

Toen ik weer thuis was belde ik Inlichtingen en kreeg ik Derek Hottels telefoonnummer te pakken. Het was niet moeilijk. Er waren geen andere mensen die Hottel heetten in het stadje Clairesville in Ohio. Ik dacht dat ik waarschijnlijk gewoon op zou hangen, maar Derek nam op na één keer overgaan. Ik zei: 'Hallo, Derek' en vertelde hem wie ik was. 'Wow,' zei Derek.

'Wow, wat?' vroeg ik.

'Wow, zoals bij iemand van wie ik niet meer had verwacht te horen in dit leven,' zei Derek.

'Waarom werd je zo boos?' vroeg ik.

'Dat was geen boosheid. Dat was vergelding.'

'Hoezo? Omdat ik niet toeliet dat je het zonder condoom deed? Ik had je je gang laten gaan als je goddomme een condoom bij je had gehad.'

'Ik ben niet goed met condooms,' zei hij. 'Ik raak afgeleid.'

'Je was nog maagd.'

'Nu niet meer.'

'Maar ging het echt alleen om het condoom?'

'Nee,' zei hij.

'Waar ging het dan om?'

'Niemand kan jou raken,' zei hij. 'Niemand kan tot je doordringen.'

'Wat bedoel je daar in hemelsnaam mee?'

Hij zei: 'Een jongen als ik hoeft maar één keer naar je te kijken en dan zegt hij: "Wow. Wat een te gekke meid. En dat niet alleen, dit meisje heeft duidelijk iets te melden. Dit meisje is geen popje. Ze heeft meer iets van een luipaard."'

'En daarmee wil je zeggen?'

Hij zei: 'Het punt is, als ik samen met jou ben snap ik je niet. Alles is oké. Je leven is oké. De wereld is oké. Maar je doet de hele tijd alsof alles een ramp is. Alsof het elk moment over kan zijn met de wereld. Alsof het allemaal een grote puinhoop is, weet je wel, terwijl het gewoon oké is.'

Ik zei: 'Het is niet oké.'

'Zie je wel? Dat bedoel ik.'

'Stel dat ik nu meteen naar Ohio rij? Het zal misschien een uur of acht rijden zijn. Ik zou er kunnen zijn voor je morgenochtend wakker wordt. Wat zou je dan doen?'

Hij zei: 'Ik zou juichen.'

'Dat is fijn om te weten.'

'Maar ik betwijfel of je auto wel tot Allentown in Pennsylvania zou komen.'

'Mijn auto of ik?'

'Dat is een lastige,' zei hij. 'Alle twee.'

'Jij bent zelf ook niet zo leuk,' zei ik.

'Ik ben tenminste eerlijk.'

'Zeg dan eens eerlijk. Wat vind je van Alison?'

'Welke Alison?' vroeg Derek.

'Belle.'

'O, Slettebel. Dat meisje spoort voor geen meter.'

'Is zij een luipaard?'

Hij zei: 'Nee.'

'Maar ik ben wel een luipaard.'

Hij zei: 'Je begint radeloos te klinken.'
'Stel dat ik radeloos ben?' vroeg ik.
'Dat zat er al een hele tijd in.'
'Wat moet ik doen?'
Hij zei: 'Hou eens op met de wereld te willen redden.'
'Je zit vol wijsheid,' zei ik.
'Daarom zag je me eerst ook wel zitten.'
'Waarom zag je mij wel zitten?'
Hij zei: 'Ik weet het eigenlijk niet.'

Dat was wel weer genoeg Derek Hottel voor een tijdje. Voor een hele lange tijd, bedacht ik, al was het een nuttig gesprek geweest. Ik nam afscheid van hem en bedankte hem voor zijn tijd en belde mijn vader. Toen hij opnam zei ik: 'Ik kan naar UCLA. Ik kom naar Los Angeles. Ik wil in juli bij je logeren.'

Hij zei: '*Go west, young woman!*'

Ik zei: 'Hè, pap, doe niet zo lullig popi.'

Hij zei: 'Ik vind het fantastisch, Jennifer, echt waar. Maar je moet nog eens goed nadenken voor je Yale afslaat.'

'Hoe weet je dat ik naar Yale kan?'

'Jij kunt overal terecht.'

Dat was waarschijnlijk het beste wat hij kon zeggen. Onze gesprekken duurden nooit lang, dus nam ik afscheid voor hij me voor was. Toen ging ik naar boven en wachtte op het telefoontje van mijn moeder uit Piscataway. Toen ze belde vroeg ik deze keer of ze naar huis kon komen.

Het was halfelf toen ze binnenkwam, ingetogen als altijd. Ze droeg een dunne katoenen trui en zwarte jeans. Ik vroeg me af of ze net had gesekst. Ik had nog steeds geen ervaring met seks en vond het een beetje ontregelend dat het voor mijn moeder zoiets alledaags was, maar ik was niet van plan om het er ooit met haar over te hebben.

In plaats daarvan schreeuwde ik uit wat ik haar al twee maanden wilde vragen. Ik schreeuwde: 'Mam, vertel me het verhaal over de Vijfhonderd Joodse Mannen!' Ze keek verrast en ik zei: 'Ik heb alle brieven gelezen. Ik heb ze zelfs overgeschreven in een dagboek, woord voor woord. Ik ben niet raar. Ik ben alleen maar in de war. Waarom ben je hem opeens gaan zoeken?'

Ze zette haar tas neer, hing haar sleutels aan het haakje en zei: 'Ik kreeg ineens gewoon de geest. Afgelopen winter zat ik op een gegeven moment terug te denken aan mijn vader. Ik ken dat verhaal al heel lang, sinds ik klein was.'

'Wèlk verhaal?' vroeg ik. 'En waarom heb je ons dat nooit verteld?'

'Ik vond dat het jullie niet aanging,' zei ze.

Ik zei: 'Ik ben achttien. Ik wil iets weten van de wereld waar je vandaan komt. Ik wil meer weten dan de namen van een paar mensen die je brieven hebt geschreven.'

'Die wereld ligt in puin,' zei mijn moeder.

'Breng hem dan voor tien minuten weer tot leven!'

Ze zei: 'Dat kan niet. Er zijn alleen nog maar puinhopen.'

VIII. VIJFHONDERD JOODSE MANNEN

Dit was het verhaal dat mijn moeder me vertelde. Het verschilde niet veel van wat ik uit haar vier brieven had opgemaakt, maar het was een opluchting voor me om het te horen, hoe beknopt het ook was.

Terwijl er in Kovno in de zomer van 1941 massaal executies plaatsvonden werd er, vlak voor de joden naar een nieuw getto overgeplaatst zouden worden, een speciaal project aangekondigd waarvoor vijfhonderd joodse mannen zouden worden geselecteerd. Een universitaire graad was vereist. Alle kandidaten dienden twee van de drie talen Russisch, Litouws en Duits te spreken. Zij die werden uitgekozen zouden een betaalde baan als onderzoeker in het stadsarchief krijgen. Het scheen een manier te zijn om aan vervolging te ontkomen, dus hoopten al de beste en intelligentste joden van de stad te worden geselecteerd. De concurrentie was hevig, dus iedereen die nog een gunst tegoed had deed wat hij kon om die te incasseren. De mannen waren artsen, advocaten, leraren, geleerden, dichters, architecten, ingenieurs, filosofen. Samen met mijn opa Jonah waren mijn tante Doris en haar man Pinchas ook naar Kovno gevlucht. Mijn opa en oom Pinchas waren allebei leraar geweest op een middelbare school in Warschau. Ze spraken vloeiend Duits en hadden genoeg Litouws opgepikt om zich te kunnen redden. Ze hadden zich onder een valse naam en met vervalste papieren aangemeld in de hoop dat ze voor Litouwers door konden gaan. Toen ze hun acceptatiebrief kregen vierden ze dat als ware het een mirakel.

Ze waren van plan om te wachten tot het geweld voorbij was. Ze hadden contact gelegd met een ondergrondse verzetsgroep. Ze geloofden dat alles na die uitbarsting van geweld weer tot rust zou komen en dat ze als de tijd rijp was de bossen in konden vluchten en konden proberen naar het zuiden te ontkomen, door Oekraïne naar Odessa, waar ze zouden proberen een overtocht naar Palestina te boeken. Op de vastgestelde dag verzamelden de vijfhonderd mannen zich in Kovno in afwachting van hun instructies. Weldra werden ze naar een van de negentiende-eeuwse Russische forten geleid die rondom de stad lagen. Daar waren alle vijfhonderd joodse intellectuelen doodgeschoten.

Maar het verhaal ging dat er twee wisten te ontsnappen. Er werd niet verteld hoe ze het hadden gedaan, zei mijn moeder, alleen maar dat er twee van de vijfhonderd niet waren gestorven. Dat ze zich ergens veilig schuilhielden en dat pas bekend zou worden wie ze waren als de oorlog voorbij was. Het was een sprookje, zei ze tot besluit. Geen van die vijfhonderd mannen was ooit teruggezien.

Toen ze het verhaal verteld had, zei ze: 'Jennifer, kom mee naar boven.' Het was laat. Ik ging met haar mee naar haar slaapkamer. Van een plek die ik op een of andere manier over het hoofd had gezien pakte ze een medaillon, maakte het open en liet me een foto van haar vader zien. Zijn haar was donker en hij glimlachte. Ze zei: 'Dat is hem. Ik heb niets anders om je te laten zien.'

'Maar weet je het zeker?' vroeg ik aan mijn moeder.

'Wat?'

'Dat hij daar is gestorven.'

Ze zei: 'Dat is een sentimenteel verhaal. Zoals mijn vader zelf zou hebben gezegd: *Drek ahf a shpendel*. Maar de mensen willen dat soort dingen geloven. Soms helpt het als je je geesten in leven kunt houden.'

'Is hij een geest voor je?'

'Ja.'

'Ga je nog verder zoeken?'

'Nee,' zei ze.

'Waarom bewaar je de brieven?'

'Jij mag ze hebben.'

Toen liep ze naar haar dressoir. Ze pakte de brieven eruit. Ze legde ze in mijn hand en vroeg: 'Wat is er verder nog mis?'

Ik zei: 'Een heleboel.'

'Zoals?'

Ik zei: 'Een heleboel, maar eigenlijk stelt het niks voor. Gewoon stom schoolgedoe met leraren en natuurlijk met Alison. Ik geloof dat ik probeer te voorkomen dat ik instort. Ik wil weggaan, naar Californië, bij pap gaan wonen. Ik wil deze herfst naar UCLA.'

Ze zei: 'Prima, als hij het ook goed vindt.'

Ik zei: 'Hij vindt het goed. We hebben vanavond gebeld. Ik heb verandering nodig, maar het gaat om mij, niet om jou. Dus niet verdwijnen, hè?'

Ze zei oké. Ik mompelde: 'Bedankt.' Toen stak ze een hand uit, streek wat haar uit mijn gezicht en streelde mijn wang. 'Ik ben er voor je,' zei mijn moeder, maar ik voelde hoe ze door me heen trok. Ik voelde mijn moeder over die bietenvelden rennen. Er zaten boze mannen achter haar aan maar die zouden al gauw door honden worden verscheurd.

5

Wolfje

Novalis heeft gezegd: 'De grootste magiër zou degene zijn die zichzelf zo totaal betovert dat hij zijn eigen geestverschijningen voor autonome fenomenen aanziet. Geldt dit niet ook in ons geval?'

Ik besef dat we ergens allemaal magiërs zijn. We zijn medeplichtig aan alles wat we zien en realiseren ons dat wat we zien nooit met de absolute werkelijkheid samenvalt.

Daardoor moet het menselijk brein een verhaal construeren. Dat kan ik pertinent stellen, en toch zal elk verhaal dat we kiezen een punt bereiken waarop het niet langer voldoet. Het ene verhaal moet onherroepelijk ingewisseld worden voor een ander. Bijgevolg zal de betekenis van elke episode verschuiven, zelfs voorbij het punt waar ze schijnt op te houden.

Wel, hier is mijn relaas. Ik herkende haar zodra ze haar hoofddoek en haar zonnebril afdeed. Hoe zou ik haar niet herkend kunnen hebben? Ik had korte tijd deel uitgemaakt van de anti-oorlogsbeweging in de jaren zestig, maar mijn bemoeienis daarmee duurde niet langer dan de periode waarin ik in het vroege voorjaar van 1969 na enige omzwervingen in San Francisco belandde en stapelverliefd werd op een vrouw die optrad als poppenspeelster en zich dan Midnight noemde en zonder poppen, wat niet vaak voorkwam, Katie heette en eigenlijk liever had dat ik haar helemaal niet bij haar naam noemde, leek het wel. Ik trok twee maanden op met haar en haar medeguerrillapoppenspelers, genoot van de vrije liefde die van die tijd en die plek was, maar zelfs in situaties zoals die waarvan ik me vol genoegen uren van verstrengeling herinner met haar en een lenige, welgevormde brunette die Marybeth Faith Angelina heette, hunkerde ik naar mijn nachtelijke momenten alleen met Katie in onze tent, waarbij we elkaar liefkoosden en op een overweldigende manier met elkaar praatten, maar daar zal ik niet over dooremmeren uit vrees dat ik als een romantische dichter ga klinken. Ik was begonnen me de kunst van het poppenspelen eigen te maken, maar ik was er niet geschikt voor omdat de ogenschijnlijke gelijktijdigheid die de wisselwerking tussen meester en marionet vereist me niet goed afging. Als ik te hard nadacht leek de pop onbezield en slap, ondanks zijn evidente motoriek en mijn behendigheid, en als ik niet genoeg nadacht bleek ik geen zeggenschap over de pop te hebben. Intussen leek de manier waarop Katie aan de touwtjes trok altijd moeiteloos en fenomenaal, met elk van haar zeven poppen waar ze mee speelde. Ik dacht dat ik het wel van haar zou leren, dat ik zelf ook zo'n sierlijkheid en soepelheid kon verwerven, maar toen kondigde ze op een dag ineens aan dat ze haar zeven poppen aan de wilgen hing en in feite diezelfde middag naar Florence in Italië zou afreizen, samen met een rijke man die ze de week ervoor had leren kennen. Zo snel als wat, en zonder enige emotie, was ze weg, en kort daarna was ik zelf ook weg.

Hoe kan ik dat aspect van mijn verhaal verklaren? Mijn verhaal was dat ik op een ander verhaal overstapte. Ik verloor elke interesse in marionetten, beschimpte mezelf om mijn gebrek aan talent als poppenspeler en ging zo ver dat ik besloot om me af te keren van de linkse idealen waar ik me achter had geschaard, ondanks het feit dat ik een tweede generatie Grieks-Amerikaan was wiens vader een huis in de noordelijke heuvels van Californië had gebouwd en ervan overtuigd was dat Amerika inderdaad het beloofde land was. Opeens konden Vietnam of het mondiale Amerikaanse terrorisme me gestolen worden. Opeens wilde ik overal mee kappen, of het nu goed of fout was.

Ik had aan de University of Southern California gestudeerd met biologie als hoofdvak. In mei 1969 schreef ik me in voor een studie medicijnen. In de jaren daarop werd ik neuroloog en vervolgens uiteindelijk neurowetenschapper, en vijftien jaar later sta ik in mijn lab in Palo Alto, Californië, midden in de jaren tachtig, in mei 1984 om precies te zijn, en daar duikt ze weer op, Katie alias Midnight, die, zo weet ik inmiddels, Katherine Clay Goldman is en poppenspeelster noch radicaal links noch een van de andere dingen was die ze me wijsmaakte, ook al zou ik nu nog steeds niet kunnen zeggen wat ze dan wel is.

Ze kende mijn werk – mijn onderzoek naar de mantel van elektromagnetische energie rondom het stoffelijke lichaam van de mens en mijn werk met 'programmareeksen', typische patronen van hersengolven voor elke werktuiglijke beweging of houding van een lichaam. Ze was op de hoogte van mijn meer buitenissige ideeën, die uiteenliepen van effecten van elektromagnetische velden die op de mogelijkheid van extradimensionale ruimte wezen, tot mijn speculaties over een elektromagnetische basis voor wat de autochtone Koyukon-stam in Alaska als 'verre tijd' kent en Australische Aboriginals 'droomtijd' noemen; beide worden geacht extradimensionale locaties te zijn die toegankelijk worden in veranderde geestesgesteldheden zoals bijvoorbeeld – maar niet uitsluitend – dromen. Ze kende mijn populairwetenschappelijke verhandeling in het *Smithsonian Magazine* over '*rapideyemovement*-kunst', de theorie dat een individu zowel actief als via toegang tot een collectief reservoir van energieprikkels dromen schept zoals we elk kunstwerk scheppen. Misschien dat dit opwoog tegen mijn onhandigheid met poppenspelen, maar ons gesprek over mijn wetenschappelijke onderzoek was bijlange niet zo uitvoerig als ik graag had gewild, aangezien wat ze van me wilde in menig opzicht veel simpeler was dan de onderwerpen die ik net noemde. Veel simpeler wat mij betrof, in elk geval, ook al was de kwestie die haar bezighield allerminst simpel. Hoe dan ook, ik zal nu proberen de gebeurtenissen te beschrijven die plaatsvonden in de korte tijd waarin ik het contact hernieuwde met een vrouw die vijftien jaar lang, niettegenstaande alle theoretische modellen of schrandere beweringen over remslaap, had rondgespookt in mijn dromen.

Zoals ze uitlegde, nog voor ik hem te zien kreeg, reisde ze met een jongen van eenentwintig die al twee maanden in coma lag. Om precies te zijn drieënzestig dagen. Begin maart van dit jaar was hij met hoge snelheid verongelukt met zijn motor; hij had geen helm op gehad. Naar haar mening was het echter geen gewone coma.

Om te beginnen was de jongen niet overgegaan in een vegetatieve staat. Gewoonlijk duurt een coma enkele dagen tot enkele weken, en hoogst zelden langer dan vijf weken. Binnen dat tijdsbestek wordt verwacht dat slachtoffers geleidelijk bij kennis komen, gaan vegeteren, of sterven. Ze beweerde echter dat de jongen zijn ogen nog steeds dichthield, dat zijn ledematen van tijd tot tijd bewogen en dat hij af en toe een onbegrijpelijk zinnetje mompelde, wat allemaal op een coma duidde, niet op een vegetatieve staat. Was er verder nog iets? vroeg ik, en ze zei van ja. Ze wilde de jongen naar mijn lab brengen. Ze zei dat ze het uit zou leggen als ik hem had onderzocht.

Ze wachtte tot het donker was en duwde hem toen in een rolstoel naar binnen. Om redenen die op dat moment niet duidelijk waren bracht ze me op de hoogte van bepaalde details van zijn achtergrond. Ze vertelde dat het motorongeluk in Israël was gebeurd, dat hij terug was gebracht naar het huis van zijn ouders in Utah en dat zijn oudere zus, die in Florida woonde, hem pas geleden had opgezocht. Ze verklaarde dat zijzelf de jongen bij zijn familie had weggehaald, omdat zijn ouders betrokken waren bij een rituele sekte met uiteenlopende leden zoals een steenrijke oliemagnaat, enkele advocaten, twee hoge staatsambtenaren, een voormalige CIA-agent alsmede een heleboel idioten van lagere stand.

Wat ze van me wilde was ten eerste dat ik een elektro-encefalogram of eeg maakte. Met andere woorden, ze wilde zijn hersengolfactiviteit laten meten. Ik voldeed aan haar verzoek, maakte het eeg en ontdekte tot mijn verrassing dat zijn elektromagnetische hersenfunctie constant binnen een bereik van 2 tot 5 hertz lag. Ik had verwacht dat zijn elektromagnetische veldsterkte een bereik van 6 tot 20 hertz zou hebben, gebaseerd op de vakliteratuur die ik had gelezen en op mijn gegevens uit bepaalde eigen wetenschappelijke onderzoeken. Het leek erop dat deze atypisch lage hersengolffrequentie hem in staat stelde in coma te blijven en niet af te glijden naar een vegetatieve staat. Gezien de ernst van zijn hoofdverwonding leek het voor de hand te liggen dat hij juist daardoor in staat was geweest om überhaupt te overleven.

Katie Goldman scheen echter volstrekt niet verrast te zijn door deze uitkomst. Ze vroeg of ik op de hoogte was van studies die waren gepubliceerd over manifestaties van calciumemanatie, waarbij door middel van microgolven van een bepaalde frequentie een emanatie of uitstroom van calciumionen in hersenweefsel teweeggebracht kan worden zodat de normale chemische processen in de hersenen worden verstoord, wat tot verwarring bij de proefpersoon leidt. Ik zei dat ik ze kende. Ze vroeg of ik ook op de hoogte was van experimenten waarmee was aangetoond dat het teweegbrengen van een lagere dan normale hersengolffrequentie het tegenovergestelde kon bewerkstelligen: een vermindering van de normale waarden van calciumemanatie en daarmee een proefpersoon wiens hersenchemie op een niveau functioneerde dat qua capaciteit en efficiëntie veel hoger lag dan normaal. Ik zei dat ik ze kende, maar dat wat ik erover had gelezen niet onomstotelijk was aangetoond. Ze vroeg of zijn lage eeg-uitkomst erop zou kunnen wijzen dat de calciumemanatie in zijn hersenchemie voortdurend lager was dan normaal, en ik zei dat ik geen idee had of dat zo was en dat ik ook niet over de apparatuur beschikte om het vast te stellen.

Toen vroeg ze of ik vakliteratuur kende over het fenomeen van de meervoudige persoonlijkheidsstoornis. Ik zei dat ik niet meer had gelezen dan een beschrijving in een handboek over psychische stoornissen, vroeger in de jaren zestig, dat ik *The Three Faces of Eve* had gezien en het een rotfilm had gevonden en dat meervoudige persoonlijkheidsstoornis op zijn gunstigst een controversieel onderwerp was voor zover ik had begrepen, dat het niet als aparte stoornis was erkend in de in 1982 herziene *Diagnostic and Statistical Manual of Mental Disorders* en niet iets was wat je wilde onderzoeken voordat je een vaste aanstelling als wetenschapper had. Op zijn ongunstigst werd het geacht je reinste verzinsels te zijn.

En wat vond ik zelf? vroeg ze. Mijn antwoord was dat ik, op mijn intuïtie afgaand, een meervoudige persoonlijkheidsstoornis als een plausibel verschijnsel beschouwde, maar dat ik zo slecht geïnformeerd was over het onderwerp dat ik er niet veel meer over kon zeggen. Toen haalde ze een brief uit haar tas die volgens haar was geschreven door de oudere zus van de comateuze jongen en die me, dacht ze, op z'n minst in staat zou stellen om intuïtief aan te voelen wat ik hier in mijn eigen woorden zal omschrijven als de mechanismen van meervoudige persoonlijkheidsstoornis ten gevolge van ritualistische programmering door middel van het opzettelijk teweegbrengen van buitengewone traumatische situaties bij jonge kinderen, iets wat in meerdere opzichten overeenkomt met de Chinese methoden om gevangenen te hersenspoelen tijdens de Koreaanse Oorlog, maar nog totaler is omdat de voedingsbodem bij jonge kinderen en kleuters uit een veel minder gedifferentieerd neurologisch netwerk bestaat. Ik las de brief, die ontstellend en toch logisch was, gegeven mijn kennis van neurofysiologische ontwikkeling en differentiatie.

Nu ik deze aantekeningen overlees wil ik even opmerken dat ik niet altijd op deze manier praat. In feite geloof ik niet dat ik ooit zo praat, maar bij het noteren van een gevalsanalyse is dit de vertelstem die uit eigen beweging schijnt op te klinken.

Ik gaf Katie de brief terug. Ik keek naar de jongen in de rolstoel, die net twee keer met een been naar niets had geschopt. Ik trok de voor de hand liggende conclusie dat hij als broer van de schrijfster van de brief op soortgelijke wijze was geprogrammeerd. Voor ik daar lang bij stil kon staan vroeg Katie me echter iets wat verband hield met een bepaald psychofarmacologisch curiosum waarvan ze niet het flauwste benul had horen te hebben aangezien er geen officieel onderzoek naar het onderwerp was. Het enige wat erover bestond waren mijn eigen bevindingen, waarover ik was gewaarschuwd door zowel de *Food and Drug Administration* als enkele hoge heren bij de federale overheid. Ik was gemaand dat al het onderzoek op dat gebied gestaakt diende te worden en dat mijn bevindingen niet openbaar gemaakt mochten worden. Wat ik had waargenomen was dat een eigenschap die inherent was aan een bepaald streng gereglementeerd slaapmiddel, dat zelfs in de geheimste FDA-literatuur alleen maar met ZH werd aangeduid, dat het neurochemische gamma-aminoboterzuur oftewel GABA schijnt te neutraliseren, dat als een natuurlijke tranquillizer op hersencellen bij comapatiënten inwerkt en hersenfuncties stillegt om energie te sparen en hersencellen te helpen overleven. Het haast onvoorstelbare effect van ZH is dat het de greep van GABA schijnt te doorbreken en comapatiënten in staat stelt om voor korte periodes, meestal variërend van veertig tot zestig minuten, wakker te worden. Wat Katie me vroeg, was of ik in het bezit was van monsters van de slaappil die bekendstond als ZH, en zo ja, of ik wist wat de juiste dosering zou zijn voor een jongen van ongeveer vijftig kilo die al twee maanden in coma lag?

Ben ik de verteller van dit verhaal? Ik vraag dat als verteller, maar net als bij poppenspelen is de flux van een vertelling zodanig dat ik gewoon *hoppa!* kan zeggen en dan zie je me in een kamer staan met Katie Goldman, die ongetwijfeld binnenkort weer in rook zal opgaan, en terwijl ik probeer te luisteren naar wat ze zegt kan ik alleen maar denken aan dingen als: hoe kan zo'n mooie, lange vrouw zich zo goed verstoppen, hoe kan het dat ik het gevoel heb dat ze steeds hier bij me is geweest, waarom lijkt het of er praktisch geen tijd is verstreken sinds ik met haar in een tent woonde en we samen monologen bedachten voor de marionet die ze Jaguar God noemde en de marionet die ze de Centaur Pinocchio noemde en het leuke wolfje Loopdy Lupe dat nu in mijn hoofd is samengesmolten met het leuke wolfje Vučko, de mascotte van de afgelopen Olympische Winterspelen in Sarajevo, waarin geen herhaling van 'het ijshockeymirakel' zou geschieden, geen fantastisch sportsprookje, alleen maar, zo kwam het me voor terwijl ik op abc zat te kijken, onze Loopdy Lupe die voortdurend opdook in de gedaante van Vučko, Loopdy Lupe die in ons poppenspel op een gegeven moment in een andere, veel grotere wolf veranderde die Big Bad heette.

Als ik het me goed herinner waren de andere finalisten die meestreden bij de uitverkiezing van de mascotte van de Olympische Winterspelen in Sarajevo een eekhoorn, een lam, een berggeit, een stekelvarken en een sneeuwbal. Vraag me niet waarom ik dat relevant genoeg acht om het in dit relaas op te nemen. En vraag me ook niet wanneer de slaappil ZH beschikbaar komt voor het grote publiek, en of het een goed of een slecht idee lijkt om comapatiënten en/of vegeterende patiënten gedurende veertig tot zestig minuten bij bewustzijn te brengen, met name aangezien de sedatieve werking van het middel vereist dat het met tussenpozen en spaarzaam wordt toegediend opdat de patiënt niet aan een overdosis slaappillen overlijdt. Ik vermoed dat ZH in een of andere vorm ergens anders ontdekt zal worden en dat wij hier in de almachtige Verenigde Staten van Amerika dan, als in zoveel andere gevallen, zullen onthullen dat we het al jaren geleden hadden ontdekt zodra duidelijk is dat de farmaceutische industrie er fors aan kan verdienen. Omdat dit het jaar 1984 is zijn we overspoeld met verwijzingen naar de gelijknamige roman uit 1949 en met artikelen en commentaren op het orwelliaanse concept van 'misdenken', om maar te zwijgen van het eeuwige 'Big Brother Is Watching You'-refrein. Wat ik wil aanvoeren is dat de wereld heel dicht bij en heel ver van het fictieve 1984 ligt en dat je relatieve positie binnen dat spectrum afhangt van geografie en de mate van begrip die je ervoor wenst op te brengen. Het is goed mogelijk dat ik schuldig ben aan wat beschouwd zou worden als een misdenk – zij het misschien niet met die woorden – door een kwaadwillende lezer, mogelijk iemand van de FDA, of iemand van die sekte waartoe de ouders van de jongen in coma naar verluidt behoren, of gewoon iemand die het verkeerd van me vindt dat ik de politie niet heb gebeld zodra Katie Goldman haar hoofddoek afdeed, ofschoon het niet waarschijnlijk is dat dergelijke bezwaren zullen worden geuit vanwege mijn voornemen om deze informatie voorlopig niet openbaar te maken. De non-conformistische wetenschapper Wilhelm Reich heeft wat hij de 'orgonenaccumulator' noemde uitgevonden in de jaren dertig, net als andere uitvindingen die geacht werden de oerenergie van de kosmos op te vangen. Reichs werk werd zodanig verguisd dat hij instructies in zijn testament liet opnemen om al zijn geschriften te verzegelen en gedurende vijftig jaar na zijn dood achter slot en grendel te bewaren om zodoende alle dingen die hij had ontdekt veilig te stellen tot het moment, optimistisch gesproken, dat onze samenleving zover was dat ze er open voor stond. Omdat Wilhelm Reich in 1957 was overleden, in de gevangenis nog wel, valt het nog te bezien of de wereld zijn mening over zijn werk zal herzien. Ik zeg niet dat ik zo'n pionier als Reich ben, maar ik vermoed dat de wereld in 2007 meer weg zal hebben van de orwelliaanse dystopie dan van het beeld dat Wilhelm Reich zich wellicht heeft voorgesteld. Hier merk ik dat ik afdwaal; misschien is het gewoon mijn bedoeling om Katie Goldmans aanwezigheid zo lang te rekken als redelijkerwijs mogelijk is door steeds verder uit te weiden en deze aantekeningen uit te laten dijen. Terugblikkend ben ik bang dat ze niet geloofd zullen worden wanneer het ooit zo ver mocht komen dat dit relaas wordt gelezen.

We maakten de jongen wakker. Ik stampte twee tabletjes van het slaapmiddel ZH fijn, loste het poeder op in water en keek toe hoe Katie het drankje toediende en zich ervan vergewiste dat hij na elk theelepeltje goed slikte. Binnen zeven minuten trok de bleke grauwheid weg uit zijn gezicht en kleurden zijn wangen. Er verstreken nog tien minuten en zijn ogen gingen open. Toen zette de jongen het onmiddellijk op een krijsen.

Daar was ik niet op voorbereid. De jongen krijste en het gekrijs was zo hard dat ik de stereo-installatie in mijn werkruimte voluit zette, iets wat ik nooit doe. Katie ging naast hem zitten, streelde zijn gezicht en kneep in zijn hand en probeerde hem tot bedaren te brengen, maar hij bleef maar krijsen, eindeloos doorkrijsen, zevenenveertig minuten lang, volgens mijn horloge. Ten slotte begon het effect van de ZH af te nemen en ging het gekrijs over in zachter gekerm en toen, na drieënvijftig minuten, was hij weer vertrokken, terug in zijn coma. Ik maakte nog een eeg en daar bleken dezelfde laagfrequente hersengolven uit. Ik legde uit aan Katie dat ik zes keer eerder ZH had toegediend aan comapatiënten met meer of minder ernstig hersenletsel, maar dat ze geen van allen hadden gekrijst en vijf van de zes in feite hadden geglimlacht of gelachen. Alles zes hadden ze gesproken, al was hun spraak gebrekkig ten gevolge van hersenbeschadigingen, maar alle zes hadden ze te kennen gegeven dat ze wisten wie ze waren en wat er was gebeurd. Ik zei dat het gekrijs me minder beangstigde dan dat het me bevreemdde. Toen zei ze: 'Zeno,' wat mijn naam als poppenspeler was, 'ik zal het je uitleggen.'

Wat ze uitlegde was dat ik net getuige was geweest van een van de meervoudige persoonlijkheden die in de slapende jongen huisden. Ze zei dat het geen echte persoonlijkheden waren maar 'deel-ikken', als het ware, en dat elke ik was gecreëerd om een bepaalde verschrikking te herbergen die hij had ondergaan, zoals beschreven in de brief van zijn zus. Hoewel de verschrikkingen zelf enerzijds waren opgevoerd als oefeningen in sadistische machtswellust en het inprenten van psychopathische neurosen, waren de folteringen ook een systematische methode om meervoudigheid op te wekken, zoals Katie het vanaf dat moment zou noemen. De meeste folteraars waren als jonge kinderen middels een soortgelijke programmering mishandeld, zij het niet allemaal, en ieder van hen had stille ikken die voor de continuering van deze nalatenschap zorgden die hen in staat stelde het trainingsprotocol van de ene generatie op de volgende door te geven. Katie wees erop dat er nog veel meer te zeggen viel over de metafysische aard van mishandeling, maar dat de kwestie die relevant was aangaande Dillon Morley – dat was de eerste keer dat ze de naam van de jongen noemde – het feit was dat ze meende dat er op het moment van zijn ongeval een nieuwe ik was gecreëerd: zijn verwonding kon een ongeluk zijn of een bewuste poging tot zelfmoord, maar deze nieuwe ik van de jongen herbergde wat bij een normaal mens de dood zou zijn geweest.

Door wat voor procedé kon zoiets mogelijk zijn? Door het procedé dat in de brief van de zus werd beschreven? Door het procedé dat door Katie Goldman werd omschreven? Door het raadsel van het leven en de oorsprong ervan? Door een speling der natuur of door de hand van God? Het dient gezegd te worden dat alles wat ik hier heb opgeschreven recapitulatie dan wel speculatie is. Ik had geen mogelijkheid om Katies hypothese te staven en misschien had zij die ook wel niet. Veel mensen hebben me verteld dat ik heel afwezig lijk en soms net een robot, ook als ik op mijn normale toon praat, en ze hebben waarschijnlijk gelijk dat ik altijd op zoek ben naar procedés, logica en structuur, meer dan naar dingen als liefde of een goed restaurant. Ik weet niet wat ik daarop moet zeggen, en ook niet over het feit dat ik met mijn manier van optekenen en allerlei afdwalingen niet inga op mijn emotionele reactie op de jongen in coma of de afschuwelijke oorzaak van zijn huidige situatie. Misschien geloof ik dat sentimenten de rede vertroebelen. Wat ik wel kan zeggen is dat de jongen, ook toen hij zat te krijsen, iets uitstraalde wat ik innerlijke kracht zou willen noemen.

Ze kon hem verlossen, zei Katie. Ze kon hem verlossen uit zijn kerker tussen leven en dood. Toen ik vroeg hoe dan, wilde ze alleen maar zeggen dat er manieren waren om de krijsende persoonlijkheid die we hadden gewekt te integreren. Ze zei dat hij in een reeks andere ikken kon worden geïntegreerd, maar dat het als dat eenmaal was gebeurd ongewis was welke kant de jongen op zou gaan. Misschien zou de nieuwe ik de dood loslaten in het lichaam. Misschien zou het voortsluimerende leven in het lichaam de dood die in de ik was geherbergd onderdrukken (en in dat geval, viel me in, al zei ik het niet, zou de jongen gewoon in een minder atypische coma kunnen overgaan). Wat ze van me wilde, als dat mogelijk was, was genoeg ZH om de jongen weer bij te brengen. Mogelijk zou ze hem een aantal keren bij moeten brengen. Ik gaf haar wat ik had, genoeg voor drie doses. Het was me verboden om de pillen te gebruiken en ik voorzag niet dat ik ze nog eens nodig zou hebben. Ze liet de slaappillen in haar zak glijden en op dat moment moest ik weer aan Loopdy Lupe denken, maar ik was van oordeel dat het bespottelijk was om aan te komen zetten met de herinnering aan een marionettenwolf en zijn toevallige gelijkenis met de mascotte van de afgelopen Olympische Winterspelen.

In plaats daarvan vroeg ik of ik haar mocht kussen. Katie moest glimlachen. Ze zei: 'Zeno. Dat is heel lief.' Toen, met de jongen in zijn rolstoel naast ons, legde ze haar handen tegen mijn beide wangen. Ze drukte haar lippen tegen de mijne en dat was geen zachte kus. Niets aan haar was zacht, maar toch had ik niet verwacht dat ze me zo zou kussen. Het heeft geen zin om een beschrijving te geven van het wringen van onze lippen en tongen of onze adem en lichamen; ik kan alleen maar zeggen, zoals ik al eerder heb gezegd, dat de tijd scheen uit te rekken, zoals dat in verhalen gebeurt. De tijd scheen naar voren en naar achteren te deinen of anders was hij helemaal vervlogen, want verhalen ontvouwen zich weliswaar in de tijd maar zijn in wezen ruimtelijke dingen, wat betekent dat je overal heen kunt gaan waar je wilt. Met genoeg tijd of met genoeg verbeelding zou ik bijvoorbeeld de toekomst van Dillon Morley voor je kunnen oproepen, al zou zoiets minstens zo bespottelijk zijn als doorgaan met mijn uiteenzetting van de overeenkomsten tussen de Olympische mascotte Vučko en de marionet Loopdy Lupe.

Wat misschien relevanter is: ik kan me een moment voor de geest halen dat de poppenspeelster genaamd Midnight met Big Bad op de proppen kwam en begon te grommen. Daarmee begon ze altijd zijn monologen, maar vreemd genoeg stapte ze nog voor ze één woord van Big Bad had gesproken achter het wandkleedje dat als achterdoek dienst deed, liet Big Bad voor wat hij was en verscheen opeens weer met Loopdy Lupe. Ik herinner me die keer in het Golden Gate Park op een koele lentemiddag, toen Marybeth Faith Angelina naast me stond met haar arm om mijn schouder en Loopdy Lupe zei dat we allemaal onderdeel waren van een groot verhaal. Het is een verhaal dat veel verder reikt dan we beseffen. En verwar het leven dat je leidt niet met dat verhaal, zei Loopdy Lupe. Wees niet bang om uit het verhaal te stappen. Misschien knijp je 'm weleens omdat je niet snapt dat niet jij degene bent die bang is maar het verhaal. Het verhaal zoekt een manier om zich verder te verspreiden. Het verhaal is bang dat je het uit je hoofd zet.

6

De oceaan

Aan het begin van die zomer zaten Dara en ik op de rotsige, vulkanische punt van Yawzi Point. We waren daar om Dara's moeder te bespioneren die met een postdoctorale student die Charles heette aan het duiken was bij een rif dat dertig meter diep onder ons lag. Charles had zijn eigen onderzoeksgebiedje, Gorgonacea oftewel zeewaaiers, maar hij hielp hoogleraren soms met het verzamelen van data. Dara dacht dat Charles en haar moeder misschien een verhouding hadden.

Ze vroeg of mijn vader weleens iets met zijn studentes had gehad. 'Een paar keer,' zei ik, 'maar dat was voor hij Beverly leerde kennen.'

'Waren ze weelderig gevormd?' vroeg ze.

Ik zei:'Eentje wel.'

'Volgens mijn moeder hebben oudere mannen graag weelderige jongere vrouwen.'

'Ze waren niet allemaal weelderig,' zei ik, en toen rommelde er donder in de lucht. De regen dreef binnen over de baai en veranderde de kleur van het water van turkoois in donkerblauw. 'Mango's!' gilde Dara, en toen renden we terug naar de bomen.

Er waren een paar studenten van de School voor Veldonderzoek in het onweer aan het volleyballen. Twee jongens en een meisje waren druk bezig hun haar in te zepen om het te wassen. We stonden naast een mangoboom te wachten terwijl de regen viel. Het was verboden om de mango's te plukken, want alles in dat gedeelte van St. John hoorde bij het nationale park en je mocht nergens aankomen: niet aan de mango's, de leguanen, de schelpdieren of het koraal van het rif. Maar we vonden wel manieren om de regels te ontduiken – manieren zoals onweer waardoor de mango's uit de boom vielen. Ik keek even naar Dara. Ze glimlachte ondeugend. Ik probeerde te knipogen maar dat heb ik eigenlijk nooit goed gekund. Het zag er altijd meer uit alsof ik met beide ogen knipperde. 'Goh,' zei Dara en gaf met haar schouder een duw tegen een dikke tak. 'O jee,' zei ik en schudde eraan. We gebruikten onze druipnatte T-shirts als zakken om de mango's in te doen en brachten ze snel naar Dara's vakantiehuisje.

Ik was dertien. Dara was veertien. Ze kwam uit Utah en ze kon een murene uit haar hand laten eten. Haar moeder deed onderzoek naar het territoriuminstinct van rifbaarzen. Ze had een vaste aanstelling als hoogleraar aan een universiteit in Salt Lake City. Ze gaf die zomer les in mariene biologie op de School voor Veldonderzoek, net als mijn vader. In tegenstelling tot mijn vader had ze geen leukemie, ook al zat hij in een remissiefase.

Dara had blond haar dat in de Caribische zon wit bleekte. Ik vond het geweldig zoals haar gezicht er onder water uitzag. Dan leken haar ogen heel expressief maar met haar mond om haar regulateur glimlachte ze op een manier die mijn vader als 'loom' omschreef. Ik vond het ook leuk zoals ze naar barracuda's wees en me dan zenuwachtig het oké-teken gaf. Dara gaf me voortdurend het oké-teken onder water.

We hadden eens op vijftien meter diepte als buddy's één zuurstofapparaat gebruikt en om en om ingeademd, en die avond zei Dara dat het haast net was of we onder water hadden gezoend. Bij een andere duik kwamen we op een pijlstaartrog terecht. Toen we met onze zwemvliezen de zeebodem raakten, begon het zand te bewegen en we trappelden als een gek omhoog toen er een reusachtige pijlstaartrog wegflapperde. Dara draaide zich snel om en gaf me het oké-teken. Ik pakte mijn onderwaterleitje, schreef er 'jeetjemina!' op en hield het voor haar ogen. Ze glimlachte en schreef 'jeetjeminamootje!' op haar lei. Ik wilde net 'jeetjeminamootjesakkerlootje!' schrijven toen Dara dicht naar me toe kwam gezwommen en haar duikbril tegen de mijne drukte. Een paar tellen staarden we elkaar aan, onze ogen een paar centimeter van elkaar. Toen trok Dara haar hoofd terug en gaf me het oké-teken.

De heremietkreeften gingen altijd bij maanlicht op pad. We konden ze horen vanuit Dara's vakantiehuisje – een hard geritsel dat meer als wind klonk dan als krabben. We zaten op Dara's bed Mastermind te spelen, samen met Chutes and Ladders het enige spel dat we in de recreatiehut konden vinden. Aan de andere kant van de kamer zat haar moeder met Charles gin rummy te spelen op haar bed en de gejatte mango's te eten. Charles had het weer over zichzelf, zoals gewoonlijk; hij zwetste maar door over alle uitheemse plekken waar hij had gewoond. Hij maakte een grapje dat uit *Monty Python* kwam, nam ik aan, want hij zei het met een raar Brits accent. Ik kon de grap niet verstaan omdat Dara de hele tijd dingen zat te fluisteren als: 'Wat een zak is die Charles, hè.' Toen haalde Charles een sigaret tevoorschijn en stak hem op, misschien omdat hij wist dat Dara en ik dan zouden aftaaien.

Buiten vingen we twee heremietkreeften - wat heel makkelijk was, ook al was het natuurlijk in strijd met de regels van het park. We namen de krabben mee naar mijn vakantiehuisje, maar mijn vader was daar. Hij zat aan zijn bureautje met een stapel leitjes. 'Wat bent u aan het doen, professor Kahn?' vroeg Dara aan hem. Hij zei tegen Dara dat hij het proefwerkje zat na te kijken dat hij zijn studenten die middag had laten doen waarbij ze organismen onder water hadden moeten identificeren. Hij vertelde dat niemand het manteldiertje *Ascidia nigra* juist had, een zwart zakpijpje dat op rotsen leeft. Mijn vader wees het me vaak aan als we snorkelden. Hij mocht de mensen graag voorhouden dat *Ascidia nigra* evolutionair gezien onze meest naaste nog levende verwant was op het rif.

Mijn vaders haar was weer aangegroeid nadat hij drie maanden kaal was geweest vanwege de chemotherapie. Hij had voor het eerst een baard laten staan waarmee hij net Grizzly Adams leek. Hij zei: 'Tien punten voor degene die me de taxonomie van die landkrabben kan geven.' Dara dacht *Uca*, wat fout was. Dat was de wenkkrab. Ik zei: 'Dat is *Coenobita clypeatus*.' 'Tien punten!' zei hij. 'En laten jullie meneer en mevrouw Clypeatus nu maar weer los.'

De krabben waren in hun geleende wulkschelp gedoken. We brachten ze terug naar de bossen achter Dara's vakantiehuisje, waar Dara's moeder en Charles nog steeds gin rummy zaten te spelen. Charles zat weer een mop te vertellen en ik moest aan *Monty Python's*

Flying Circus denken. '*It's my mistake*!' zong ik tegen Dara, maar ze had geen idee waar ik het over had. 'Dat is uit *Monty Python*,' voegde ik eraan toe. 'Een van hun maffe kreten.' Dara had nog nooit van Monty Python gehoord.

We gingen om beurten liggen en lieten meneer en mevrouw Clypeatus over onze rug of buik rondscharrelen. Na een poosje zaten we allebei onder het zand, dus besloten we te gaan zwemmen in de baai die Little Lameshur heette. Dat spreken ze uit als *La-me-sjoer* en we maakten weleens grapjes over die naam. Dan zei ik: 'Sjoer?' en dan zei Dara: 'Lamesjoer.'

Op het strand trokken we onze T-shirts uit. Ik vroeg me af of Dara ook haar beha uit zou doen. Ik vroeg me waarom ze überhaupt een beha droeg. We hoorden hoeven stampen en draaiden ons om, net op tijd om de kudde wilde ezels te zien. In het maanlicht leken ze net spookdieren. Ze draafden het eucalyptusbos in aan de overkant van de weg.

Ik zei tegen Dara dat mijn vader vond dat de ezels heel goed als studieobject zouden kunnen dienen voor een bioloog die in het ecologische gedrag van paardachtigen was geïnteresseerd. Ze hadden harems, legde ik uit, wat inhield dat de mannetjes groepjes vrouwtjes hadden waar ze voor vochten of hun territorium voor bewaakten.

Dara zei: 'Hé, weet je, er is een vacature op de universiteit waar mijn moeder werkt. Ze zit in de sollicitatiecommissie. Misschien is dat wat voor je vader.'

'Voor hoeveel lesuren?'

Dat was een vraag die mijn vader zou hebben gesteld.

'Geen idee,' zei Dara. 'Ik weet alleen dat ze al sinds vorige herfst iemand zoeken.'

'Misschien wil hij wel solliciteren,' zei ik, 'maar hij heeft het erg naar zijn zin bij ons in New Jersey, op Rutgers. En hij zou moeten zorgen dat hij beter wordt.'

'Beter dan wie?' vroeg ze.

Ik had haar nog niet over mijn vaders ziekte verteld. 'Gewoon, beter,' zei ik. 'Hij heeft van de winter leukemie gekregen.'

Ze drukte haar in elkaar gefrommelde T-shirt tegen haar kin en leek opgelaten. 'Hij ziet er niet ziek uit,' zei ze.

'Op dit moment niet. Hij heeft een chemokuur gehad.'

'O,' zei Dara, en ze zweeg verder over de vacature in Utah. Zo ging het telkens als ik over mijn vaders ziekte vertelde. Dan zwegen de mensen.

Ik zei: 'Hij zit sinds de winter in een remissiefase.'

Dara knikte.

'Je gaat er niet altijd aan dood,' zei ik tegen haar.

'O,' zei Dara.

'Zullen we gaan zwemmen?'

Ze liet haar T-shirt in het zand vallen en deed haar beha uit. Ik voelde dat ze nog aan mijn vader stond te denken, wat balen was omdat ik het in mijn hoofd had gehaald dat ik wilde proberen haar te kussen. Ik wist dat het niet het goede moment was, dus wachtte ik. '*It's my mistake!*' zong ik weer, maar Dara was duidelijk niet het type dat die Monty Python-humor zag zitten. Ze keek me aan alsof ik debiel was.

Het was eb en een stuk van Little Lameshur was een zandbank. We moesten een heel eind lopen voor het water diep genoeg was om te zwemmen. Ik pakte haar hand onder het lopen. Ze leek het goed te vinden. 'Ik heb hier een zanddollar gevonden,' zei ze, 'maar hij viel uit elkaar.' Ik zei: 'Dat heb je altijd met zanddollars.' Ik beschouwde dat als ons eerste officiële gesprek waarbij we hand in hand liepen.

We doken er alle twee in toen het water tot onze borst kwam. Nadat we een beetje hadden rondgezwommen bracht ik de moed op om Dara te vragen of ik haar mocht kussen. Ze zei ja, dus legde ik mijn armen om haar middel. 'Gaat het wel goed met je?' vroeg ze, want ik was begonnen te rillen. 'Een beetje koud,' zei ik. Onze lippen kwamen tegen elkaar. Dara smaakte naar zout water. 'Doe dat nog eens,' zei ze. Ik deed het. 'Een beetje harder,' zei ze, en ik boog naar voren en leunde met mijn handen op haar schouders. We gingen even door met kussen en omhelsden elkaar toen alleen maar terwijl we daar in de zee stonden. Ik begon andere dingen op te merken. Een halvemaan die opkwam en overal om ons heen sterren die op de blauwzwarte waterspiegel weerkaatsten. Voorbij Dara's schouder kon ik het donkerder water zien waar het rif was. Er waren geen boten, geen andere eilanden, geen ander licht behalve de maan. Ik was even bang, een paar tellen maar, en toen was het over. Toen we terug waren op het strand en weer stonden te kussen vroeg ik me af waar ik zo bang voor was geweest.

Op vier juli nam mijn vader me mee uit snorkelen in het mangrovebos, dat heel vies stinkt, als ontzettend bedorven eieren. Maar het mangrovemoeras dient als kweekvijver. Dat is de plek waar allerlei jonge beestjes leven voor ze groot genoeg zijn om op het rif te overleven. Mijn vader zei dat hij citroenhaaitjes en verpleegsterhaaitjes had gezien zo groot als zeekreeften. Hij had zeekreeftjes gezien die maar iets groter waren dan zijn duim. Terwijl we daar liepen vertelde ik hem over de vacature in Utah. Ik zei dat ik niet wist hoeveel lesuren het waren, maar dat Dara's moeder hem vast wel wilde steunen. Ik zei dat Utah misschien wel leuker was dan Piscataway, waar we woonden, met bergen in de buurt waar je kon skiën en misschien wel een heleboel mooie blonde mensen zoals Dara en haar moeder. Mijn vader zei dat hij op dat moment niet van plan was om van baan te veranderen en zeker niet om ooit in Utah te gaan wonen.

'Wat is er mis met Utah?' vroeg ik.

We waren stil blijven staan want we waren bij de mangroven aangekomen. Hij leek van de wijs en zei: 'Er is niks mis met Utah. Behalve dat het ver weg is en momenteel wel het laatste...'

Hij legde allebei zijn handen op zijn hoofd, zoals een voetbaltrainer dat doet als zijn spits een opgelegde kans om te scoren verprutst.

'Het laatste wat?'

'Het laatste wat ik aan mijn hoofd wil hebben,' zei hij.

'Hoezo?'

Hij liet zijn armen zakken en zei: 'Jordan, er zijn een paar dingen waar we over moeten praten. Laten we wat gaan snorkelen en dan praten we.'

Toen we een poosje in het mangrovebos rondzwommen merkte ik de zwavelige stank van rotte eieren niet meer op. Zwemmen was lastig want de wortels vormden een wirwar onder water. Ze waren begroeid met allerlei algen, sponzen, zeeanemonen en eendenmossels en er zwommen scholen rifvisjes omheen. We zagen ook een paar piepkleine krabbetjes en kreeftjes, maar geen haaien. Telkens als ik mijn hoofd opstak en om me heen keek werd ik eraan herinnerd dat we onder een bos zwommen. Boven water groeiden de mangrovewortels in enorme stoelachtige vormen waar je op kon zitten. Nadat we een tijdje hadden gesnorkeld klommen we op zo'n stoel om te praten.

Hij begon met te vertellen dat hij er enkele maanden geleden niet eens zeker van was geweest of hij deze zomer gezond genoeg zou zijn om les te geven. Snapte ik dat zijn gezondheid nog steeds iets was waar hij zich zorgen om moest maken? Ik zei van wel. Daarna begon hij over Beverly, zijn vriendin. Ze zou over een week of drie naar St. John komen. Hij zei dat hij iets hypothetisch wilde bespreken. 'Over Beverly?' vroeg ik en hij zei ja, het had met Beverly te maken. Toen vroeg hij of het goed was dat Beverly mij adopteerde als zijn ziekte terugkwam en hij niet meer beter kon worden.

'Als je dood bent, bedoel je?' vroeg ik.

'Dat bedoel ik, ja,' zei mijn vader.

Hij ging al drie jaar met Beverly, vanaf dat we van Rhode Island naar New Jersey waren verhuisd. Ze was kinderarts en had twee dochters, maar ze was gescheiden. Ik was een paar keer bij haar thuis geweest in East Brunswick en ik vond Rocky wel leuk, haar jongste dochter, die in hetzelfde schooljaar zat als ik. Haar oudste dochter, Jennifer, keek altijd boos en ik had nog nooit wat tegen haar gezegd.

Ik zei: 'Dat lijkt me wel oké.'

'Ik ben blij om dat te horen,' zei hij. 'Beverly geeft heel veel om je.'

We hadden onze duikbril boven op ons hoofd en steunden met onze zwemvliezen tegen de lange wortels van de mangrove. Mijn vaders baard was kletsnat. Er zat een grijze pluk in die me aan koraal deed denken. Zijn golvende, zongebleekte haar was samengeklit en stak boven zijn duikbril uit. Dat deed me ook aan koraal denken.

'Hé, Jordo,' zei hij. 'Ik wil je iets over je moeder vertellen.'

'O, te gek,' zei ik, maar ik voelde me gespannen. Mijn moeder was overleden toen ik zes was, toen ze van een supermarkt in Providence naar huis reed. Ze was aangereden door een spookrijder die de afslag van de snelweg op kwam. Als pap het over mam had kreeg ik het altijd benauwd en soms sliep ik dan niet goed. Ze was danseres en ze was haar eigen dansschool begonnen. Toen ze dood was lag ik me soms urenlang in bed voor te stellen hoe ze ronddanste.

Hij zei: 'Ik heb haar eens meegenomen hiernaartoe, op een zomer. Dat was in 1964, toen ik net was begonnen met mijn onderzoek naar langstekelige zee-egels.'

'Die zwarte,' zei ik. '*Diadema antillarum.*'

'Precies,' zei hij. 'Maar ik wil het niet over zee-egels hebben.'

'Je wilt het over mam hebben,' zei ik.

'Precies.'

'Wat wil je me dan vertellen?' vroeg ik.

Hij zei: 'Je moeder en ik hebben hier toen eens in de mangroven gezeten.'

'In deze zelfde boom?'

'Misschien wel,' zei hij.

'Dat zou te gek zijn, als het echt deze boom was.'

Hij zei: 'Het zou kunnen.' Hij keek me aan. 'Je moeder en ik waren jong en heel gelukkig. We zaten hier heerlijk in de mangroven.'

'Bedoel je in deze boom?'

'Ik bedoel gewoon hiér.'

Ik zei: 'Oké,' en ik knikte en deed net of ik snapte wat hij zei. Toen vroeg ik: 'Pap, mag ik wat vragen?'

'Ja.'

'Denk je zelf dat je doodgaat?'

'Dat is mogelijk,' zei hij.

'Maar je hebt ook gezegd dat mensen met leukemie het soms overleven.'

'Sommige mensen wel, maar meestal komt het terug,' zei hij.

'Je lijkt niet meer ziek,' zei ik. 'Niet zoals toen je chemotherapie kreeg.'

Hij zei: 'Jordan, weet je nog waarom ik je mee heb genomen naar St. John?'

'Omdat je dacht dat het misschien je laatste zomer zou zijn?'

'Precies,' zei hij.

'Ik hoop maar van niet.'

'Ik ook,' zei hij.

De wind trok aan en de waterspiegel van het moeras begon te rimpelen. Een solitaire pelikaan kwam aangedobberd door de ingang van het mangrovebos, en mijn vader zei zachtjes: 'De oceaan.' We zeiden dat soms tegen elkaar. Het was een code, ook al hadden we nooit echt afgesproken wat we ermee bedoelden. Ik knikte en keek naar de pelikaan. We bleven even zwijgend zitten. Toen sprongen we weer in het stinkende water, op zoek naar babyhaaitjes.

Op een maanloze avond maakten Dara en ik een wandeling naar Yawzi Point. Honderd jaar geleden was daar een kolonie van melaatsen geweest. De ezels schenen altijd rond te hangen bij de begraafplaats zonder grafzerken die pas door archeologen was ontdekt. Toen we er langskwamen zagen we de ezels maar ze gingen er niet vandoor, ook al liepen we hard te praten.

Charles was die ochtend vertrokken. Hij moest naar een bruiloft in New Hampshire. Hij wist niet wanneer hij weer terugkwam, dus vond Dara dat we de minieme kans dat we zijn gluiperige smoelwerk nooit meer hoefden te zien moesten vieren. Ze had een fles Cruzan Rum meegebracht die ze van Matt Daniels had gepikt, een student uit haar moeders werkgroep over de ecologie van het rif. Matt had twaalf flessen, die hij had gekocht toen een groep studenten naar Cruz Bay was gegaan om de Amerikaanse Onafhankelijkheidsdag te vieren. Hij had ze in het bos achter zijn vakantiehuisje verstopt. Ik zat een beetje in over het jatten, maar Dara zei dat het oké was. We kunnen hem altijd nog chanteren, zei ze. Studenten konden naar huis gestuurd worden als ze met drank werden gesnapt.

We gaven de fles aan elkaar door, en na drie of vier slokken kreeg ik het gevoel dat ik zweefde. Dara nam nog een slokje en begon te kokhalzen. Ik dacht dat ze ging overgeven.

Toen ze niet meer hoefde te kokhalzen zei ze: 'Ik ben dronken, Jordan. En jij?'

'Ik geloof van wel,' zei ik.

'Doe je ogen dicht,' zei ze. 'Dan weet je het zeker.'

Ik deed mijn ogen dicht en de wereld tolde rond. Ik zei: 'Ik ben hartstikke dronken.'

Dara zei: 'Dat dacht ik al. Je bent een lichtgewicht.'

Ze schoof mijn T-shirt omhoog. Ik hield mijn ogen dicht en alles bleef ronddraaien. Ze begon mijn borst te kussen. Waar ze me aanraakte werd het koud van de wind. Ze begon me te likken en toen begon ze me te bijten. 'Hou op,' zei ik.

'Waarmee?' vroeg ze.

'Met bijten.'

'Waarom?' vroeg Dara. 'Je smaakt net zo lekker.'

Mijn ogen waren open. Ik zei: 'Ik vind het niet echt fijn als mensen me bijten.'

Ze moest lachen en zei: 'Je bent een rare gozer.'

Daarna kuste ze me zonder te bijten. Ik deed mijn ogen weer dicht. De wereld draaide nog steeds rond en ik had het gevoel dat ik overal naartoe kon wervelen waar ik wilde.

Later werd ik gillend wakker in ons huisje na een nachtmerrie over melaatsen. In de nachtmerrie was mijn moeder in een melaatse veranderd. Mijn vader werd wakker en ik vertelde hem dat ik over mam had gedroomd.

Hij pakte de opwindklok naast zijn bed en hield hem vlak voor zijn ogen. 'Het is bijna twee uur,' zei hij. 'Heb je zin om bij Big Lameshur te gaan duiken? Dan zouden we om vier uur terug kunnen zijn om nog een paar uur te slapen.'

'Goed,' zei ik. Ik vroeg of we glowsticks meenamen. Daar zit een vloeistof in die fluorescerend groen oplicht als je ermee slaat. Hij zei dat we ze aan ons vest zouden dragen.

We doken maar tien meter omlaag, maar zelfs op die diepte zagen we van alles wat je overdag maar zelden ziet. Een gevlekte murene gleed over de bodem. Een klipvis scheen uit te rusten in de holte onder een vooruitstekend stuk hersenkoraal. De ogen waren open maar de vis verroerde zich niet. Het leek of hij alleen maar wat in het water lag te liggen. We zwommen om het koraal heen en toen zag ik een haaivormige schim op de zeebodem. Mijn vader richtte zijn duiklamp erop. Een volwassen verpleegsterhaai. Hij was gelig bruin met vlekken. Hij had twee rugvinnen en er hingen voeldraden uit zijn neusgaten, als bij een meerval. Ik wist dat verpleegsterhaaien niet agressief waren, maar ik raakte in paniek en wees omhoog. Mijn vader gaf me het oké-teken, pakte me bij mijn arm en we begonnen op te stijgen.

Een van de zeven duikwetten luidde 'Stijg langzaam op'. 'Stop, denk, doe' was een andere. We stegen langzaam op, maar ik dacht beslist niet na voor ik deed. Toen we door de waterspiegel braken begon ik als een dolle met mijn zwemvliezen te trappelen. Ik hield pas op toen ik het ondiepe water bij de steiger bereikte. Toen pap daar aankwam zat ik ineengedoken in het water.

'Dat was een verpleegsterhaai,' zei hij. 'Die zijn niet gevaarlijk.'

'Dat weet ik,' zei ik.

'Waarom was je dan zo bang?'

'Hij was zo groot.'

Hij zei: 'Je hebt in Florida met lamantijnen gezwommen. Die zijn veel groter.'

'Maar lamantijnen zijn geen haaien,' zei ik tegen hem.

Hij hurkte naast me neer. Een rifbaars sabbelde aan mijn enkel. Mijn vader mocht zijn studenten graag voorhouden dat rifbaarzen verreweg de agressiefste vissen van het hele rif waren.

Hij zei: 'Weet je, ik heb in Australië met makreelhaaien en tijgerhaaien gezwommen. Ik heb hamerhaaien en stierhaaien gezien. Ik ben eens dwars door een school van vijftig of meer blauwe haaien gezwommen die vlak bij een zandbank in Bermuda bijeengekomen waren. Zelfs de grote witte haai die ik in de Stille Zuidzee heb gezien liet me met rust.'

'Ben je nooit bang geweest?' vroeg ik.

Hij schudde zijn hoofd en zei: 'Als ik in het water ben voel ik me altijd veilig.'

'Hoe komt het dat je je zo veilig voelt?' vroeg ik.

'Omdat ik deel uitmaak van de zee. Ik ben gewoon een van de vele levende wezens in de oceaan.'

We klommen op de steiger, deden de zuurstoftank en het trimvest af en bleven even zitten om tot bedaren te komen en naar het water te luisteren. De verkramping in mijn maag ebde langzaam weg en in het zwakke licht keek ik naar de plek waar ik had gedoken. Het rare was dat ik altijd al een verpleegsterhaai had willen zien.

Ik maakte een halsketting voor Dara. Het was een glowstick aan een stukje touw. Op de avond dat ze hem om had liepen we naar de ruïnes van de suikermolen om even bij Sammy langs te gaan, de oude mangoeste die onder de fundering woonde. Ze droeg de ketting op haar rug. Toen ik Dara voor me uit liet lopen, was de groenachtig gele gloed het enige dat ik kon zien.

We dronken die avond weer van de rum maar we werden gesnapt. Dara's moeder rook het aan haar adem toen ze thuiskwam. Ze sloeg haar in haar gezicht, zei Dara – twee keer. Tijdens het ontbijt wilde ze me laten zien hoe rood haar wangen waren. Ik zag helemaal niets. Ze zei dat haar moeder haar zo hard had geslagen dat haar onderlip was gaan bloeden. Ze trok haar lip omlaag om me het wondje te laten zien.

Die ochtend hadden Dara, ik, haar moeder en mijn vader een gesprek voor de lessen begonnen. Mijn vader schreeuwde niet, maar Dara's moeder wel. Ik was bang dat ze mij ook in mijn gezicht zou slaan, maar ze schreeuwde alleen maar een hele tijd. We beloofden dat we geen rum meer zouden drinken. Daar zaten we dan met z'n allen. Onze ouders dronken allebei koffie. Ze begonnen over hun werk, mariene biologie, te praten. Na een poosje lieten ze ons gaan, maar zij bleven daar zitten. Tijdens de lunch die dag zaten ze ook bij elkaar aan het einde van de lange tafel.

Die middag gingen we met z'n vieren snorkelen op het rif bij Yawzi Point. De hele zomer had mijn vader naar het smaragdgroene St. Thomas-schijnkoraal gezocht, *Rhodactis sanctithomae*. Hij meende dat *Rhodactis* koralen en anemonen kon doden met zijn tentakels, zodat hij zich kon uitbreiden en meer plek op het rif kon innemen. Hij had Dara's moeder over zijn theorie verteld en ze vond het heel interessant, dus was ons doel die middag om data over *Rhodactis* te verzamelen. We vonden elf verschillende afzettingen, en op twee na grensden ze allemaal aan dood koraal of dode anemonen.

Onze ouders zaten bij elkaar tijdens het avondeten. Ik zat met Dara aan een andere tafel, en ze zei tegen me dat onze ouders binnenkort een verhouding zouden krijgen. Ik zei dat ik het betwijfelde omdat mijn vader een vriendin had en in een remissiefase van leukemie zat. Dara zei dat ik het mis had. Ze zei dat haar moeder precies wist hoe ze mannen moest verleiden.

We bespioneerden hen vanaf Yawzi Point toen ze teruggingen om de afzettingen van *Rhodactis* in kaart te brengen. Vanaf dat uitkijkpunt, dertig meter boven de zee, was het een rare gedachte dat ze daarbeneden waren, tien of twaalf meter onder water. We wisten natuurlijk wel dat ze niets seksueels deden onder water, maar toch was het net of ze een verhouding hadden.

Die avond vroeg ik mijn vader of hij verliefd aan het worden was op Dara's moeder, die Julia heette. Hij zei van niet. Ik zei dat ze een leuk stel leken. Hij zei dat hij al een leuk stel met Beverly was.

Ik zei: 'Ik heb je in de zee gezien. Dara en ik zaten op Yawzi Point.'

'We hebben alleen maar gedoken,' zei hij. 'We willen samen een studie schrijven over *Rhodactis*.'

'Maar jij had dat idee het eerst.'

Hij zei: 'Ze helpt me. Ze heeft veel gepubliceerd. En Julia is ook heel erg intelligent.'

'Ze is ook heel gemeen,' zei ik. 'Toen ze Dara laatst betrapte heeft ze haar zo hard in haar gezicht geslagen dat haar lip begon te bloeden.'

'Ze is een goeie wetenschapper.'

'Vind je het dan goed om Dara een bloedlip te slaan?'

'Dat ging per ongeluk,' zei hij. 'Ze heeft tegen mij gezegd dat ze er spijt van heeft.'

'Weet ze dat je ziek bent?'

'Dat heb ik haar verteld,' zei hij.

Ik probeerde een hekel aan Julia te hebben, maar het lukte me niet. In de eerste plaats omdat ze erg op Dara leek, en ten tweede omdat mijn vader zich goed bij haar voelde. Ze zaten elke maaltijd naast elkaar en hadden het voortdurend over *Rhodactis*. Ze begonnen samen met hun beide klassen duiktochten te houden.

Op een middag namen ze een groep studenten mee naar een rif in Europa Bay. Dara en ik mochten ook mee. We moesten er in de roeibootjes naartoe en zoals gewoonlijk doken Dara en ik samen. Het was de diepste duik die we die zomer deden. Volgens mijn vaders dieptemeter waren we vierentwintig meter onder de zeespiegel. Het water was veel donkerder en er viel niet zoveel rif te zien. Op sommige plekken zwommen we tussen enorme rotsen die als muren om ons heen oprezen. Dara was zenuwachtig, merkte ik, misschien omdat we steeds barracuda's zagen. Ze keek telkens naar me en bleef de hele tijd vlak bij me. Ze was zo dichtbij dat we het oké-teken gewoon met onze ogen konden geven.

Toen we tussen die gigantische rotsen door zwommen zagen we een zeeschildpad. Dara hield even stil. Toen pakten we elkaar bij de hand en zwommen we naar dat reusachtige beest. Hij had een glanzend rugschild, zwart en karamelkleurig, en een gekromde bek. Hij zwom pijlsnel weg en flapperde met zijn poten alsof hij vloog. Later die avond lag ik in bed en zag ik steeds voor me hoe we hand in hand achter de schildpad aan zwommen.

Ze waren aan het neuken, zei Dara. En het was mogelijk. Ik had gezien dat mijn vader na het avondeten met Beverly belde, zoals hij altijd deed, en daarna waren hij en Julia verdwenen. We gingen bij de huisjes en de klaslokalen kijken. Ze waren spoorloos.

Ik zei: 'Misschien zitten ze wel gewoon ergens op het strand, over *Rhodactis* te kletsen.'

'Mijn moeder is een slet,' zei Dara. Ze liep weg en bukte op het volleybalveld. Ze raapte een steentje op. Ze zei: 'Mijn moeder neukt elke man die ze kan krijgen.'

'Wat vindt je vader daarvan?' vroeg ik.

'Die doet het zelf ook. Het is niet zo'n geweldig huwelijk.'

Ze raapte de hele tijd steentjes op die ze dan door het volleybalnet gooide. Ik hoorde ze ergens aan de andere kant op de grond neerkomen.

'Laten we een mango halen,' zei ik.

'Soms kan ik mijn moeder niet uitstaan.'

'Ze lijkt me de kwaadste niet.'

'Heb jij geen hekel aan je vader?'

'Nee,' zei ik.

Dara gaapte me aan, alsof het absurd was dat ik mijn vader wel mocht.

Ik zei: 'Waarom gaan je ouders niet naar een psychotherapeut?'

'Dat zou niet veel helpen.'

'Hoe weet je dat?'

Ze zei: 'Dat weet ik.'

'Mijn vader en zijn vriendin, Beverly, gaan wel naar een psychotherapeut. Ze zijn ermee begonnen toen hij ziek werd.'

'Mijn ouders zijn niet ziek,' zei Dara. 'Hun enige probleem is dat ze geschift zijn.'

'Maar toch, een psychotherapeut zou ze kunnen helpen met hun huwelijk –'

'Laat me toch met rust!' schreeuwde ze. 'Achterlijk joch dat je bent.'

Ze liep weg en ging haar huisje binnen.

Ik schreeuwde: 'Je bent maf!' maar ging toch achter haar aan. Er zaten geen sloten op de deuren dus liep ik zo naar binnen. Dara zat op het voeteneinde van haar bed, armen over elkaar geslagen, en zag er miserabel uit.

Ik zei: 'Laten we het niet meer over onze ouders hebben.'

Ze zei: 'Je hebt gelijk, ik ben net zo maf als jij. En ik ben ook boos.'

'Op wie?'

'Wat?'

'Op wie ben je boos? Je zei dat je boos was.'

'God, wat ben je toch een stommerd,' zei Dara. Ze greep me bij mijn arm en trok me neer zodat ik vlak naast haar zat. Ik probeerde haar te kussen maar ze begon opeens te huilen. 'Wat is er?' vroeg ik. Ze zei: 'Ik vind het allemaal klote.' Ik vroeg wat er allemaal zo klote was. Ze zei dat haar vriendje, Kyle, haar had gedumpt voor een anorectische cheerleader. Ze zei dat haar vader het afgelopen halfjaar in Texas had gezeten en dat haar ouders het over scheiden hadden gehad. Ze zei dat haar moeder weg wilde uit Utah, naar een plek ontzettend ver weg wilde gaan, naar Australië of zo. Ze zei dat mijn vader niet op die baan in Utah moest solliciteren, want haar moeder had geen zin om voor hem of voor wie dan ook haar best te doen, ook niet als hij nooit leukemie had gehad.

Toen ze ophield met huilen gingen we naar buiten. Het schemerde. We maakten een lange wandeling – langs Little Lameshur en helemaal over het pad dat naar Europa Bay voerde. Ik was nog nooit naar Europa Bay geweest behalve met de boot, en ik had niet verwacht dat het strand daar zo heel anders was dan de zanderige kustlijn bij Big en Little Lameshur. De branding was onstuimiger en het strand lag dicht bezaaid met stukjes koraal en steen en schelpen en schalen van zee-egels en andere uitgedroogde rifdingen. We liepen hand in hand langs de zee en ik zag iets enorms, nog een schim van een haai, voor ons op de rotsen liggen. Er schoot een steek door mijn borst en mijn eerste ingeving was om het op een lopen te zetten. 'Ach, die arme dolfijn,' zei Dara, en om een of andere reden voelde ik me rustiger worden toen het tot me doordrong dat het geen dode haai was.

'Gadver, wat een stank,' zei Dara toen we dichterbij kwamen.

Zijn rugvin stak omhoog en zag er verrot uit. Zwermen insecten dansten eromheen. Hij lag er waarschijnlijk al dagen. Dara raapte een poliepenstokje op en gooide het in het woelige water. Ik vond een stuk drijfhout en porde ermee tegen de staart van de dolfijn.

'Alles is dood hier,' zei Dara.

Beverly kwam in de laatste week van juli op St. John aan. Ze was van plan om de hele maand augustus te blijven. Tot mijn verrassing was Dara dol op haar. Ze zat graag naast Beverly onder het eten. Op een avond zei ze tegen me: 'Beverly is een sterke vrouw. Ik wil net als haar zijn.' Beverly was inderdaad sterk. En groot. Ze was minstens 1 meter 75 maar leek nog groter. Ze had brede schouders, sterke armen en volle borsten, en bij dat alles stak Dara's moeder maar ieletjes af.

Twee dagen na haar komst had Beverly een fikse ruzie met mijn vader. Ze schreeuwden en gilden, wat ze weleens vaker deden. Ze noemde mijn vader onverantwoordelijk en zielig. Ze noemde Dara's moeder 'die blonde teef'. Iedereen hoorde hen aangezien er alleen maar horren voor de ramen van de huisjes zaten. Na de ruzie zeiden ze een halve dag niets tegen elkaar en ik hield er rekening mee dat Beverly misschien weer zou vertrekken.

Maar bij het avondeten zaten ze naast elkaar. Dara's moeder was er niet. Dara evenmin. Ik hoorde later dat ze naar Cruz Bay waren gegaan om te winkelen en in een restaurant te eten. Dara vertelde me dat haar moeder onder het eten in huilen was uitgebarsten en dat ze zoveel pina colada's had gedronken dat ze na afloop achter de taxistandplaats moest overgeven. Een paar dagen zag ik Dara's moeder nauwelijks. Ze ontliep Beverly en mijn vader en ging soms de andere kant op als ze me zag. Maar de ruzie waaide over. Beverly was niet weggegaan van het eiland. Julia begon weer naar de eetzaal te komen en ontweek mij en de anderen niet meer. Op een avond ging ze tegenover Beverly en mijn vader aan de eettafel zitten. Ze kletsten als oude vrienden en de dagen erna zaten ze elke maaltijd bij elkaar. 'Volwassenen zijn rare mensen,' zei Dara op een avond toen ze met z'n drieën naar Little Lameshur waren gegaan om 's nachts te duiken.

'Misschien zijn mijn vader en jouw moeder nooit met elkaar naar bed geweest,' opperde ik.

Ze schudde haar hoofd en zei: 'Jawel hoor.'

'Weet je het zeker?' vroeg ik.

Ze zei: 'Mijn moeder bazuint alles rond als ze dronken is.'

Beverly, Julia en mijn vader maakten er een gewoonte van om 's middags samen te gaan duiken en nog meer *Rhodactis* te zoeken. Soms gingen Dara en ik mee, en op een middag kreeg mijn vader een bloedneus onder water. Ik wist niet waarom hij omhoog was gegaan tot ik terugkwam bij de boot. Hij zat met zijn hoofd achterover en Beverly drukte een bebloed T-shirt tegen zijn neus.

Na nog twee bloedneuzen de dag erna besloot hij dat hij maar een poosje moest stoppen met duiken. Hij zei dat de bloedvaatjes in zijn neus eerst moesten helen. Het was haast niet te geloven, maar daarna gingen Julia en Beverly met z'n tweeën door met duiken om meer afzettingen van *Rhodactis* te zoeken. 'Volwassenen zijn rare mensen' werd Dara's standaardcommentaar op alles.

's Avonds zaten ze met z'n drieën in het klaslokaal de nieuwe data te verwerken. Dara noemde dat hun '*Rhodactis*-triootje'. Op een keer slopen we naar het raam en zaten daar ineengedoken te luisteren of we belastende bewijzen hoorden. We hoorden hen over hun data praten. We hoorden hen over de belabberde campagnetactiek van Walter Mondale praten. We hoorden mijn vader een raadsel opgeven. Wat zei de ene gier tegen de andere? Hij gaf het antwoord – 'Je hebt je hier behoorlijk in de nesten gewerkt,' – en toen vroeg Julia aan mijn vader hoe hij zich voelde. Hij zei: 'Gaat wel. Er is voorlopig geen reden om weg te gaan uit St. John.'

Een paar dagen later betrapte ik mijn vader toen hij hand in hand stond met Julia. Ik ging hem opzoeken in zijn klaslokaal nadat zijn studenten naar buiten waren gekomen. Toen ik naar binnen liep zag ik hen staan, met hun handen verstrengeld. Ze trokken hun handen los maar leken er niet mee te zitten dat ik hen had betrapt. Ik overwoog om het aan Dara te vertellen maar besloot het er niet op te wagen om haar stemming te verzieken. Dara was die dag in een goede bui. Ze was in haar eentje bij Big Lameshur gaan snorkelen, hoewel je strikt genomen altijd een partner moest hebben. Ze had een inhammetje vol waaierwormen ontdekt die eruitzien als kleurige waaiers of veren en uit de gaatjes steken die ze in koraal boren. Als je ze aanraakt trekken ze meteen hun veren in. Na een minuut of vijf of zo steken ze ze weer naar buiten.

Later die middag nam Dara me mee naar haar geheime baaitje. We snorkelden boven de waaierwormen en doken telkens omlaag om ze hun veren in te laten trekken. Er is één soort waaierworm die er net uitziet als een piepklein kerstboompje. Ik begon aan Kerstmis te denken en vroeg me af of mijn vader dan nog in leven zou zijn of niet. Dat hij dood kon gaan was nog steeds iets wat onmogelijk leek, maar ik vond dat ik het me op z'n minst voor zou moeten stellen. Er schoot ook een gedachte door me heen die nergens op sloeg maar toch wel logisch klonk. Ik bedacht dat we in de oceaan op een of andere manier verbonden blijven met alles wat dood is.

Het was een snikhete dag en heel drukkend. We zwommen terug achter een paar rotsen langs in het inhammetje, waar het ondiep was. Dara ritste haar duikpak met korte pijpen en mouwen open en trok het tot haar middel omlaag. Ze droeg er een badpak onder en ze schoof de bandjes van haar schouders. Het badpak was wit en haast doorzichtig en het zag er sexy uit. Ze zei: 'Hé, bink,' en trok haar badpak ook omlaag.

We deden onze duikbril en zwemvliezen en al onze kleren af. We legden alles op een grote rots. Er was nog een rots die nog groter was, dus gingen we daarop liggen en luisterden naar dat zachte geruis dat je alleen kunt horen als je bloot op een reusachtige rots ligt in een rustige inham van de oceaan.

Lange tijd zeiden we niets. Toen zei ik: 'Soms zou ik willen dat we ouder waren.' Ik dacht dat Dara zou zeggen: 'Ik ook,' maar ze zei niets. Ze pakte mijn hand en kuste me op mijn knokkels.

Ik zei: 'Ik denk dat we verliefd zijn, en jij?'

Ze kuste mijn hand weer maar zei niets.

'Als we ouder waren zouden we weg kunnen lopen en op een eiland net zoals dit gaan wonen.'

Dara ging rechtop zitten, haalde diep adem en zei: 'Maak me alsjeblieft niet aan het huilen.'

'Dat was ook niet mijn bedoeling.'

Ze kuste me weer en zei: 'Je doet altijd zo serieus.'

Ik zei: 'Ik ben serieus en somber. Mijn moeder zei vroeger altijd dat ik "stuurs" was.'

Dara glimlachte alleen maar en zei: 'Goed, misschien zijn we wel een beetje verliefd. Maar ik woon in dat stomme Utah. En ik ben niet van plan om naar een eiland te verhuizen. Je moet niet te sentimenteel over me worden, hoor.'

'Oké,' zei ik.

Na het avondeten was er een film, maar het was nog steeds zo warm dat Dara en ik besloten om die te laten schieten en te gaan zwemmen. Ik liep naar ons huisje om een zaklantaarn te halen. Mijn vader en Beverly waren binnen. Ze stonden tussen mijn bed en het hunne hartstochtelijk te kussen. Ik deed snel twee stappen terug en sloop weg.

We gingen zwemmen vanaf de steiger in Big Lameshur. We kwamen te dicht bij een ondiep rif en ik schampte langs vuurkoraal. Het stak me over mijn hele linkerarm en mijn borst. In het begin deed het niet zo'n zeer maar dat kwam waarschijnlijk omdat ik in het water lag. Toen ik het aan Dara vertelde streek ze over de striem maar in het donker kon ze hem niet zien. 'Dat voelt behoorlijk heftig,' zei ze. 'Je hebt dat koraal flink kwaad gemaakt, geloof ik.' Toen we weer op de steiger waren trok ze een zaklantaarn uit onze stapel handdoeken en kleren en zei: 'Oké, we zullen de schade eens bekijken.' Ze scheen het licht op mijn borst en het eerste dat ze zei was: 'Jezusmina.'

Het was laat toen ik terugkwam bij ons huisje. Mijn vader en Beverly lagen te slapen op twee eenpersoonsbedden die ze tegen elkaar hadden geschoven. Ik wist niet precies wie ik wakker moest maken, maar wekte Beverly toen maar omdat zij arts was. Ik liet haar de grote striem zien en fluisterde: 'Vuurkoraal.' Ze wierp er één blik op en gleed uit bed.

Ze bracht me naar het ziekenzaaltje van de School voor Veldonderzoek. Toen ze het licht aandeed zag de striem er angstaanjagend uit. Hij zat vol blaren en was rood en ik had nog nooit zo'n wond gezien. Ze waste hem schoon en smeerde er zalf op. Ze zei dat de striem op mijn borst een paar dagen zeer zou doen maar dat die op mijn arm niet zo erg was.

Voor we het hel verlichte ziekenzaaltje uitgingen keek ik Beverly aan en had het gevoel dat ik iets moest zeggen. Ik zei: 'Pap heeft me verteld dat jij me gaat adopteren als hij doodgaat.'

Ze tuitte haar lippen zoals ze vaak deed. Ze zei: 'Dat zou ik graag willen.'

'Fijn,' zei ik.

Beverly glimlachte. Op een of andere manier was haar glimlach vol geluk en verdriet, allebei tegelijk.

Ik vroeg: 'Hoe is het met hem, vind je?'

'Ik heb hem weleens beter gezien.'

'Ik geloof dat hij wel gelukkig is,' zei ik. 'Hij is erg blij met het onderzoek naar *Rhodactis* waar hij mee bezig is.'

Beverly knikte, op haar hoede. Ze zei: 'Ja, ik geloof dat hij het wel naar zijn zin heeft deze zomer.'

'Dus alles is oké?' vroeg ik.

'Op dit moment wel. Maar je moet iets voor me doen.'

'Wat dan?' vroeg ik.

Ze zei: 'Je moet je voorbereiden. Misschien slaat het binnenkort om.'

'Hoe binnenkort?' vroeg ik.

Beverly staarde me aan. Haar ogen waren blauwgroen.

'Ik weet het niet. Daarom moet je je voorbereiden.'

'Waarop?'

Ze zei: 'Je vader is niet meer honderd procent in orde. Hij is erg moe, en er zijn nog andere symptomen.'

'Van leukemie?'

Ze zei: 'Jordan.'

'Ja?'

'Je vader zal weer ziek worden.'

Ze stak haar handen onder mijn oksels en tilde me van de tafel waar ik op zat. Ik stond versteld. Beverly tilde me op of het niets was, alsof ik vijf was. Ze zette me neer op mijn voeten en bukte zodat onze ogen op dezelfde hoogte zaten. Ze zei: 'Dit kan een heel zwaar jaar worden.'

'Dus moet ik me voorbereiden.'

'Precies.'

'Hoe moet ik dat doen?'

'Je zult met hem moeten praten,' zei ze. 'Je kunt ook met mij praten.'

Ze sloeg haar armen om mijn schouders. Ze zei verder niets maar ze bleef me wel vasthouden. En ook al deed het een beetje zeer aan mijn borst, vanwege het vuurkoraal, toch liet ik me vasthouden. Niemand had me ooit zo vastgehouden. Zelfs mijn moeder niet. Die danste alleen maar.

De volgende morgen werd ik bij het krieken van de dag wakker door het lawaai van balkende ezels. Een van de ezels stond pal voor ons raam en keek door de hor naar me. 'Wil iemand dat ding alsjeblieft uitzetten?' vroeg Beverly. Ik moest plassen, dus ging ik naar buiten en probeerde hem weg te jagen. Hij deed twee stappen terug en begon weer als een gek te balken.

Ik voelde me uitgeslapen, dus zei ik tegen pap en Beverly dat ik naar Little Lameshur ging lopen. Pap murmelde: 'Goed,' alweer half in slaap. Het moet een uur of zes zijn geweest maar de zon leek al warm, dus trok ik mijn T-shirt zonder mouwen aan. Ik slenterde naar Little Lameshur en besloot het pad naar Yawzi Point af te lopen.

Het was de eerste keer dat ik daar zonder Dara was. Ik liep zo ver als ik kon en ging op een rots zitten die boven het rif uitstak. De striem van het vuurkoraal op mijn borst jeukte nog steeds en ik trok mijn T-shirt uit zodat de koele wind de jeuk zou verzachten. Onder me zwom een groepje pelikanen. Ze waren aan het vissen bij het rif, en nu en dan dook er eentje onder water. Ze verdraaiden hun hals soms zo ver dat ze de tegenovergestelde kant op zwommen als ze weer opdoken. Ik keek hoe een van de pelikanen zijn kop achter-overwierp om een vis door te slikken die nog leefde en in zijn keel-zak heen en weer spartelde.

Twee andere pelikanen kletterden neer op het water en voegden zich bij de andere. Ik dacht aan het gesprek dat ik met Beverly had gehad, en ergens leek het gadeslaan van die groep pelikanen een manier om me voor te bereiden. Net als naar de turquoise zeespiegel kijken. Net als me voorstellen wat er allemaal daaronder leefde. Al die trompetvissen en rifbaarzen en klipvissen. De gevlekte murenen en zeekomkommers en pijlstaartroggen en barracuda's. Drie meter onder de zeespiegel had je sponzen in elke kleur die je je voor kon stel-len. Er waren felgele en roze anemonen en het smaragdgroene schijn-koraal *Rhodactis*. Hoe meer ik erover dacht, hoe meer ik me realiseer-de dat ik eeuwig door kon gaan met alles wat in de oceaan leefde.

Er plonsde weer een pelikaan in het water, en toen zag ik een plek waar ik omlaag kon klimmen. Het was een steile glooiing die was ontstaan door steenverschuivingen en een stuk ervan liep bijna verticaal. Toen ik beneden was vroeg ik me af waar ik met mijn hoofd had gezeten. Ik zou nooit meer terug omhoog kunnen klimmen.

Dus sprong ik op een grote rots met het idee om naar het zandstrand van Little Lameshur te zwemmen. Aan de andere kant van de rots was een spelonk met diep water. Ik dook erin. Zonder duikbril was alles wazig. Ik hield mijn ogen open en zag een meter of drie, vier onder me vage vormen van koraalhopen en sponsformaties. Het ging langzaam met mijn gymschoenen, maar ik bleef wegzwemmen van de rotsen tot het te diep werd om de bodem te kunnen zien. Ik besefte dat er misschien wel verpleegsterhaaien en citroenhaaien onder me zwommen. Wie weet, misschien wel een witte haai, maar ik bleef mijn adem inhouden en door het water crawlen, en af en toe keek ik op waar de groep pelikanen was gebleven.

7

Schaduw

In een geheim deel van mijn leven heb ik onofficieel als archivaris gediend van alles wat Beverly Rabinowitz me ooit heeft gegeven, zoals gedichten, tekeningen, foto's en beschrijvingen van haar dromen. Ik kan niet zeggen waarom ik dat doe. Ik ben met Beverly opgegroeid in Brooklyn. Toen we klein waren nam ik haar weleens in de maling door haar te vertellen dat haar Amerikaanse naam 'bij het weiland waar de bevers wonen' betekende. Mogelijk kwam dat doordat ik jaloers was aangezien mijn eigen Amerikaanse naam, Miriam, 'zee van bitterheid' schijnt te betekenen en nagenoeg hetzelfde klonk als voordat mijn ouders kans zagen om mijn oudere broer Simon en mij per boot de Atlantische Oceaan over te sturen, in 1937, twee jaar na de Neurenberger wetten, maar meer dan twee jaar voor de oorlog begon met het beleg van Gdansk. Ik was vijf in 1937. Simon was acht. We woonden in de buurt van Krakow, en daarna woonden we in Crown Heights bij tante Malka en oom Fishel, die al voor de Eerste Wereldoorlog waren geïmmigreerd. In 1938 kwamen mijn ouders en grootvader over, en zo wisten we allemaal, zoals mijn *zaide*, die de taal nog lang niet onder de knie had, het uitdrukte 'met benauwde nood' te ontsnappen. Beverly kwam eind 1940 met haar moeder in Brooklyn aan. In Polen hadden ze Bejla - wat 'fraai' betekent - en Chana geheten - wat 'gratie' betekent - al hield ik het liever op dat malle 'bij het weiland waar de bevers wonen'.

Ze was met haar familie van Polen naar Litouwen gevlucht. Vandaar had ze met haar moeder de halve wereld over gereisd. Eerst per trein door Siberië, daarna met een stoomboot van Wladiwostok in Rusland naar Tsuruga in Japan, toen per trein van Tsuruga naar Kobe, nog steeds in Japan, en ten slotte, na wekenlang bonzen op de deuren van consulaten in Kobe, Tokio en Yokohama, slaagden ze erin om een visum voor de Verenigde Staten te bemachtigen. Ze hadden ontzettend geluk gehad dat ze dat visum kregen, aangezien veel Pools-joodse vluchtelingen de volgende vier à vijf jaar in een erbarmelijk getto in het door de Japanners bezette Shanghai woonden. Bejla en Chana scheepten zich in in Kobe. Na de overtocht zaten ze in oktober 1940 twee weken vast op Angel Island, een immigratiepost die op een militaire basis voor de kust van San Francisco was opgezet. Tijdens hun verblijf daar besloten ze dat ze zich Beverly en Hanna zouden noemen, nadat ze iemand op de boot gloedvol zij het incorrect hadden horen betogen dat ze Amerikaanse namen moesten aannemen als ze niet afgewezen wilden worden. Ten slotte bereikten ze San Francisco, waar ze werden ondervraagd door ambtenaren van het ministerie van Buitenlandse Zaken die voor nog meer oponthoud zorgden tot het Beverly's moeder lukte om contact te leggen met een achterneef van haar, Isaac, die bemiddelde. Hij loog en zei dat Beverly's moeder zijn zus was. Hij legde uit dat het de bedoeling was dat ze bij hem in Brooklyn kwamen wonen, wat juist was, en met hulp van de *Hebrew Immigrant Aid Society* kon hij hen onderhouden.

Als Beverly en ik met elkaar speelden gingen we vaak naar het dak. Dan noemde Beverly me Koningin Miriam en ik noemde haar mijn prinses. Ik was twee jaar ouder dan zij waardoor ik de koningin was, maar af en toe stond ik haar toe om koningin te zijn. Dan gold echter de regel dat zij Koningin Bejla heette en ik Prinses Mirela, wat de naam was waarbij mijn vader en mijn *zaide* – zijn vader – me altijd noemden en die ik het mooiste vond. Simon was uiteraard verliefd op haar. Iedereen was verliefd op Beverly maar niemand kwam ooit erg ver met haar, en dat bleef zo haar hele leven. Ze was altijd in zichzelf gekeerd, afstandelijk, en helaas voor Simon ongenaakbaar. Dat verwijt ik mezelf, in elk geval voor een deel. Toen ze zeven was en ik negen en hij twaalf, heb ik hem eens gevraagd om met ons op het dak te komen spelen. Ik werd Prinses Mirela en ik noemde hem Koning Szymon, en hij wist niet wat hij tegen zijn Koningin Bejla moest zeggen. Hij maakte weer van die stomme grapjes, zoals altijd. Hij zei dingen als: 'Ik ben de koning die stiekem ook een poedel is,' en begon te blaffen. Arme Simon. Ik had hem moeten vertellen dat ze haar vader miste. Misschien dat hij dan had gedacht: ik moet dit meisje dat haar vader heeft verloren steunen. Misschien zouden ze dan nu getrouwd zijn, Beverly en Simon, als ík had beseft hoe erg ze haar vader miste.

Ze was negen toen ze me over haar schaduwdroom vertelde. Ze beschreef hem aan mij op een middag op het dak, en later heb ik hem opgeschreven, ik weet niet waarom. Voor mij was dat het begin van mijn roeping. Voor Beverly was het alleen maar een verwarrende droom. Wat ze had gedroomd was dat ze wakker was geworden in het kamertje dat ze met haar twee nichtjes Ruth en Dinah deelde, die lagen te slapen. Ze sliepen met z'n drieën op één matras zonder ledikant. Beverly droomde dat ze wakker was geworden en om haar slapende nichtjes heen wilde stappen. Ze was per ongeluk op Dinahs been gaan staan maar ze voelde het niet, en de schrik sloeg haar om het hart. Ze probeerde de slapende meisjes wakker te schudden, maar ze realiseerde zich algauw dat haar hand dwars door hun lichaam gleed. Het was of ze in een schaduw was veranderd. Ze liep de kamer uit en de gang door. Ze deed hetzelfde bij haar moeder. Ze probeerde haar wakker te maken maar ze had geen lichaam meer. Dat was haar droom.

'Zeer interessant,' had ik gezegd; ik deed net of ik Freud was, hoewel ik veel later zou beseffen dat ik qua temperament en aanleg meer met Carl Jung gemeen had. 'Zeer interessant, die droom van u,' zei ik. 'U moet me nu twintig Amerikaanse dollars betalen.' Ik had geprobeerd om een grapje te maken maar ze moest er niet om lachen.

Ik schreef de droom die avond op, en toen ik haar weer zag zei ik dat het me speet dat ik erom had gelachen. Ze zei: 'O, Mirela, daar hoef je helemaal geen spijt van te hebben.' Ik zei: 'Ik heb een uitleg van je droom,' en ze glimlachte tegen me, haar lijdzame glimlach. Ik schraapte mijn keel en opperde toen dat de schaduw een symbool was van de angst dat ze hier niet thuishoorde, wat normaal was voor iemand die in een ander land was geboren. Ze zei: 'Dat heb je heel goed bedacht. Wat knap van je.' Ik vroeg wat ze die nacht had gedroomd. Beverly glimlachte weer, maar deze keer was het haar wat-ben-ik-toch-een-sufferd-glimlach. Ze zei dat ze over de honden van haar oom had gedroomd en over hun dorpje in de buurt van Warschau. Ze begon de droom in detail te beschrijven. Ik schreef de hondendroom ook op, en daarna was het afgelopen met koningin en prinses spelen. In plaats daarvan vertelde ze me over haar dromen.

Op een dag zei ze bij wijze van grapje dat ze over zeven koeien had gedroomd, ik was zo aan haar serieuze inslag gewend dat het even duurde voor ik het doorhad. Toen vroeg ik: 'Die droom van jou, over de koeien. Was er eentje bij die eruitzag als mijn broer Simon?' Ze zei: 'Om eerlijk te zijn heb ik weer gedroomd dat ik in een schaduw veranderde, Mirela.'

Een paar weken daarna schreef ze een gedicht getiteld 'Schaduw' dat ze aan mij gaf. Ik geloof dat daarmee onze stilzwijgende afspraak begon dat ik de bewaarder werd van alles wat ze aan mij wilde toevertrouwen. Ik denk dat ik het deed omdat ik van haar hield, maar ik vermoed dat ik het ook deed omdat ik iets wilde betekenen, omdat ik de vertrouwelinge wilde zijn van niemand minder dan Beverly Rabinowitz. Dat waren de twee kanten ervan. Dat voelde ik destijds al, toen wij de twee pienterste meisjes op de *jesjiwa* van Flatbush waren, en tegen de tijd dat we gewoon twee van slechts een handvol tieners uit Brooklyn waren op Ramaz, een particuliere joodse school in Manhattan, begreep ik dat beide kanten juist waren. Zoals ik al zei hield iedereen die ik kende van Beverly. Jongens, meisjes, onderwijzers, rabbijnen, conciërges, mensen die haar op straat passeerden, allemaal schenen ze van haar te houden. We gingen allebei babysitten en boodschappen voor anderen doen om onze schoolkleren en de ondergrondse te betalen. Mensen voor wie we werkten gaven altijd de voorkeur aan Beverly. Dat had ze niet in de gaten en dan zei ze tegen me dat het verbeelding van me was. Maar ze bleef me haar gedichten geven. Op een dag gaf ze me een houtskooltekening waarop de lucht grijs was en de grond zwart en twee grote wazige honden over een veld stoven. Ik vroeg of de tekening een titel had en ze zei: 'Schaduw.' Ten slotte begon ik al die dingen in een doos te stoppen met het opschrift BEVERLY RABINOWITZ op de ene kant en KONINGIN BEJLA op de andere. Het begon me toen duidelijk te worden dat ons verschil in leeftijd er niet meer toe deed. Beverly was de koningin en ik was de prinses geworden.

Ik kwam een jaar eerder dan zij van Ramaz af en daarna zag ik Beverly niet zo vaak meer als ik zou willen, maar als we elkaar tegenkwamen riep ze 'Mirela!' zodra ze me zag. Toen waren er drie, bedacht ik. Drie mensen op de wereld die me Mirela noemden. Daarna stierf *zaide* aan een hartverlamming door congestie en waren er weer twee.

Ik ging naar Brooklyn College en Beverly kreeg een volledige studiebeurs voor Barnard. In de jaren die volgden schreef ze me soms brieven, en dan vertelde ze me niet alleen over haar dromen maar ook over haar leven als studente en over haar onzekerheid over haar doel in de wereld. In één brief schreef ze: *Ik denk aan de witte ooievaars, de* bocian. *Er was een paar dat hun takkennest op ons dak bouwde en mijn vader vertelde me dat de witte ooievaar een geluksteken was. Ik hoorde hun snavelgeklepper. Dan ging ik naar buiten en keek omhoog om me ervan te vergewissen dat ze er zaten. Dan zag ik hun snavel, die knalrood is, en als ik ze in mijn slaapkamer hoorde bedacht ik dat het een speciaal geklepper was dat alleen door de knalrode snavel van een parende ooievaar werd gemaakt. We dachten dat ze het volgende voorjaar terug zouden komen, maar toen waren we al weg naar Litouwen. Ik denk nu aan die ooievaars en ze lijken iets wat echt was. En wat was mijn vader er opgetogen over. In veel opzichten lijkt het niet echt wat ik hier doe, lijkt mijn hele leven sinds ik uit Polen ben weggegaan niet echt.*

Niettemin haalde ze de hoogste cijfers en ging ze medicijnen studeren. Ik begon te begrijpen dat ze net als haar vader was, als Jonah, of althans zoals wat iedereen over haar vader zéí. Het leek wel of ze een tovergave had. Wat een ander misschien met veel moeite voor elkaar kreeg scheen ze zo uit haar mouw te schudden. Ze zou arts worden maar ze had ook advocaat of wetenschapper of ingenieur kunnen worden. Ze was een heel boze bol, zei mijn *zaide* weleens. Maar altijd was er de matheid, de afstandelijkheid, altijd de bedroefde koninginnenhouding die ten onrechte aangezien kon worden voor een gevoel van superioriteit. En ook waren er altijd de stille, hunkerende jongens. Er was eens een jongen die Reuben heette die zo idolaat van haar was dat hij een waas voor zijn ogen kreeg zodra ze binnenkwam. Hij werd een orthodoxe *tzaddik* en wijdde zijn leven aan het bestuderen van de Talmoed, en zodoende (vertrouwde hij me eens toe, jaren later) leerde hij zichzelf om niet aan haar te denken.

Toen mijn jongste kind eenmaal naar school ging begon ik mijn jarenlange opleiding tot jungiaanse psychoanalyticus en minstens twintig jaar lang zag ik Beverly helemaal niet meer. In die periode leerde ik onder andere over het schaduw-ik. In het jungiaanse psychoanalytische denken is het gebruikelijk om te zeggen dat iemand die lief lijkt een heel gewelddadige schaduw-ik kan hebben. Evenzo kan de schaduw van een gewelddadige of sadistische persoon heel lief zijn. Jung benadrukte het belang van het integreren van destructieve aspecten van het schaduw-ik in je bewustzijn opdat die schaduwaspecten niet op anderen worden geprojecteerd of worden ontkend. Hij stelde dat *projectie, ontkenning* en *integratie* drie van de vier primaire manieren vormen waarop mensen op de werkelijkheid van de schaduw reageren. De vierde primaire manier is *transmutatie.* Natuurlijk moest ik aan Beverly's dromen over de schaduw denken, aan de archetypes die uit het psychische reservoir opstijgen dat Jung het collectief onbewuste van de mens noemde. Ik heb haar eens een brief geschreven in antwoord op een droom die ze stuurde over een grote schimmige vrouw die ze volgde over een pad door de grote eikenbomen van de oude bossen bij Bialystok in Polen. Ik schreef: *De schaduw is een onbewust complex dat Carl Jung heeft gedefinieerd als de verdrongen en onderdrukte aspecten van het bewuste ik. Hij stelde dat het schaduw-ik in dromen verschijnt als een donkere gedaante van hetzelfde geslacht als de dromer. Als ik jouw analyticus was, zou ik je vragen of die schaduwvrouw destructief lijkt. Als dat zo is dan symboliseert ze misschien iets wat je niet over jezelf wilt weten. Als ze daarentegen constructief lijkt dan symboliseert ze misschien een geheim doel, een deel van jou waarmee je de wereld kunt helpen.* Ze schreef terug: *Je bent een heel begaafde geleerde, maar ik wil niet dat je mijn analyticus bent. Ik wil alleen maar dat je mijn getuige bent omdat ik bang ben dat er op een dag iets onverwachts gebeurt. Ik weet niet of dat voorval constructief of destructief zal zijn, maar ik zou graag willen dat het, met jouw hulp, Mirela, echt lijkt.*

Geleidelijk werden haar brieven aan mij schaarser. Toen we allebei achter in de dertig waren stopten ze helemaal. Dat was tegen het einde van Beverly's kortstondige relatie met haar echtgenoot Richard, een slapjanus die ze eens omschreef als 'een begaafd acteur zonder echt talent' en een andere keer als 'een vent die zich niet wilde laten redden'. Hun geschiedenis was verwarrend. Ze kregen een dochter, gingen scheiden en kregen toen nog een dochter. Ze schreef om me op de hoogte te brengen van de geboorte van haar tweede dochter, en kort daarna schreef ze om te vertellen dat ze over een bos vol bomen had gedroomd die waren aaneengeregen door een donker, schimmig gaas dat je alleen kon zien als je een speciale bril droeg maar dat helderblauw oplichtte voor alle insecten.

Meer dan tien jaar later, in het najaar van 1984, haalden we onze band weer aan. Ze woonde in East Brunswick, New Jersey. Zij en Richard waren al heel lang uit elkaar. Ze zou weldra vijftig worden en ik was tweeënvijftig. Ik was al negenentwintig jaar getrouwd en de jongste van mijn drie kinderen, mijn kleine voetballer Aaron, zat in zijn laatste jaar van de middelbare school. Mijn oudste zoon, Tobias, studeerde rechten. Mijn dochter Libby zat in het derde jaar van haar opleiding. We woonden in Suffern, New York, en ik pendelde drie keer per week naar Manhattan. Ik deelde een praktijk in West 76th Street met een andere analyticus. Ik werkte ook een dag in de week thuis.

Ik liep haar toevallig tegen het lijf in de Upper West Side, waar ze naar het Museum of Natural History was geweest met haar dochter Roxanne en een jongen die Jordan heette en die ik eerst aanzag voor het vriendje van haar dochter. Ik wandelde door Central Park en zag haar hand in hand lopen met haar dochter terwijl de jongen druk pratend en gebarend naast hen liep. Ik riep: 'Beverly, ben jij het?' Toen ze opkeek herkende ze mijn gezicht meteen. 'Prinses Mirela!' riep ze uit. Daarna gingen we met de twee dertienjarige kinderen naar een lunchroom om een hapje te eten. We wisselden kussen en spraken een datum af om elkaar weer te zien.

Twee weken later kwam ze weer naar New York, deze keer alleen.

We vonden een restaurant in de buurt van mijn praktijk. We babbelden. Ik was bezig om haar over mijn drie kinderen te vertellen toen ik zag dat ze een beetje verdrietig zat te glimlachen. Ik vroeg wat er mis was. Ze zei: 'O, Mirela, ik denk dat er een *klipe* in me zit die zich naar binnen heeft gewroet.' Ik vroeg wat ze bedoelde. Ze schudde haar hoofd en gaf eigenlijk geen antwoord op mijn vraag. Ze zei: 'Soms vang ik een glimp op van iets achter dit alles, een wereld waar de dingen die ik zie niet kapot lijken.' Ik vroeg: 'Een *klipe*?' en ze moest lachen. Ze zei: 'Ik overdrijf. Of misschien ook niet. Ik snap niet hoe ik zo afgepeigerd kan zijn.'

Klipe is Jiddisch voor een bolster of huls die een heilige vonk heeft omsloten zodat het licht en de schoonheid ervan gevangen zitten. *Klipe* kan ook een soort duivel of boze geest zijn. Hoe dan ook, ze had het nog steeds over een schaduw. Mijn gedachten flitsten naar het bovennatuurlijke, door alle jungiaanse concepten betreffende schaduwen en nog veel verder, naar manieren waarop ik haar eindelijk, na al die jaren, van dienst zou kunnen zijn, beter dan ik haar had geholpen toen ik theorieën uit studieboeken oplepelde, beter dan op die lang vervlogen middagen op het dak in Brooklyn, maar toen zei ze: 'O, Mirela, de man van wie ik hou gaat dood.'

Toen begon ze me te vertellen over haar vriend, een mariene bioloog die David heette en bij wie leukemie was vastgesteld. Ze legde uit dat Jordan, de jongen die ik had ontmoet, Davids zoon was en dat zij weldra Jordans adoptiemoeder zou worden. Ze zei dat David een jaar geleden was behandeld en daarna negen maanden een fase van remissie had doorgemaakt maar sinds eind augustus een terugval had gekregen en in een stadium scheen te zijn gekomen waarin geen herstel meer mogelijk was. Ik pakte haar hand en luisterde terwijl ze me over David vertelde. Ze scheen veel van die man te houden, meer dan ik ooit voor mogelijk zou hebben gehouden. Ze beschreef hem als een knuffelbeer van een man wiens vrouw jaren geleden was gestorven en die een groot deel van zijn volwassen leven had gewijd aan het bestuderen van zee-egels in een poging te bewijzen dat de populatiefluctuaties van bepaalde species rechtstreeks samenhingen met wat hij de 'gezondheidsquotiënt' van het hele rif noemde.

Hij had affaires gehad met enkele knappe postdoctorale studentes van hem. Hij had een hekel aan bordspelen maar deed ze toch met Jordan, zijn zoontje dat dol was op bordspelen. Jordan was pezig en mager als zijn moeder. Beverly maakte zich weleens zorgen omdat de jongen obsessief kon zijn. Intussen was haar jongste dochter, Roxanne, dyslectisch en was haar geniale oudste dochter, Jennifer, naar UCLA gegaan en had de laatste tijd gedreigd dat ze nooit meer thuis zou komen.

'Het is nog steeds een goed gevoel,' zei Beverly bij het afscheid. 'Om het allemaal aan jou te vertellen, die veel meer van me weet dan wie dan ook op deze wereld. Jij zult altijd mijn Mirela blijven. Het spijt me alleen dat ik zoveel heb gepraat. Het lijkt of jij de enige in de hele wereld bent tegen wie ik gewoon aan kan kletsen. Wat heb ik gedaan, zo ver van jou vandaan, al die jaren? Het lijkt zo idioot.'

Ik zei: 'Laten we dit vaker doen. Laten we contact houden. Ik zal je eens op komen zoeken in New Jersey, als je wilt.'

'Dat zou fijn zijn,' zei ze. 'Dat zou ik graag willen.'

Ik zei: 'Ik heb je doos met dromen nog steeds. Ik ben nu een expert, zoals je weet.'

'Ja, je bent een expert,' zei ze. 'Op een dag geef ik je een technicolor dromenjas.'

Waarom voelde ik zoveel liefde toen ze dat zei?

Ik zei: 'Wat ik nu ga zeggen meen ik oprecht. Je mag nog steeds gerust je dromen opschrijven. Ik zal ze nog steeds bewaren.'

'En ze duiden?'

'Misschien wel,' zei ik, op mijn hoede. 'Tenzij de dromen te ingenieus zijn om te duiden.'

'Maar je zult ze nog steeds bewaren als ik ze aan je geef?' vroeg ze.

'Altijd,' zei ik.

Ze keek afwezig en ik keek haar vol genegenheid in de ogen, die van een waterig blauw zijn, een blauw dat ik nog nooit bij andere ogen heb gezien. We stonden elkaar een paar tellen glimlachend aan te staren. Ik voel het overrompelende wonder van onze nabijheid, en toen ik ernaar zocht kon ik ook de *klipe* voelen. Ik vroeg me af of ze had gemerkt dat er ook een *klipe* in mij zat.

Er was nog maar een week of zo verstreken toen ik een brief van Beverly kreeg. Ze had een kort briefje plus beschrijvingen van twee dromen gestuurd. Dat had ik niet verwacht. Ondanks onze beloftes had ik zo'n idee dat ik lange tijd niets meer van haar zou horen. Daar ging ik met mijn geredeneer en mijn intuïtie. Aan geen van beide had ik ooit veel gehad bij Beverly. Ik vroeg me even af hoe ze was veranderd in de jaren dat we elkaar niet hadden gesproken, maar toen las ik haar briefje en moest ik glimlachen.

Lieve Mirela,
Ik droom nog steeds over de schaduwen. Het is niet nodig om ze te duiden, en niet omdat mijn dromen ingenieus zijn. De schaduwdroom is telkens hetzelfde. Heb je cliënten die hun hele leven dezelfde droom hebben, telkens weer? Als het waar is dat je nog steeds mijn doos met spullen hebt, stop deze er dan alsjeblieft bij. Ik heb ook een foto bijgesloten die in Polen is genomen, denk ik, voor de oorlog. Dat zijn mijn vader, mijn tante Doris en mijn oom Pinchas. Ik weet het niet zeker, maar ik neem aan dat mijn moeder de foto heeft genomen aangezien de datum achterop in haar handschrift is genoteerd. Een doodgewone foto, maar toch heeft hij iets vreemds, iets dromerigs, al weet ik niet wat het is. Je kent natuurlijk het verhaal over mijn vader en oom Pinchas. De vijfhonderd joodse intellectuelen die in Kovno werden vermoord en ook het fabeltje dat mijn tante Doris graag vertelt over de twee mannen die overleefden. Ik zoek vaak naar die twee mannen in mijn dromen, zoals ook het geval schijnt te zijn in bewijsstuk A en bewijsstuk B. Soms heb ik ook dromen zonder de schaduw, maar die lijken levenloos, zelfs flets – wat een rare woorden om te gebruiken – in vergelijking. Dank je wel, Mirela, dat je deze wilt ontvangen.
Liefs,
Bejla

De foto was inderdaad gewoon, zoals ze zelf had gesteld. Een glanzende zwart-witfoto van drie mensen. Haar vader en haar oom met een hoffelijke glimlach en haar tante die naar iets boven de camera keek. Veel interessanter en verrassender dan de foto vond ik de wijze waarop ze het briefje had ondertekend. Niet met 'Koningin Bejla' en niet met 'Beverly'. Alleen maar 'Bejla'. Ik wist niet of ze zich ervan bewust was dat ze dat had gedaan.

De eerste droom die ze had genoteerd was de volgende:

De twee mannen rennen samen, zwemmen samen, vliegen samen. De mannen nemen soms de gedaante van dieren aan, zoals wolven. Ik probeer te volgen. Ik probeer hun gezicht te ontwaren en denk dat ik hen kan onderscheppen. Weldra verander ik in een donkere wolf, maar dan zijn de mannen verdwenen en zit ik gevangen in hun schaduw. Het is alsof ik van plek ben gewisseld met de mannen.

De tweede droom:

Ik ben heel oud en ik ben naar een eiland in het hoge noorden van de wereld gekomen. Het zou ijskoud moeten zijn maar dat is het niet. Het is daar altijd donker, op een dagelijkse schemerperiode na. Ik sta daar in dat vreemde licht met een vrouw die ik niet ken, al ben ik me ervan bewust dat ik al eens eerder met haar naar ditzelfde eiland ben geweest. Onze kleren zitten in een donkergroene canvas plunjezak. We hebben hem vlak bij de waterlijn achtergelaten, maar weldra slaat er een schaduwachtige golf overheen en verdwijnt de plunjezak onder water. Ik hol erheen, duik erin, red onze plunjezak. Ik breng hem op het droge en schud hem leeg. Twee zeeslangen tuimelen eruit samen met de stapel kleren.

Ik deed wat Beverly had gevraagd en deed geen poging om de dromen te duiden. Ik vouwde de brief dicht en stopte hem samen met de foto in de envelop. Toen liep ik mijn slaapkamer uit. Ik trok aan het touw dat aan het uitgezaagde vierkant in het plafond zat bevestigd. Toen het schuin omlaag hing liet ik de houten zoldertrap neer en klom omhoog naar het driehoekige vlierinkje met zijn doorzakkende multiplex vloer en onafgedekte glaswolisolatie. Het duurde even maar toen vond ik de doos met de opschriften BEVERLY RABINOWITZ en KONINGIN BEJLA. Ik liet de envelop in de doos vallen en stond daar om me heen te kijken naar de stoffige zolder, een plek waar mijn man en kinderen zelden kwamen maar waar ik me dikwijls waagde. Hij stond vol kartonnen dozen, de meeste met opschriften en de meeste vol spullen die ik voor mijn drie kinderen had bewaard.

'Op een dag zul je dit allemaal willen hebben,' had ik tegen mijn middelste kind, Libby, gezegd, die onlangs had aangekondigd dat ze vrijwilliger wilde worden bij het Peace Corps voor hulp aan ontwikkelingslanden. Libby scheen het geestig te vinden wat ik zei. Ze had geantwoord: 'En waarom zou ik rapporten van de lagere school willen hebben? Waarom zou ik ooit foto's willen zien van mezelf met die gluiperd waarmee ik de hele middelbare school ben gegaan, die Evan Stein? Waarom zou ik me in godsnaam willen herinneren dat ik in het atletiekteam heb gezeten?' Ik zei bijna: 'Je was goed in hordelopen.' Dat was haar specialiteit, de honderd meter en de vierhonderd meter horden. Ik dacht: op een dag vertel je aan je kinderen dat je op de middelbare school atletiek deed en over die horden sprong. En zo zullen ze aan je denken. Het zal hen bijstaan alsof ze bij een wedstrijd waren geweest. Misschien dromen ze het, dromen ze dat je over de baan rende en over al die horden sprong. Ze zou me uitgelachen hebben en hebben gezegd: 'Als ik al kinderen krijg dan kunnen ze dromen dat ik in Sri Lanka heb gewoond of in Botswana of Niger.' En dan zou ik hebben gezegd: 'Je hebt mazzel dat je je de luxe kunt veroorloven om dingen te vergeten. En je hebt ontzettende mazzel dat je overal heen kunt gaan in deze wereld. En op een dag zul je blij zijn dat ik de prullaria van je eigen geschiedenis voor je heb bewaard.' Natuurlijk kwamen we op lange na niet in de buurt van zo'n gesprek. Ik stopte haar spullen in de kartonnen doos met het opschrift LIBBY.

Ik had uiteraard ook mijn eigen doos. Mijn eigen geschiedenis. Mijn eigen schaduwen. Het lag er allemaal en ik hoefde niet eens te kijken. Ik zag mezelf nog voor me als derdejaars studente. Precies even oud als Libby. Het jaar was 1953. Ik had lang sluik haar, een grote neus, heel volle lippen. Sommige mensen vonden me uitheems, neem ik aan, een Oost-Europese jodin die je af en toe Jiddisch kon horen spreken met haar ouders. Wat ik dat jaar ontdekte was dat ik mannen kon observeren op een manier die agressief was, maar waarbij ik zelf passief overkwam. Dat was een hele openbaring. Ik kon ergens staan wachten en dan kwamen mannen me oneerbare voorstellen doen. Altijd de dronken types, de avontuurlijke, studenten die nog niet op zoek waren naar hun vrouw. Ik ging met zeven verschillende partners naar bed over een periode van ongeveer anderhalf jaar. De zevende was echter Philip Downing, mijn hoogleraar moderne Europese geschiedenis. Ik was hem tegen het lijf gelopen in de universiteitsboekwinkel. Ik zei tegen hem dat ik dat semester zijn colleges volgde. Hij vroeg me van alles over mezelf. Hij vond me kennelijk iets bijzonders, een levend onderdeel van de geschiedenis die hij bestudeerde en in boeken uiteenzette. Hoe langer we spraken, hoe meer ik me realiseerde dat ik hem net zo kon verleiden als ik had geleerd met mijn klasgenoten te doen. Het was in feite veel makkelijker om hem aan de haak te slaan.

Hij vond het leuk als ik dingen in het Jiddisch tegen hem zei. De rare uitdrukkingen, de dubbelzinnigheden die hij 'apotropaeïsch' noemde en die ik, afhankelijk van mijn stemming, als bijgeloof of voorzorg betitelde. *Zol dir nisht tserbrokn weren a fus!* Dat je maar geen been mag breken. Dat zei ik dan half schertsend tegen hem, en dan lachte hij en zei hij verbaasd: 'Maar daar bedoel je het tegenovergestelde mee? Daarmee bedoel je dat je hoopt dat ik mijn been blesseer?' Ik vertelde hem dat de begraafplaats in het Jiddisch vaak *beis chaim* of 'levenshuis' wordt genoemd. Ik legde uit dat bepaalde Talmoedische traktaten die betrekking hebben op rouwen *semakkes* of 'gelukkige tijden' heten. Zijn favoriete fenomeen was het ritueel van niet-tellen dat plaatsvindt als joodse mannen bijeenkomen voor een *minjen*. Een quorum van tien is vereist alvorens de groep met het gebed kan beginnen. De mannen wijzen elkaar aan en gaan dan niettellen. *Nisht ajns, nisht tswei, nisht draj* enzovoorts. Zoals ik aan Philip Downing uitlegde werd het tellen van joden als riskant beschouwd. Hij zei tegen me: 'Jullie joden zijn *ferblindet*,' en hij leek in zijn nopjes met zichzelf.

Hij had een Jiddische fixatie, zei hij, die protestantse vent, professor Philip Downing. Hij ging zo ver dat hij grapte dat hij, als hij een nazisoldaat was geweest, vast kans zou hebben gezien om flink met gevangengenomen jodinnen te seksen. Vanaf dat moment begon ik mijn zin in hem te verliezen, begon ik in te zien dat die affaire – Downing was getrouwd – niet kon, dat we afgleden naar verdorven toestanden. Maar ik stapte er niet uit, nog niet.

Op een dag vroeg hij of ik met hem mee wilde gaan naar een hotel in de stad. Terwijl we goedkope champagne dronken en onze kleren uittrokken werd er op de deur geklopt en Downing deed open. Een prostituee die hij had ingehuurd kwam binnen. Ze was een grote stevige blonde Brunhilde en Downing zei dat hij me had meegenomen voor een spelletje. Hij zei dat we samen een nazihoer zouden aanranden. Ik had ervandoor moeten gaan, maar ik bleef. Ik deed mee. De vrouw ging op handen en voeten zitten en rolde met haar ogen terwijl Downing keer op keer '*Schweinehund!*' krijste. Ik hielp hem bij haar naar binnen en daarna ging ik met mijn armen over elkaar geslagen voor haar staan. Ze begon me uit te lachen en wellustig naar me te lonken. Op een gegeven moment tijdens al dat gedoe stak ze opeens een vinger in me. Het was afschuwelijk en ergens wond het me op. Maar toen brak de betovering en gaf ik haar een klap. De vrouw schreeuwde antisemitische scheldwoorden tegen me. In het begin scheen Downing nog te denken dat het maar spel was, maar ik zei: 'Betaal haar en breng me naar huis.'

Hij snapte er niets van, zei ik later tegen hem. Het Jiddisch heeft zijn apotropaeïsche taalgebruik omdat de taal niet als symbolisch wordt gezien. In een wereld die door Gods woorden was geschapen zijn woorden geen symbolen. Het zijn dingen. Als je een duivel aanroept dan máák je een duivel. Als je God vervloekt dan riskeer je de dood. Ik zei tegen hem: 'We hebben een duivel aangeroepen en tegelijk God vervloekt.' Hij zei: 'Waarom zeg je niet tegen me dat mijn hoofd een ui moet worden?' Ik nam niet eens de moeite om hem te verbeteren met de juiste versie van die uitdrukking.

Ik brak met hem en heb nooit meer een woord tegen hem gesproken. Daarna bleef ik bijna een jaar lang uit de buurt van mannen, maar vlak nadat ik was afgestudeerd leerde ik Howard kennen. Hij studeerde rechten. Ik pakte het goed aan, dacht ik. Wekenlang heb ik hem alleen maar gekust. Na vijf maanden vroeg hij me ten huwelijk en na tien maanden waren we getrouwd. Nog eens twee maanden later was ik zwanger. Niettemin heeft het lang geduurd voor ik me niet meer gekweld voelde door mijn herinneringen aan professor Philip Downing en die prostituee, voor ik me geen zorgen meer maakte dat een duivel mijn ziel in zijn greep had. Het hielp dat Howard doortastend kon zijn in bed, een beetje ruw, een beetje gemeen. Net genoeg om mijn schaduw-ik te sussen. Daarna kwamen de kinderen en ten slotte ging ik helemaal op in mijn dubbelleven als moeder en student aan het C.G. Jung Institute in New York. Weldra taande de hartstocht bij Howard en leek alles in orde. Ik geloofde dat ik door een tunneltje was gegaan en aan de andere kant tevoorschijn was gekomen.

Tot mijn verrassing belde Beverly me thuis, nog voor ik tijd had gehad om op haar briefje te reageren. Ik kwam net uit de badkamer. Mijn zoon Aaron nam op. Na een paar tellen keek hij op en zei: 'Voor jou, mam.' Ik nam de hoorn aan, zei 'Hallo?' en zij zei: 'Mirela, met mij.'

Ze klonk verdrietig en van streek. Ik vroeg: 'Wat is er?' Ze zei: 'Heb je mijn twee nieuwe dromen in de doos gestopt?' Ik zei ja. 'Ik heb een rare vraag,' zei ze. 'Ik vertrouw erop dat je het zegt als het ongelegen komt of gewoon niet kan, maar ik zou de doos graag willen zien.' Ik zei: 'Natuurlijk mag je de doos zien,' en vroeg wanneer ze wou komen. Ze zei: 'Wanneer het je schikt,' en ik zei: 'Morgen?' Dat was een donderdag, mijn vrije dag. Ze zei dat morgen prima was. Ze had 's morgens een paar patiënten maar ze kon tegen de middag weg en voor tweeën bij mij thuis zijn. Ik vertelde hoe ze moest rijden. Het was een vreemde gedachte dat ik al zo lang in dit huis woonde en dat Beverly me nog nooit had opgezocht. Het grootste deel van de rit zou heel simpel zijn, over de snelweg. De volgende dag reed ze vroeg in de middag mijn oprit op.

En dus nam ik Beverly mee naar mijn zolder. Ik had overwogen om de doos naar beneden te brengen maar hij was zwaar en ik was bang dat hij uit elkaar zou scheuren. Ze klom achter me aan de houten trap op. Anders dan drie dagen ervoor wist ik precies waar ik haar doos kon vinden. Ze zei: 'Dus dit is de plek waar je mij bewaart.' Ik zei: 'Daar staat hij,' en wees naar de zijkant met het opschrift KONINGIN BEJLA. Ze liep erheen en trok het deksel omhoog. Ze keek neer op de dikke stapel multimedia die verreweg het uitgebreidste dossier van haar bestaan vormde. Ze stak haar hand erin en toen die weer tevoorschijn kwam hield ze de brief vast die ze die week had gestuurd. Ze opende de envelop, haalde de foto van haar vader, oom en tante eruit. 'Zo'n eigenaardige foto,' zei ze, net zoals ze in haar brief had geschreven. 'Zo gewoon en toch zo eigenaardig.'

Minder dan een minuut verstreek. Ze deed de foto in de envelop. Ze deed de envelop weer in de doos en het deksel dicht. Ik zei: 'Je mag hem best doorkijken.' Ze schudde haar hoofd en zei: 'Misschien vind je het gek, Mirela, maar ik wou alleen maar kijken of hij bestond. Niet dat ik je niet geloofde, maar er was iets, een soort dwanggedachte. Ik wou de doos alleen maar even zien, de plek waar je hem bewaart, en dat hij hier echt staat.'

'Is er iets gebeurd?' vroeg ik.

Beverly knikte. 'Ik heb hem naar het ziekenhuis moeten brengen,' zei ze. 'Gistermorgen, naar pijnbeheer. Dat is de eufemistische benaming voor continue injecties met morfine, gevolgd door de dood. Ik had echt gedacht dat hij het nog wat langer uit zou houden.'

'Wat vreselijk,' zei ik.

'Van de zomer ging het prima met hem,' zei ze. 'Het is raar. Ik ben hem op gaan zoeken op een eilandje in de Caribische Zee, en een paar weken later begon hij dood te gaan. Ik ben bang dat het mijn schaduw was.'

'Sst,' zei ik tegen haar. 'Je praat nonsens.' Dat was het enige wat ik wist te zeggen.

'Ik had gehoopt dat je kennis met hem kon maken,' zei Beverly. 'Ik had gedacht dat we tijd genoeg hadden. Ik zou het fijn gevonden hebben als je hem had leren kennen.'

Dat leek een merkwaardig idee uit de mond van mijn Koningin Bejla. Ze had niet één keer gewild dat ik kennismaakte met haar man

Richard, uiteraard. Ze had nooit gewild dat ik kennismaakte met Alan, haar vriendje op de universiteit. Ik streelde haar arm terwijl we daar op mijn stoffige zolder stonden, te midden van mijn privé-archiefje, meer dan halverwege de tijdsspanne die ons leven waarschijnlijk zou duren. Ik zei tegen haar: 'Ik kom morgen. Ik kom hem morgen opzoeken in het ziekenhuis.'

'O, nee, dat hoeft niet, hoor,' zei ze.

'Het staat niet ter discussie,' zei ik.

Ik zegde afspraken met twee cliënten af en de volgende morgen reed ik naar een ziekenhuis in New Brunswick waar David Kahn 'pijnbeheer' onderging. Beverly wachtte me op in de hal. Toen we met de lift naar zijn etage gingen zei ze: 'Ik ben bang dat er niet veel lol aan David te beleven valt.' Maar hij was levendiger dan ik had verwacht. Hij glimlachte tegen me toen ik binnenkwam en wist blijkbaar precies wie ik was. Hij had zijn haar, snor en baard nog dus ik veronderstelde dat hij geen behandeling meer kreeg na zijn terugval of dat hij de laatste serie maar kort had gedaan. Hij zei: 'Dus dat is de befaamde Mirela!' en toen moest ik bij mezelf lachen. Nu waren er weer even drie mensen op de wereld die me Mirela noemden.

Mijn bezoek aan David duurde zowat een uur. Hij stelde vragen over mijn werk. Hij bedankte me dat ik zo'n belangrijke vriendin voor Beverly was. Hij vertelde een paar flauwe moppen en maakte me aan het lachen. Ik nam afscheid toen het tijd was voor zijn volgende injectie. Ik ging naar beneden naar de hal waar ik op Beverly wachtte. Ze bleef bij hem, hield zijn hand vast tot de pijnstiller begon te werken. 'Ik ben blij dat je kennis hebt gemaakt met mijn prinses Mirela,' zei ze tegen David. Dat weet ik zeker, ook al was ik er niet bij.

Toen kwam ze naar beneden en gingen we wat eten in de cafetaria. Ze leek heel rustig, maar ineens was het net of haar waterblauwe ogen bij mij naar binnen hadden gekeken. Ik vroeg: 'Wat is er?' Ze zei: 'Mirela, het spijt me zo. Ik geloof dat ik je al die tijd niet eens heb gevraagd hoe het met je gaat.'

'Het gaat wel,' zei ik.

Beverly knikte.

'Niet geweldig,' zei ik.

Toen kreeg ik het moeilijk, want ik wist dat ze de *klipe* had gezien die in me op de loer lag. En ik voelde aandrang om een heleboel te zeggen omdat zij ernaar had gevraagd. Ik kreeg aandrang om uit te leggen dat ik ook een schaduw-ik had. Niets vreselijks, geloofde ik. Niets wat in de buurt kwam van mijn kwalijke affaire met Philip Downing. Maar het was al laat genoeg en ik moest naar huis.

Dit was geen droom. Zeventien jaar oud en opeens was mijn zoon Aaron een voetbalster, *kajnehore*. Het lag niet erg voor de hand want zijn oudere broer, Tobias, was mager en ongecoördineerd, net als Howard. Maar er zat ergens een gen, het gen waardoor Libby goed was in hordelopen en kleine Aaron met zijn gedrongen, stevige postuur een tovenaar leek met een voetbal. Hij was zo goed dat hij al een seizoen met een rondreizend team in de Eastern Coast Premier League speelde, en het was elk weekend mogelijk dat hij in de staat New York, op Long Island, in het zuiden van Connecticut of in New Jersey moest voetballen. Ongeveer om de maand was ik aan de beurt om drie of vier jongens met onze stationcar naar een uitwedstrijd te vervoeren. En als ik aan de beurt was zat ik altijd naar de wedstrijd te kijken met Gerhardt Ullman, wiens zoon Fritz ook in het elftal zat.

De Ullmans woonden in Nanuet en Gerhardt ging naar elke wedstrijd. Die twee feiten samen verklaren waarom zijn zoon nooit met mij meereed en waarom ik hem daar altijd tegenkwam. Fritz en Aaron speelden alle twee op het middenveld. Ze schenen de twee spelers van het elftal te zijn die het nooit rustig aan deden. Ze renden hun benen uit hun lijf en werden geen van beiden ooit gewisseld door de trainer. Zoals Gerhardt Ullman stelde waren Aaron en Fritz allebei in *topconditie*. En nog belangrijker, zei hij, ze hadden een *uitstekende balbehandeling*. Telkens als ik naar een wedstrijd kwam en we naast elkaar zaten legde hij me de fijnere kneepjes van regels en tactiek en de voetbalterminologie uit.

De overeenkomsten tussen Fritz en Aaron, het onloochenbare feit dat zij de twee belangrijkste spelers van het elftal waren, het respect dat de rest van het team voor de twee jongens aan de dag legde, dat alles scheen een band te scheppen tussen Gerhardt Ullman en mij. Misschien was het gewoon gedeelde trots of weerspiegelden we op een onbewuste manier de affiniteit die onze zonen op het veld hadden. Of misschien was het simpelweg idioot enerverend voor me om naast een man te zitten die Gerhardt heette en naar zijn vette Duitse tongval te luisteren. Hij en Fritz waren allebei lang en blond. Ze zouden deel uitgemaakt kunnen hebben van Hitlers superieure ras. Dat was een poosje mijn grapje tegen Aaron. Hij vond het niet leuk en toen zei ik het maar niet meer.

Op een zaterdag in de lente van Aarons voorlaatste jaar van de middelbare school was ik aan de beurt om de jongens naar een wedstrijd te brengen tegen een team genaamd Farcher's Grove in het stadje Union in New Jersey. Farcher's Grove bleek een Duitse sportclub te zijn. Aan één zijde van het veld lag een bar met grillroom. Ik keek naar de wedstrijd en in de pauze liep ik door de bar op zoek naar een toilet. Aan de wanden zag ik foto's van een heleboel voetbalteams. Ik bekeek de foto's. Gerhardt kwam binnen en ik hoorde hem Duits praten met iemand van de bar. Daarna liep hij door naar het toilet. Ik voelde me niet op mijn gemak. Ik was ineens bang voor hem.

Later, toen we zaten te kijken hoe Aaron en Fritz *een-tweetjes* deden en *voorzetten* en *dieptepasses* gaven, wat Gerhardt op zijn methodische wijze allemaal uitlegde, vroeg ik hem, en God mag weten wat me bezielde, of zijn ouders lid waren geweest van de nazipartij. Voor het eerst in de stuk of tien wedstrijden dat ik naast hem had gezeten scheen hij zich onbehaaglijk te voelen. Hij zat even onrustig te draaien en tot mijn stomme verbazing zei hij: 'Ja.' Dat antwoord kwam zo onverwacht dat ik de neiging kreeg om weg te rennen. Maar toen vermande ik me en probeerde alles in zijn juiste perspectief te zien. Onze twee zonen zaten in een voetbalelftal. Ze speelden samen op het middenveld. Aaron was nummer acht en Fritz was nummer zes. 'En jai bent joods?' vroeg Gerhardt Ullman. Ik zei ja. 'Jai bent die eerste joodse vrouw in main leven waar ik mee praat,' zei Gerhardt Ullman. 'Dat is niet omdat ik een afkeer heb van de joden.' Op het veld werd een *corner* genomen. Ik keek toe hoe

Aaron in kringetjes rondrende en toen een snijdende, snelle spurt naar de goal maakte. De bal werd voor het doel gebracht en Aaron sprong hoog op en leek over de schouders van een van de verdedigers te zeilen. De bal stuitte van zijn voorhoofd en vloog in de bovenhoek van het net. Er klonk wat gejuich. De timing van de manoeuvre leek onaards. Gerhardt zei: 'Jouw zoon kan zeker goed die loecht in voor iemand van zain maat.' Ik wist dat het een compliment was. Ik wist dat Ullman de taal niet goed beheerste. Maar ik hoorde het gewoon verkeerd. *Voor iemand van zijn maat.* Voor iemand van zijn wat? dacht ik. Zijn ras? Voor een jood?

Hoe gebeuren die dingen? Na de wedstrijd was ik vastbesloten om nooit meer iets tegen de man te zeggen. Er ging een maand voorbij en omdat ik naar geen enkele wedstrijd was geweest had ik natuurlijk ook geen woord met hem gewisseld. Maar toen was ik weer aan de beurt om te rijden. Misschien wist hij het. Voor de eerste keer van alle wedstrijden waar ik heen was geweest was Gerhardt Ullman er niet. Het was de laatste wedstrijd van het seizoen. Bij een identieke spelsituatie als waarbij Aaron die goal had gescoord met een *schampende kopbal* sprong Fritz Ullman hoog in de lucht om de bal te koppen maar knalde in plaats daarvan met zijn voorhoofd tegen dat van een verdediger van de tegenpartij. Fritz was bijna een hele minuut buiten westen. Toen hij bijkwam stonden er diverse spelers en trainers om hem heen. Hij ging overeind zitten met zijn linkerpols in zijn rechterhand. Ik haastte me de tribune af naar beneden. Zijn pols was opgezet en ik vermoedde dat hij hem bij zijn val had gebroken. Ik weet niet wat er in me voer. Ik zei tegen de trainer dat ik zijn vader kende en dat ik Fritz naar het ziekenhuis zou brengen. Ik regelde de terugtocht voor de drie jongens die ik naar de wedstrijd had gebracht. We waren in Englewood, New Jersey. Na de wedstrijd gingen Aaron, Fritz en ik naar de eerstehulp van een plaatselijk ziekenhuis. Ik liet Fritz me zijn thuisnummer geven en vanuit het ziekenhuis belde ik de Ullmans in Nanuet. Zijn moeder nam op. Ik gaf instructies. Een uur later arriveerde Gerhardt Ullman in Englewood. De gebroken pols was een eenvoudige zaak, legde ik uit, maar de hersenschudding was gecompliceerder en ze zouden meer tests moeten doen. We bleven nog een poosje. Daarna lieten Aaron en ik vader en zoon Ullman achter in het ziekenhuis. Een paar dagen later belde Fritz' moeder om me te bedanken, en toen was het zomer en zouden er tot het najaar geen voetbalwedstrijden van de Eastern Coast Premier League meer zijn.

In september wist ik niet wat ik moest verwachten, niet alleen wat betreft mijn reactie op Gerhardt maar ook of hij, na ruim drie maanden, met me zou willen praten. Hij was er, uiteraard, en stond voor de wedstrijd in het Duits met Fritz te praten. Ik zag dat hij Fritz op zijn schouder klopte. We waren in Tarrytown, New York, en het veld daar had maar één kleine tribune. De eerste paar minuten liep Gerhardt langs de zijlijn heen en weer. Toen keek hij op naar mij. Voor ik besefte wat ik deed zwaaide ik naar hem. Hij kwam bij me zitten. In het begin deden we net of er niets aan de hand was. Het viel me op dat lange Fritz was aangekomen in de zomermaanden en dat hij ondanks zijn dubbele blessure in mei vol zelfvertrouwen speelde. Ik geloof niet dat ik hem ooit zo goed had zien spelen. Hij maakte een doelpunt tegen het einde van de wedstrijd, met een *volley*, zoals Gerhardt uitgelaten toelichtte. Bij het afscheid vroeg hij of ik zin had om na de volgende wedstrijd, die bij ons thuis in Suffern was, met Aaron, Fritz en hemzelf hamburgers te gaan eten. Ik zei dat ik mijn agenda moest nakijken. Hij zei: 'We zien je bai de wedstrijd, dan zeg je het. Als je meegaat zullen we niets loexe doen.' De hele week lachte ik mezelf uit omdat ik me vol heimelijke verwachting voelde, omdat ik het een rare bevlieging van mezelf vond, omdat ik duidelijk voelde dat ik graag wilde gaan. Normaliter ging ik nooit naar de thuiswedstrijden. Maar deze keer wel, en ik ging naast Gerhardt zitten, en op een gegeven moment in de eerste helft wendde hij zich tot mij zoals hij altijd deed als hij iets over voetbal ging uitleggen, maar wat hij zei was: 'Ik moet dit zeggen. Ik moet je vertellen dat main ouders naar optochten van nazi's gingen in die tijd van Adolf Hitler, en ze deden geen van baiden zulke vreselijke dingen, behalve dat ze hun leven laidden zonder te veel na te denken over die dingen. Dit is wat ze mai hebben verteld. We woonden in Stuttgart tot 1947. Ik ben daar geboren, in 1940. Ze wonen nu dicht bai ons, in Nanuet. Dat is alles wat ik je weet te zeggen.' Ik bedankte hem. Gedurende enkele minuten zaten we zwijgend naast elkaar. Ik dacht: of hij liegt over de naïviteit van zijn ouders, of hij is zelf belachelijk naïef. Toen maakte Aaron een mooie actie: een *messcherpe tackle* gevolgd door een *listige steekpass* waarmee hij een van de aanvallers dwars door de verdediging heen vrij voor de keeper zette. De doelman maakte een redding maar toch schreeuwde Gerhardt: 'Mooie bal, Aaron!' Na de wedstrijd gingen we met z'n allen naar een eettent. We aten hamburgers en hotdogs. We analyseerden de wedstrijd tot we precies hadden vastgesteld waarom ons team had verloren. Toen ik die avond thuiskwam zei ik hallo tegen Howard en ging naar boven om te douchen. Ik vroeg me af of mijn episode met Gerhardt Ullman nog maar net was begonnen of dat de wedstrijd en het eten erna min of meer de afsluiting ervan was geweest. Soms kun je niet goed inschatten waar je staat in dergelijke situaties. Terwijl ik me afdroogde ging de telefoon. Ik stapte de gang in waar Aaron, nog in zijn voetbaltenue, net had opgenomen. Hij zei: 'Voor jou, mam.' Ik nam de hoorn aan. 'Hallo?' zei ik, en Beverly zei: 'Met mij, Mirela.'

Dat alles liet ik de revue passeren terwijl ik van het ziekenhuis in New Brunswick naar huis reed. Voor ik het wist was ik al halverwege op de snelweg. Ik dacht aan David Kahn en vroeg me af of een foto van hem de weg naar de doos op mijn zolder zou vinden. En terwijl ik me voor de twintigste keer dat uur afvroeg of ik er wel goed aan had gedaan om tegen Beverly met geen woord over Gerhardt Ullman te reppen, voelde ik de *klipe* die ik in mijn binnenste meedroeg. Ik voelde hem wriemelen. De *klipe* begon letterlijk te wriemelen. Ik reed net langs een leegstaand pakhuis met ingegooide ruiten ergens in Irvington, New Jersey. Misschien vond de *klipe* dat het er uitnodigend uitzag. En toen was hij weg.

Ik vraag me al lange tijd af of ik nog wel van Howard, mijn man, hou. We zijn alle twee lief tegen elkaar, altijd, aardig en zorgzaam. We slapen in één bed en dat zal nooit veranderen. Ik ga later slapen dan hij. Ik heb niet veel slaap nodig en stap rond middernacht in bed.

Howard ligt er altijd al rond negenen in en hij staat om vijf uur op. Soms als ik naar bed ga voel ik iets voor Howard wat ik niet voel op de momenten dat we alle twee wakker zijn. Ik voel hoe we voorgoed met elkaar verstrengeld zijn in dit leven. Ik voel dat we er altijd goed aan hebben gedaan om samen te zijn. Ik voel de liefde die de echo of de gloed van onze liefde van jaren geleden is, en wie ben ik eigenlijk om aan onze liefde te twijfelen?

Toen ik thuiskwam van mijn trip naar New Brunswick zat Howard op me te wachten. Hij had Beverly de avond tevoren heel even gezien. We zaten aan de keukentafel toen hij binnenkwam en hij had aangenomen dat ze een cliënt was. Later vertelde ik hem wie ze was, en ineens was hij een en al vragen en nieuwsgierigheid. Ik vertelde hem dat we als kinderen samen bij mij op het dak hadden gespeeld, maar dat ze zelfs als jong meisje al stokoud was. 'Was ze mooi?' vroeg Howard, en ik zei: '*Majne sonim zollen zajn azoy mies.*' Dat mijn vijanden net zo lelijk mogen zijn. Dat betekent, in dubbelzinnig Jiddisch: dat mijn vijanden net zo lelijk mogen zijn als zij mooi is.

Toen vroeg ik: 'Vond je haar aantrekkelijk?'

Howard zei: '*Weh.*' Ik sloeg mijn ogen ten hemel. Hij zei: 'Ze heeft wel wat. Wat zal ik zeggen?'

Die nacht vrijde Howard met me, voor het eerst in drie jaar. 'Wat heeft ze bij je losgemaakt?' vroeg ik naderhand. 'Jou,' zei Howard. 'Ik weet niet waarom.' 'Doe je best eens,' zei ik tegen hem. 'Probeer eens te bedenken waarom.' Hij zei: 'Het hielp me om jou te zien toen ik je oude vriendin had gezien.' Ik vroeg: 'Hoe zag je me dan?' Hij zei: 'Ik zag dat er dingen waren waar ik geen oog meer voor had.' 'Zoals wat?' vroeg ik, en hij zei: 'Dat je een goeie moeder voor onze kinderen bent geweest.' 'En verder?' vroeg ik, en hij zei: 'Dat je me altijd hebt beschermd, over me hebt gewaakt. Zonder jou zou ik niet slapen.' Ik vroeg: 'En verder?' en hij zei: 'Toen ik je leerde kennen koesterde ik een diep weggestopte woede tegen de wereld, en die woede richtte ik in bed op jou en dat scheen je lekker te vinden.' 'Ga door,' zei ik. Hij zei: 'Op een dag had ik geen zin meer om woedend te zijn, maar ik was bang dat het je niks zou doen als ik zacht tegen je deed, wat ik wel wou.' 'En verder?' vroeg ik, en hij zei: 'Ik geloof dat we best zacht kunnen doen en dat we onze gevoelens niet hebben verloren. Ik geloof dat omdat ik elke ochtend als ik wakker word en koffie ga zetten nog steeds van je hou.' 'En verder?' vroeg ik. Hij zei: 'Toen ik die vrouw zag, jouw vriendin Beverly, dacht ik bij mezelf: als ik haar had ontmoet toen ik jong was had ik op een moeilijke manier van haar willen houden die niet bij me paste. Als ik haar had ontmoet toen ik jong was, zou ik geprobeerd hebben om iemand te zijn die ik niet ben. Dat zou een fiasco geworden zijn, want wie ik ben is een man die bij jou hoort te zijn. Jij bent veel gelukkiger dan die Beverly.' Ik zei tegen hem: 'Dat komt omdat ze nooit zoals anderen is geweest. Dat komt omdat ze trekjes heeft die zich niet rationeel laten begrijpen. Soms geloof ik dat ik haar kan helpen en soms denk ik dat het altijd andersom is geweest. Ze helpt mensen. Dat doet ze niet eens bewust. Er zijn ook mensen die ze kwetst. Dat doet ze ook niet bewust.'

Toen we ophielden met praten viel Howard ogenblikkelijk in slaap, zoals altijd, en stond ik op en ging de badkamer in. Ik was nog naakt. Ik bekeek mezelf in de spiegel. Ik probeerde te zien of de *klipe* terug was gekomen, maar ik kon hem niet zien of voelen. Het leek of de *klipe* nog steeds weg was.

Ik sprak maar een paar minuten met Beverly tijdens het *sjiwwe*-bezoek dat ik met Howard bij haar aflegde, twee dagen nadat ik bij Davids begrafenis was geweest. We hadden een *kugel* meegebracht. We bleven een uur. Ik vertelde haar dat Aaron op voorhand al op Brandeis College was aangenomen. Ik zei dat de trainer van het universiteitsvoetbalteam hem had gescout. Hij zou een van hun stervoetballers worden. Ik vertelde haar niet dat Fritz Ullman weer met zijn hoofd tegen een tegenstander was geknald en een nog ergere hersenschudding had opgelopen, zo erg dat hij een tijd niet mocht voetballen. Ik was blij dat er geen reden was om haar dat te vertellen. Ik was blij dat mijn eigen schaduw zich bij die hele toestand schimmig en afzijdig had gehouden.

Een paar maanden later kreeg ik een bruine envelop met de post.

Ze had me een dik pakket gestuurd. Ik verwachtte dat er foto's van David Kahn, haar overleden geliefde, in zouden zitten, maar ze had me geen foto's van David gestuurd voor de doos op mijn zolder. Wat vriendjes of echtgenoten betrof begon ik te vermoeden dat er nooit foto's voor de doos zouden komen.

In haar brief gedateerd 20 januari schreef ze:

Mirela,

Ten eerste mis ik je. Ten tweede wil ik je al een hele tijd deze kopieën van brieven sturen die ik vorige winter heb gekregen. Ik heb ze toen allemaal gekopieerd met de bedoeling om ze naar je op te sturen, maar dat was minstens een halfjaar voordat ik je toevallig in Central Park tegenkwam! Ik wilde je een lang verhaal vertellen over een reis die ik met David heb gemaakt. Toen hij weer goed was zijn we met Jordan naar Florida geweest en daar hebben we in een rivier met lamantijnen gesnorkeld. Die nacht heb ik naar de lamantijnen gekeken toen ze bij het licht van een volle maan rondzwommen. Ik moest aan onze rivier in Polen denken en ik kreeg het gevoel dat mijn vader heel letterlijk dichtbij was.

Ik heb je dit nooit verteld, maar toen ik zestien was ging mijn moeder naar een helderziende die voor drie dollar vaststelde dat mijn vader springlevend was en in een appartement woonde dat uitkeek op dezelfde gracht in Delft die de Hollandse schilder Johannes Vermeer in de zeventiende eeuw had geschilderd. Natuurlijk dacht mijn moeder dat het waar was en vervolgens deed ze niets. En toen, jaren later, dacht ik: waarom niet? Het heeft wel iets weg van die ouwe mop over de vrouw die haar overleden schoonmoeder een klysma wil geven en als haar man vraagt waarom zegt ze: 'Kwaad kan het niet.' Kwaad kan het niet, dacht ik, dus begon ik inlichtingen in te winnen. Ik vond iemand in Delft die ik kon schrijven. En ook iemand in Amsterdam. De man in Amsterdam zou een Holocaustdeskundige zijn. Ik heb naar iemand van Yad Vashem geschreven en naar iemand van een instantie in Kovno. Nadat ik die vier brieven had gestuurd begreep ik dat het een onzinnige onderneming was. En het leek nog onzinniger toen ik deze vier uitermate waardeloze reacties kreeg. Toch leek het of ik op een eigenaardige manier contact met hem had, met mijn vader. Daarom stuur ik je deze onzinnige brieven. Ik zou het op prijs stellen als je ze boven in de doos kunt doen.

De laatste tijd droom ik weer over de schaduw. Ik sluit een recente droom bij voor de doos. Het is een rare droom die telkens terugkomt maar heel moeilijk te beschrijven is. Ik geloof niet dat ik ooit heb geprobeerd om hem op te schrijven. In zekere zin geloof ik ook niet dat ik het kan, al heb ik nu wel een poging gedaan.

Het is onnodig te zeggen dat ik ook veel over David nadenk, over de dood, over zijn afwezigheid, en ik heb me gerealiseerd dat leven en dood, of licht en donker, geen afzonderlijke dingen zijn, wat de mensen er ook over mogen beweren. Om een cliché te gebruiken, ze zijn twee kanten van dezelfde medaille. Misschien is het alleen maar een truc van de taal, maar het ene woord 'leven' of 'dood' kan op zichzelf niet begrepen worden zonder besef van het ander. Dat geldt ook voor licht en donker, voor dag en nacht, voor goed en kwaad.

Maar woorden zijn maar woorden en dit gaat verder. Mijn idee over de droom die ik heb bijgesloten en die ik niet schijn te kunnen beschrijven met iets wat in de buurt van accuratesse komt, is dat de schaduw niet uit licht en donker is gemaakt. Hij is niet iets wat halverwege dag en nacht bestaat. Ik denk dat de schaduw datgene is wat achter die tegenstellingen ligt. Misschien is de schaduw een goede manier om Gods geest te beschrijven. Misschien is de schaduw de oorsprong. De schaduw is waar we heen gaan of misschien wel waar we zijn. Nu is David gestorven en de medaille is omgedraaid naar de keerzijde en hij kan nog een keer omdraaien, denk ik, althans in theorie. Waarom zou dat ook niet waar kunnen zijn met betrekking tot mijn vader? Nu raak ik het spoor van mijn gedachtegang bijster omdat dit niet als logica werkt. Dus zal ik hier stoppen en alleen nog zeggen dat ik van je hou, mijn liefste Mirela, en je achterlaat met mijn droom.

Liefs,
Bejla

Ik zocht naar de beschrijving van haar droom en kon hem eerst niet vinden. Ik bladerde door de gekopieerde brieven die ze me had gestuurd. Ik las een van de reacties op haar brieven en toen vroeg ik me af of ik haar moest bellen om haar te laten weten dat ze de droom per ongeluk niet in de envelop had gedaan. Toen gleed hij tevoorschijn. Allemaal heel schimmig en onwezenlijk. De woorden waren op de achterkant van een oude envelop gekrabbeld die vastzat tussen twee pagina's van een gekopieerde brief. Ik stelde me haar voor in haar kamer, alleen, terwijl ze de droom opschreef. Ik stelde me voor dat de dag net aanbrak, dat haar gordijnen dicht waren en dat ze vrijwel meteen nadat ze deze woorden had geschreven weer in slaap was gevallen. Ik zeg tegen mijn cliënten dat ze hun dromen moeten opschrijven zonder erbij na te denken, zonder secundaire uitweidingen en detailleringen, dat ze de droom in zijn eigen taal moeten laten spreken. Soms laat een droom zich niet beschrijven, zoals Beverly stelde, maar in dergelijke gevallen zal hetgeen je opschrijft je vaak toch iets duidelijk maken wat ver voorbij de dingen ligt die je meent te weten.

Beverly's droom:

Ik zit weer binnen dat alles. Een bepaalde gezichtshoek op een donkere plek. Omhoogklimmen. Dat is waar ik naar streef. Als ik deze plek binnenga moet ik het goed doen. Er is een vrouw die mij is. Schimmige vrouw. Ze is er altijd geweest. Als ik slaap ben ik haar binnen deze droom. Ik loop door Polen, door Litouwen, door Oekraïne, door Roemenië. Ik loop door Hongarije, door Slowakije, door Nederland, door Griekenland. Ik loop door landen zonder naam en door landen waar ik nog nooit van heb gehoord. Overal waar ik ga kies ik schaduwen. Een paar hier. Een paar daar. Het is net voldoende om ons erdoorheen te krijgen. Dit is overleven, in een droom. Dit ben ik als ik niet ik ben maar nog steeds hier als bij toeval. Het is dit glippen door kieren. Het is dit weten hoe het moet.

Binnenkort zal ik dit alles in de doos stoppen en daarna zal ik ophouden met mijn pogingen om deze brieven, foto's en dromen tot iets als een coherent verhaal te ordenen. Het is gevaarlijk, zei Carl Jung

– die zelf, moet ik aantekenen, volgens sommigen welwillend tegenover de nazi's stond, al blijkt uit de meeste feiten dat dat niet waarschijnlijk is – het is gevaarlijk om star vast te houden aan onze overtuiging dat alles coherent dient te zijn. Het is gevaarlijk om geen vraagtekens te zetten bij het wereldbeeld, om blind in te stemmen met alle heersende normen enzovoorts. Het is belangrijk om aandacht te schenken aan wat stilletjes op ons afkomt, aan alle onzinnige dingen die we ons zonder reden verbeelden of herinneren.

Toen Beverly en ik eens op het dak aan het spelen waren zei ze: 'Mirela, we zouden naar beneden kunnen springen,' en toen zei ik: 'Dan zouden we doodgaan,' en zij zei: 'Misschien wel.' Toen zei ze: 'Zullen we dan doen of het iets anders is?' Ik zei: 'Iets als vliegen?' Ze zei: 'Als flappen!' Dat klonk idioot en grappig. Ik zei: 'Flodderen!' Zij zei: 'Flubberen!' Toen kwam mijn broer het dak op en ik zei: 'Kijk, daar heb je de koning van alle poedels.' Hij begon te blaffen en ze zei: 'Mirela, hij is echt een goeie hond.' Ik zou hier eindeloos mee door kunnen gaan en misschien zouden die woorden tot leven komen, of misschien zal het waarachtigste de stilte zijn die valt als ik ophoud met praten. Hoe weten we het verschil? Misschien is dat zoiets als vragen hoe je lief moet hebben. Of misschien is dat zoiets als vragen hoe je de schaduw moet begrijpen. Hoe dan ook, hiermee eindigt op z'n minst één gedeelte van mijn gedachten en herinneringen betreffende mijn lieve vriendin Beverly, vroeger Bejla geheten. Dat mijn vijanden net zo lelijk mogen zijn.

8

Kleuren

Achteraf gezien waren er een heleboel verschillende redenen waarom ik de onderhandelingen had moeten afbreken. De verkoper bleek een nurkse vent te zijn die net met pensioen was na vijfentwintig jaar algebra te hebben onderwezen. Hij rookte geïmporteerde sigaren en het hele huis stonk ernaar. Ik ging ervan uit dat de stank wel zou verdwijnen als het huis was gelucht, maar dat was slechts de eerste van wat een waslijst aan foute veronderstellingen bleek te zijn. Met behulp van mijn stressverwekkende makelaar Madeline ruziede ik haast twee maanden met de verkoper over zaken als verrotte planken in de betimmering, ontbrekende voorzetramen, een defecte badkamerventilator, houtmieren en andere dingen die geregeld hadden moeten zijn als onderdeel van de transactie. Ik had die weken het stellige gevoel dat het allemaal vergeefse moeite was en overwoog vaak dat ik de hele zaak op elk moment met één telefoontje naar mijn advocaat zou kunnen afblazen.

Maar zo ging het altijd, zei mijn vader. Zo ging het altijd, zeiden de mensen met wie ik samenwerkte in de Berkshire Hills-dierenkliniek in Lenox. Zo ging het altijd, zei mijn vriend Luke de persfotograaf, die ik betrapte toen hij met een rondborstige roodharige advertentiemedewerkster stond te flirten toen ik op zijn werk langskwam om hem op te halen voor het tekenen van de koopakte. Er was brand, zei Luke. Er was net een brand gemeld over de politieradio. Een brand in het stadje Otis, en hij moest erheen om foto's te maken. Het speet hem, zei Luke, en ik ging in m'n eentje naar het kantoor van mijn advocaat voor de koopakte. Ik tekende alle papieren en schreef een cheque uit voor de aanbetaling. De verkoper was niet aanwezig bij de ondertekening. Hij had zijn advocaat maar gestuurd, als gemachtigde. Toen die was vertrokken zei ik tegen mijn advocaat dat de hele gang van zaken een hel was geweest. Mijn advocaat zei, en ik citeer: 'Zo gaat het altijd.' Waarom dan? dacht ik. Waarom veranderen mensen in monsters? Waarom denken mensen dat ze het ene kunnen zeggen en het andere doen? Ik zei: 'Ik vlei me met het idee dat een huis kopen juist níét altijd zo gaat.' De advocaat haalde zijn schouders op en zei: 'De verkoper heeft vast ook een pesthekel aan jou.'

Dat wat betreft medeleven. Ik gaf mijn advocaat een norse hand en vertrok met mijn nieuwe huissleutels. Toen was het eindelijk geregeld en ging ik naar huis, naar de vervallen boerderij die Luke en ik huurden. Toen ik daar aankwam werd ik begroet door Henderson en Sadie, mijn voor de jacht op wasbeertjes afgerichte honden die we alle twee middels een adoptieprogramma uit een overvol asiel in Mississippi hadden gered. Het waren hoogpotige trekhonden, getraind als jachthonden. Als ze liepen leek het of ze paradeerden. Wat ze het liefst deden was rennen, rennen en nog eens rennen. Ik trok mijn hardloopschoenen aan, deed ze aan de riem en nam ze mee naar het pad waar ik 's avonds ging joggen. Toen we een heel eind het pad af waren liet ik de honden los. Ze bleven bij me. Ik was in de twee jaar sinds we ze hadden geadopteerd tot de slotsom gekomen dat ze er niet vandoor zouden gaan naar de heuvels zolang ze bij mij waren, de alfa van hun roedel. Maar het was riskant, wist ik, want die honden wilden graag rennen.

Na mijn rondje van vijf kilometer met Henderson en Sadie ging ik naar huis, waar ik Luke in de keuken aantrof met onze kat Charlie op schoot. 'Hoe was de brand?' vroeg ik, maar toen bleek dat er geen brand was. Met zijn absurde geloof in eerlijkheid legde Luke uit wat hij had gedaan terwijl ik de papieren van het huis tekende: rotzooien met die rondborstige roodharige dame in de doka. 'Wie is zij dan wel?' vroeg ik, en hij zei dat Stephania een voormalige stripteasedanseres was die probeerde op het rechte pad te blijven maar daar nogal moeite mee had. Ik zei dat ik niet was geïnteresseerd in haar biografie maar dat ik bedoelde wat ze voor hem betekende. Niks, zei hij. Ze was verloofd met een oudere man, een redacteur die al lang bij de krant werkte. Hij zei dat het niets had te maken met Stephania wat hij eigenlijk de afgelopen drie uur had gedaan. Wat hij eigenlijk had gedaan was tot de conclusie komen dat hij het uit moest maken met mij.

Ik was te nerveus, zei Luke, en hij raakte gestrest van mij, meer dan hij aankon. En ik gunde hem niet evenveel zeggenschap in allerlei dingen. Dat het huis van mijn geld werd betaald, hield niet in dat hij niks in te brengen had over de hele klotetoestand. Dat ik dierenarts was en drie keer zoveel verdiende als hij, hield niet in dat ik het recht had om elke dag chagrijnig thuis te komen en dan te verwachten dat hij hier klaarzat om me te troosten. Hij wou Charlie, zei hij. Ik zei nee. Onze tiendelige World Book-encyclopedie dan? vroeg hij. Ik was van de kaart, geloof ik, en ik was vooral met stomheid geslagen. Ik zei oké, neem die encyclopedie dan maar. Hij vroeg of ik hem een afscheidskus wilde geven en wat ik deed was dat ik naar de boekenplank liep, een deel van de encyclopedie eruit trok die ik hem net had gegeven en het naar zijn hoofd smeet. Ik zei: 'Als je hier ooit nog één voet over de drempel zet met je vriendin dan zal ik niet missen, de volgende keer dat ik met een encyclopedie gooi.' Hij probeerde weer uit te leggen dat ze niets betekende, alleen maar als katalysator had gediend. Hij kwam nog een keer aan met het feit dat ze verloofd was met die oudere redacteur. 'Luke, je bent echt van de pot gerukt,' zei ik. 'Het is net of daar iemand die ik helemaal niet ken in jouw lichaam staat.' Toen ging ik op de vloer zitten en begon te schokken. Luke kwam naar me toe en hurkte naast me neer en ik schreeuwde: 'Donder op!' Hij weigerde. Hij probeerde me te omhelzen dus schopte ik hem met allebei mijn loopschoenen in zijn gezicht. 'Waar komt al die woede vandaan?' vroeg hij ongelovig, en toen ging hij een stuk keukenpapier en een ijsblokje voor zijn bloedlip halen.

Ik verkaste naar mijn nieuwe huis. Ik trok het behang eraf, liet het huis ozoniseren en dweilde alle vloeren met Murphy's oliezeep. Ik liet een ongedierteverdelger komen om mierengif uit te zetten. Ik liet de verwarmingsketel een onderhoudsbeurt geven en de leidingen doorspoelen. Ik verfde de keukenmuren. 's Nachts nestelden de honden zich op de vloer van de slaapkamer en klom Charlie op wat Lukes kussen was geweest. Al met al zou het zo oké geweest moeten zijn, maar dat was het niet.

Op de tweede dag dat ik in het nieuwe huis woonde werd ik met piepende ademhaling wakker. Ook zat mijn voorhoofdsholte dicht, hoewel ik nog nooit last van allergieën had gehad. Ik ging weer rond met stofzuiger en dweil. De hele dag hield ik de ramen open. 's Avonds deed ik ze dicht en rook ik zee, wat in wezen het restant van de ozon was. Na een week of twee was die geur verdwenen en de rokerig zoete sigarenstank weer terug.

Tegen die tijd werd ik een eigenaardige druk op mijn borstbeen gewaar die verdween als ik op mijn werk was. Ik begon Henderson en Sadie mee te nemen naar de kliniek, en liet ze buiten in mijn Chevy Blazer als het niet te zonnig was. Zodoende kon ik ze uitlaten zonder dat ik terug naar huis hoefde en die woning binnen moest gaan die ik net had aangeschaft met de gezamenlijke opgespaarde giften voor mijn bat mitswa en mijn afstuderen plus de twintigduizend dollar die wijlen mijn opa me testamentair had nagelaten. Ik maakte een afspraak bij de dokter om zeker te weten dat ik geen longontsteking had opgelopen. Ik liet röntgenfoto's van mijn longen maken en werd op longontsteking en tbc getest. Een verpleegster stelde vragen. Rookte ik? Had ik astma? Zou ik zwanger kunnen zijn? Het antwoord op al die vragen was nee, dus kwam ze met andere. Ze vroeg of er schimmel in het huis zat. Ik zei dat ik geen schimmel had gezien. Ze vroeg of ik mijn stressbestendigheid bij benadering kon aangeven op een schaal van een tot vijf. 'Is een het laagste?' vroeg ik, en de verpleegster knikte. 'Min een,' zei ik.

De onderzoeken leverden niets op en de diagnose van de dokter was dat ik te veel chemicaliën had ingeademd. Te veel vloerreinigingsmiddelen en behanglijm en verfdampen. Doe het gewoon een beetje rustig aan, zei hij. Probeer veel buiten te zijn. Ik deed het rustig aan. Ik liet de verf drogen. Ik kocht geurloze kattenbakvulling en een luchtzuiveringsapparaat voor mijn slaapkamer van driehonderd dollar. Ik deed in het weekend geen parfum meer op, ik ging toch nergens heen. Ik kocht ongeparfumeerd waspoeder en dito bodylotion en handzeep. Mijn joggingrondjes met Henderson en Sadie werden veel langer.

Op aanraden van de dokter liet ik de dieren beneden slapen, en toen het in juni warm begon te worden moest ik de honden overdag thuislaten. Ik huurde iemand in om ze uit te laten, een tiener die Nora heette en die haar diensten als hondenuitlater had aangeboden in een advertentie die ik op het prikbord van onze kliniek had gezien. Ongeveer twee weken nadat ik haar in dienst had genomen kwam ik thuis en trof ik Nora met een verhit gezicht aan op de vloer van de vestibule. Ze zat er zielig en ontsteld bij. Ze waren weggelopen, zei ze. Meteen toen ze de deur opendeed waren de honden naar buiten gestoven. Ze hadden achter de deur staan wachten. Ze stormden weg en een uur lang had ze er op haar fiets achteraan gejakkerd. Ze doken telkens op en verdwenen dan weer, maar uiteindelijk was ze de honden kwijtgeraakt. Nora had de politie gebeld en elk dierenasiel bij ons in het westen van Massachusetts, een paar in de aangrenzende staat New York en enkele in het noordwesten van Connecticut. 'We vinden ze wel,' zei ik tegen Nora, waarna ik haar naar huis stuurde met een cheque voor de afgelopen week. Maar dit waren speurhonden, getraind om op wasbeertjes te jagen. Ze waren gefokt om eeuwig door te rennen. Ik ging die nacht slapen en droomde dat ze beneden in de keuken waren en tegen me op sprongen, zoals ze hadden gedaan toen ik ze voor de eerste keer mee naar huis nam. Ik weet niet hoe het kwam, maar toen ik wakker werd wist ik zeker dat ze me via die droom hadden laten weten dat ze voorgoed weg waren.

Ik belde wel dertig verschillende dierenasiels en hoopte wekenlang dat de honden zouden opduiken, maar ik heb ze nooit meer gezien. Daarna werd het allemaal een stuk erger, leek het. Als ik wakker werd voelde ik de druk op mijn borstbeen en moest ik denken aan het toneelstuk *Heksenjacht* van Arthur Miller, aan de scène waarin alle vermeende heksen door de foltering die bekendstaat als 'platdrukken' worden gedood. Ze liggen op hun rug zonder zich te kunnen bewegen en dan worden er rotsblokken op hen gestapeld. Terwijl het gewicht toeneemt wordt hun voortdurend gevraagd om schuld aan hekserij te bekennen. Als Giles Corey elk moment de geest kan geven luisteren ze naar zijn bekentenis, en dan komen er twee woorden uit zijn mond. 'Meer gewicht.' Zo voelde ik me elke morgen en dan zei ik het ook, dan zei ik het tegen Charlie als hij op mijn borst kroop. In het begin was het een grapje omdat ik er nog van uitging dat ik beter zou worden. Ik ging er nog van uit dat het door alle stress kwam en door alle chemicaliën die ik had ingeademd. Ik ging ervan uit dat het herstel dat was ingezet was onderbroken door het verlies van Henderson en Sadie. Een paar dagen later liep ik een warenhuis in en viel ik flauw.

Ik ging naar een andere dokter. Ik had astma, werd nu geconcludeerd. Op latere leeftijd ingetreden astma. Dat kwam vaak voor. Rookte ik? Tbc? Was het mogelijk dat er schimmel in het huis zat? Ik kreeg de naam van iemand die ik kon bellen om het huis te laten controleren op dingen als schimmel, gaslekken, asbest en andere akelige substanties. Ik kreeg een proefverpakking met een steroïde-inhalator en een recept voor het kalmeringsmiddel Ativan. Ik kreeg te horen dat de honden- en kattenharen die ik de hele dag in de kliniek inademde mijn symptomen hoogstwaarschijnlijk verergerden. Ik kreeg de suggestie om een poosje vrij te nemen van mijn werk maar dat leek me niks. Tenminste nog niet. Ik zei dat de kliniek de enige plek was waar ik me echt goed voelde.

Ik nam afscheid van de dokter, ging met het recept naar een apotheek, nam een Ativan en besloot naar de film te gaan. Halverwege de film kreeg ik migraine en minstens een derde van het bioscoopdoek werd blanco. Dus ging ik naar huis en belde mijn ouders in Philadelphia. Ze hadden zich zorgen gemaakt. Ik probeerde hun te vertellen dat alles goed was. Ik nam nog een Ativan en ging slapen. De volgende morgen op de dierenkliniek kwam de migraine terug terwijl ik een ruwharige foxterriër castreerde. Mijn volgende cliënt was mijn vriendin Lillian. Ze kwam met haar kat, Allagash, die een soort anale huiduitslag had die hij had verergerd door er voortdurend aan te likken. Ik gaf de kat een cortisoneninjectie tegen de jeuk, schreef het antibioticum Bactrim voor en gaf daarna over in een van de metalen bekkens die we gebruikten om urinemonsters te nemen. Lillian was er nog. Ze was zelf verpleegster. Ze nam me mee naar buiten en zei: 'Vicki, vertel op, wat is er aan de hand?' Ik zei dat mijn leven een puinhoop was en dat mijn immuunsysteem door alle stress ontregeld leek. Lillian zei: 'Stress kan rare dingen doen, maar misschien is het geen stress.' Toen kwam ze met de vragen. Roken? Tbc? Gaslekken? Asbest? Schimmel?

Ten slotte kwamen de analisten van Healthy Homes in hun witte Tyvek-overalls die een groot deel van de dag rondkropen over mijn zolder. Ze vertrokken met luchtmonsters van elke kamer en honderden plakbandmonsters van vloeren, muren, plafonds, vensterbanken en balken. Ze wezen me erop dat mijn badkamerventilator niet werkte, wat maar goed was ook want het afvoerkanaal kwam uit op zolder. Ze zeiden dat mijn soffietontluchting vreselijk was (wat dat ook mocht wezen), dat er een scheur in de schoorsteenkap zat en dat er aanwijzingen waren van een fiks lek in het dak. Ze zeiden dat ze zwarte schimmel hadden aangetroffen in een stuk dakbeschot van grofweg drie bij vier meter achter de glaswolisolatie op zolder. Ze stuurden een rekening van meer dan vijfhonderd dollar en twee weken later werd de nachtmerrie die ik hoopte niet te hebben bevestigd door hun uitkomsten. De schimmel was gevaarlijk, zeiden ze. Sporentellingen in elke kamer werden als 'riskant' gekwalificeerd. De aanbeveling van de experts was om het huis te ontruimen.

Ik belde Luke en toen hij opnam zei hij: 'Vicki, ben jij dat?' Ik zei ja en hij zei: 'Je stem klinkt anders.' Ik zei dat ik een zere keel had en vroeg of hij Charlie wilde nemen. Ik ging wat werkzaamheden aan het huis laten doen, zei ik, en zou voorlopig bij mijn vriendin Lillian gaan logeren, die jammer genoeg zelf een grote en uitermate territoriumbewuste kat had.

Luke zei: 'Weet je, ik heb hem echt gemist, Charlie.'

'Dat zal best,' zei ik. 'Hoe gaat het met die rooie?'

'Ze heet Stephania,' zei hij. 'Het gaat prima met haar.'

'Zijn die borsten van haar echt?' vroeg ik. 'Daar gaat ze nog rugklachten mee krijgen.'

Ik had niet gedacht dat hij daarop zou antwoorden, maar dit was Luke. Hij zei: 'Nee. Ze heeft ze drie jaar geleden laten doen. Toen ze nog stripte, weet je wel. Ze zegt dat ze rekening heeft gehouden met rugproblemen. Daarom heeft ze een gewone D-cup gekozen en geen DD. Ze zijn mooi gelukt, al met al.'

Ik hing op.

Ik belde terug.

Ik zei: 'Sorry, Luke. Ik ben een beetje gespannen, en ik weet dat ik er zelf in ben getuind, maar misschien kunnen we het beter niet over Stephania hebben. Dus, wat betreft mijn vraag. Wil je Charlie nemen terwijl ik bij Lillian logeer?'

'Ik wil hem wel nemen,' zei hij, 'maar ik vind dat ik hem moet houden. Jij hebt de honden.'

Ik had hem niet over de honden verteld. Ik zei: 'Doe dit nou niet.'

'Ik heb hem uitgezocht,' zei hij.

Ik zei: 'En ik heb zijn eten gekocht, hem gevoerd, geborsteld, zijn kattenbak verschoond. En zo zou ik nog een tijd door kunnen gaan.'

'Ik aai hem vaker over zijn buik,' zei Luke.

Ik vroeg: 'Sinds wanneer ben je weer zestien geworden?'

'Graag of niet,' zei Luke. 'Ik moet ophangen want Stephania is hier.'

Ik keek naar Charlie, die op dat moment met zijn buik omhoog op de bank lag te slapen en tot dat moment geen symptomen van de schimmel had vertoond. Ik had zo'n voorgevoel dat mijn leven nog vreemder zou worden dan het al was. Ik haalde adem, onderdrukte een snik, kuchte en zei: 'Goed, oké. Neem Charlie maar.' Ik bedacht dat ik binnenkort helemaal niets meer te verliezen zou hebben.

De volgende middag bracht ik Charlie naar Lukes nieuwe tweekamerflat. In de auto praatte ik tegen de kat. Ik nam afscheid van hem, zei dat ik het erg jammer vond en beloofde dat hij het goed zou hebben bij Luke. Ik bracht hem naar Lukes voordeur. Luke was alleen, en toen hij me binnenliet kreeg ik een licht gevoel in mijn hoofd. Ik rook ammoniak. Ik wist dat ik flauw zou vallen als ik niet meteen wegging, dus zette ik Charlie in zijn kooi op de linoleumvloer van Lukes halletje. 'Heb je zijn kattenbak meegebracht?' vroeg Luke. Ik zei: 'Die ligt in de auto. Ik leg hem wel op de oprit.' 'Heb je eten meegebracht? En kattenbakvulling?' Maar ik beende de deur al uit.

Ik las het schimmelrapport van achtendertig pagina's. Er zaten buitengewoon hoge gehaltes *Penicillium* en *Aspergillus* in de lucht van de kelder. Er waren aanwijzingen dat de kelder herhaaldelijk was ondergelopen, ook al was hij nu droog. Alle kamers van het huis hadden aanzienlijke gehaltes van die twee schimmelsoorten. Nog verontrustender was de zwarte schimmel achter de isolatiedekens op zolder. De *Aspergillus* en *Penicillium* waren allergene schimmels, maar die zwarte schimmel, *Stachybotrys* geheten, was een toxische zwam. Hij diende niet verward te worden met *Cladosporium*, zo werd me in het rapport uitgelegd. *Cladosporium*, ook wel bekend als *Hormodendrum*, was een veel voorkomende zwarte allergene schimmel die in badkamers groeide en meestal 'aanslag' werd genoemd door de mensen. *Stachybotrys* groeide echter op verborgen plekken. De schimmel vereiste een gestage wateraanvoer, zoals een lek in het dak, en was in verband gebracht met wiegendood, emfyseem en nagenoeg elke andere denkbare longaandoening. Toen Lillian die avond thuiskwam liet ik haar het rapport zien, en onder het lezen zuchtte ze luid en schudde ze meermalen haar hoofd. Toen vertelde ze me dat de meeste allopathische artsen de werkelijkheid weigeren te erkennen – net zoals ze spierreuma weigeren te erkennen – maar dat blootstelling aan giftige schimmel vaak in verband werd gebracht met een aandoening die bekendstond als 'ecologische ziekte' of 'kantoorziekte'. Ze zei dat het immuunsysteem gevoeliger werd door schimmels als *Stachybotrys* en door aanhoudende blootstelling begon te haperen waardoor je langzamerhand steeds ontvankelijker werd voor van alles. Ze raadde me aan om de schimmel door deskundigen te laten opruimen en het huis daarna weer te koop te zetten.

Ik betaalde aannemers vierduizend dollar om de beschimmelde isolatie te verwijderen, het beschimmelde stuk beschot uit te zagen en daarna te herstellen. Ik gaf nog eens tweeduizend dollar uit aan de vernieuwing van het dak. Ik gaf zeshonderd aan nieuwe isolatie uit. Ik liet de kelder schoonstomen en de leidingen en de verwarmingsketel nogmaals doorspoelen. Ik huurde voor vijftig dollar per dag een groot apparaat dat ze een 'luchtwasser' noemden. Ik liet de mannen van Healthy Homes weer komen en na drie inspecties en evenveel schoonmaakrondjes tekenden ze een verklaring dat het huis vrij was van schadelijke stoffen. Ik dacht dat ik er wel weer in kon trekken, dat alles nu natuurlijk in orde was in mijn schone huis.

Ik probeerde een nacht in mijn eigen bed door te brengen maar werd met piepende ademhaling wakker en moest om twee uur 's nachts weer naar Lillian rijden. 'Je bent te gevoelig geworden,' zei Lillian. 'Het is een oud huis. God mag weten wat er allemaal in de spouwmuren zit.' Het was toen juli. Ik had het huis minder dan drie maanden in mijn bezit toen ik het bij een nieuwe makelaar onderbracht. Het was binnen een week verkocht en tot mijn verbijstering bracht het vijftienduizend dollar meer op dan ik ervoor had betaald, ondanks de schimmelrapporten.

Het was een opluchting voor me dat de koper er ervaring mee scheen te hebben en ik dus niet bang hoefde te zijn dat ik iets moreel verwerpelijks deed. Tenslotte had ik de schimmel opgeruimd. Ik had de koper het laatste testrapport gegeven. Ik had zelfs een nieuwe badkamerventilator laten installeren met een goed afvoerkanaal. Lillian zei dat ik bij haar mocht logeren tot ik een nieuwe woning had gevonden, en ik begon rond te kijken. Op mijn werk werden mijn symptomen echter zo erg dat ik me amper in de kliniek kon vertonen. Het bleek dat ik zo'n goed reukvermogen had ontwikkeld dat ik geuren kon ruiken die zo flauw waren dat een van de medewerkers schertsend opperde dat ik reukhallucinaties had. En het kwam niet door honden- of kattenhaar. Ik kon dampen van verf of vetvlekken ruiken die al jaren geleden waren gedroogd. Ik kon een shampoogeur ruiken bij een beagle wiens eigenaar me verzekerde dat hij al een paar maanden niet meer was gewassen. Ik rook kaneel, daarna sandelhout en toen groene appel bij onze receptioniste, en ten slotte kwam ik tot de slotsom dat ze elke avond thuis geurkaarsen brandde. Ik besprak het met Lillian. Ze zei: 'Dat klopt, als je zo overgevoelig wordt als jij, krijg je een soort bionische neus.'

'Je leven zit op een dood spoor,' zei Lillian een paar dagen later tegen me toen ik flauwviel nadat ik een aantal lipomen had weggesneden bij een sint-bernard op leeftijd. Ze zei: 'Ik heb het wel vaker gezien. Je moet dingen veranderen. En heel ingrijpend, zou ik eraan toe willen voegen. Ik bedoel niet dat je acupunctuur moet gaan doen en Chinese kruidensupplementen moet nemen. Ik bedoel dat je hier weg moet.'

Ik ging de volgende morgen naar de dokter. Hij zei dat er geen algemeen onderkende aandoening bestond waarmee al mijn symptomen konden worden verklaard. Het was duidelijk dat ik allergieën en ademhalingsproblemen had opgelopen, maar de rest – ik had hem bijvoorbeeld verteld dat ik misselijk werd als ik kooklucht rook – zat tussen mijn oren. Hij adviseerde verlof van mijn werk op medische gronden en zei dat verandering van klimaat een goed idee zou zijn. Hij had patiënten met ernstige astma gehad die het klimaat in het noordoosten van de VS niet konden verdragen en hij gaf me in overweging om naar Arizona te verhuizen, waar minder schimmel in de droge woestijnlucht zat.

Lillian, wier huis de enige plek in Berkshire scheen te zijn waar ik nog normaal kon ademen, opperde dat het misschien beter voor mijn gezondheid was om in Israël in een kibboets te gaan wonen. Er waren er wel vijf in de woestijn waarvan ze had gehoord. Er zouden daar mensen zijn om mee te praten. Er zouden een heleboel joden zijn, zoals ikzelf. Lillian zei dat ze het jaren geleden zelf ook had gedaan, toen ze klaar was met haar studie. Daarna zaagde ze maar door over de vijgenbomen, de acacia's, de perenbomen, de geveerde bladeren van dadelpalmen – *loelof* in het Hebreeuws, zei Lillian dromerig – en granaatappelsap en een wijngaard, en ik dacht dat ze elk moment het Hooglied van Salomo kon aanheffen. Al met al leek het echter een betere optie dan Arizona. De week erna schreef ik vijf brieven om informatie te vragen. Ik kreeg maar één reactie, van Kibboets Ein Gedi, gelegen op de westelijke oever van de Dode Zee. Als ik in de tuin of met het vee kon werken was er op dat moment een plek beschikbaar. Ik schreef de volgende dag terug om te zeggen dat ik zo snel mogelijk zou komen. Het leek een overmoedige, drastische stap en alleen Lillian juichte het toe.

Het bekken van de Dode Zee is de laagste plek op aarde, maar je hebt het gevoel dat je nog lager zit. Je hebt het gevoel dat je bijna bij de onderlaag bent, de zee onder alle zeeën, onder alle tijd. De lucht is heet, loom, verdovend, heiig, futloos, wonderbaarlijk. De zee is in wezen een meer dat zo vol zout zit dat je met een zwerfkei op schoot op de waterspiegel kunt zitten zonder dat je zinkt. Om redenen die ik niet kan doorgronden licht het water op met een kleur blauw die uniek is in de wereld. Zoals ik het in een brief aan Lillian omschreef was de kleur die ik elke dag zag als ik wakker werd in mijn kleine kamertje in de kibboets Ein Gedi en naar buiten ging een diep doods blauw.

In het begin wist ik niet voor hoelang ik mijn leven op een zijspoor zou zetten. Ik wist niet of ik me ooit nog beter zou gaan voelen. Ik voelde de woestijnlucht in mijn lijf, in mijn maag, in mijn oogkassen. Na enkele weken in de dorre woestenij genaamd Judea begonnen mijn allergiesymptomen echter af te nemen. Na een maand begon ik te voelen dat de beklemming in mijn borst van mijn borstbeen naar mijn bronchiën vloeide, die al beter schenen. Spoedig daarna verschoof de druk naar linksboven in mijn borst, waar hij ook nu nog, al die jaren later, komt en gaat.

Het was duidelijk dat de woestijnlucht hielp, dat de schimmel die in me was gegroeid hoe dan ook door de lucht werd uitgedroogd. Ik bewerkte de grond en waterde de planten in de botanische tuin van de kibboets. Ik molk de geiten, iets wat ik tijdens mijn opleiding tot dierenarts had geleerd. Ik was negenentwintig, had me jarenlang beziggehouden met veterinaire scholing en praktijk, en nu molk ik geiten. Het rare was dat ik het prima vond. Ik was misschien wel de beste geitenmelker van alle bewoners van Ein Gedi. Algauw hoefde ik niet meer te tuinieren en was mijn werk met het vee van de kibboets uitgebreid met het voeren van kippen.

Zo leerde ik de Israëlische postdoctorale student Moti kennen. Moti schreef zijn proefschrift over de luipaardenpopulatie rondom Ein Gedi. Hij was een jaar of vijfentwintig, had een olijfbruine huid en was heel verlegen. Zijn Engels was belabberd, maar omdat ik in de luipaarden was geïnteresseerd vond hij het leuk om met mij te kletsen. Wat Moti voornamelijk deed was luipaardendrollen verzamelen, de vindplaats van elk monster noteren en ze ontleden om te kijken wat die luipaarden hadden gegeten. Hij kwam elke dag langs om te kijken of er 's nachts luipaarden hadden rondgesnuffeld bij de kooien van het vee. Hij vond vaak luipaardsporen maar ook afdrukken van wolven, hyena's, vossen en steenbokken. Hij verzamelde de drollen in zakjes. Dan zei hij: '*Sjalom*, Vie-kie,' en liet hij me zien wat hij allemaal in de drollen had gevonden. In zijn belabberde Engels zei hij dan: 'Jij raden wat is.' Dan schudde ik mijn hoofd en zei Moti: 'Is vacht van steenbok hij eten.' Of hij zei: 'Dit is tand uit mond van, hoe zeg je, klapdas?' 'Van een klipdas,' zei ik, een bruin zoogdier ter grootte van een konijn dat in de buurt van de Ein Gedi-oase woonde. 'Klapdas is familie van elevant.' Dat was waar, wist ik van een college zoogdiergenetica dat ik lang geleden had gevolgd. Het beestje was befaamd vanwege de talrijke kenmerken die het met de olifant gemeen had, zoals hoeven, gevoelige voetkussens en slagtanden. Ik liet me door Moti alles uitleggen over de klipdas, over hun sociale structuur en hoe ze elkaar waarschuwden voor luipaarden en andere roofdieren zoals adelaars. Ik nam aan dat ik de enige vrouw was die hij ooit van zijn leven had ontmoet die dat interessant vond.

Het is ook goed mogelijk dat Moti een oogje op me had. Een tijdlang was ik bang dat hij zou proberen me mee te vragen voor een uitstapje, een trektocht door de natuur of erger nog, met het kabelbaantje naar de top van de heuvel om de ruïnes van Masada te bezichtigen. Ik wist niet wat ik dan moest zeggen. Ik vond dat ik eigenlijk eens naar Masada zou moeten gaan, maar het werd algauw duidelijk dat hij veel te verlegen was om me ooit iets anders te laten zien dan stukjes steenbokvacht of klipdastanden die hij in luipaardendrollen had gevonden.

Ik begon rusteloos te worden en een vreemde monterheid te voelen. Ik maakte lange voettochten rondom Ein Gedi. Ik zag overal steenbokken met hun spiraalvormige hoorns en klipdassen. Ik moest aan mijn honden denken die op wasbeertjes jaagden. Langzamerhand begon ik te overwegen wat ik moest gaan doen. Op sommige dagen rook ik de zurige stank van kippenstront en merkte ik dat ik er geen last van had. Op een dag zag ik een waas van heldergroene schimmel die op een hoopje geitenkeutels groeide. Ik vroeg me af hoe dat in 's hemelsnaam in de woestijnhitte kon groeien. Ik stond er voorovergebogen naar te kijken, opgetogen omdat ik verder geen enkele reactie voelde.

Na twee maanden kreeg ik echter nog steeds aanvallen van duizeligheid in de eetzaal. Ik had ook geleerd dat ik uit de buurt moest blijven van een vrouw die Ya'el heette en die een sterkgeurende shampoo en een geparfumeerde deodorant gebruikte. Dus besloot ik dat ik door zou gaan met geiten melken en kippen voeren. Ik schreef mijn ouders om te zeggen dat het goed ging en dat ik me beter voelde. Op een dag in oktober nam ik een bus naar het hotel bij Masada, waar ik een doosje met potjes zout en slijk uit de Dode Zee kocht om als cadeautje naar hen op te sturen. Uiteindelijk heb ik het zout en het slijk nooit gestuurd, wat ongetwijfeld het gevolg was van mijn kennismaking met Dillon.

Hij was een jonge Amerikaan, eenentwintig toen ik hem voor het eerst zag. Hij was samen met Moti gekomen en bleek Moti's kamergenoot in Ein Gedi's Centrum voor Veldonderzoek te zijn. Hij leek zo jong dat ik me niet kon voorstellen dat wat ik voelde enige consequentie zou kunnen hebben. Hij was zo jong als een derdejaars student. Ik zou over twee maanden dertig worden. Desalniettemin wierp ik één blik op zijn warrige blonde haar, zijn ronde gezicht, zijn magere armen, en ik bedacht dat ik misschien wel zo ver van mezelf vandaan was gereisd dat het niets meer uitmaakte wat ik zei of deed. Ik dacht dat ik misschien, als ik de kans kreeg, wel iets echt geks of overmoedigs zou doen. Die avond bekeek ik mezelf in een hoge spiegel, voor het eerst in ik weet niet hoe lang. Mijn golvende haar was veel langer en krulliger dan ik het ooit had gezien. De woestijnzon had mijn gezicht en armen en benen goudbruin gekleurd. Maar mijn onderlip was gebarsten en het leek wel of ik vijf kilo was aangekomen sinds ik me voor het laatst had gewogen. Ik draaide me om, keek naar mijn kont en die leek groter. Ik ben een ouwe vrijster, dacht ik. Later huilde ik mezelf in slaap.

Hij kwam twee dagen later weer met Moti. Die keer sprak hij me aan. Hij vertelde hoe hij heette. Toen ik vroeg waar hij vandaan kwam zei hij dat hij in Salt Lake City was opgegroeid. Hij had in Holland gewoond en daarna in Griekenland en hij woonde sinds het late voorjaar in Israël. Hield ik van motoren? vroeg hij, want hij had er een, een Suzuki die hij in Tel Aviv had gekocht toen hij hier aankwam. Ik zei dat ik nog nooit op een motor had gezeten. Ik zei dat ik geen motormiep was. 'Je zou het best kunnen zijn, volgens mij,' zei hij, en die avond keek ik weer in de spiegel. Er schoot een gedachte door me heen, iets van *ik ben verliefd op een blonde jongen uit Utah*. Ik draaide me weer om en keek naar mijn kont en toen botste ik tegen de plank waarop ik de potjes met zout en slijk uit de Dode Zee had gezet. Ze vielen alle twee kapot op de vloer. Ik pakte een bezem en veegde de boel op.

Om opnieuw zout en slijk uit de Dode Zee te kopen zou ik terug moeten naar het hotel. Ik had mijn ouders al een briefje geschreven om bij het cadeautje te doen. Nadat ik de geiten had gemolken en de kippen had gevoerd, liep ik naar het busstation langs de weg bij een openbaar strand dat deel uitmaakte van het Ein Gedi Natuurreservaat en vol toeristen zat. Sommigen lazen een krant terwijl ze op het diepblauwe doodse water dreven en anderen hadden zich helemaal met slijk uit de Dode Zee ingesmeerd. Ik was van plan om met de bus naar het hotel te gaan en was net het weggetje overgestoken dat naar het Centrum voor Veldonderzoek leidde toen ik hem zag op zijn motor. Hij kwam aangereden, zette de motor uit en stelde zichzelf voor, alsof ik vast was vergeten wie hij was. Voor hij was uitgesproken zei ik: 'Dat weet ik. We hebben elkaar een paar dagen geleden ontmoet, met Moti.'

'En heb je zin om te kijken of ik gelijk heb?'

'Waarover?' vroeg ik.

'Over jou op een motor.'

Ik vroeg: 'Wat zou ik dan zo fijn vinden aan een motor, volgens jou?'

Hij zei: 'Ik denk dat je het fijn vindt om heel hard te gaan.' Hij zei: 'Ik bedoel dat je van racen houdt.' Hij schudde zijn hoofd en sloeg zijn ogen ten hemel om zichzelf. Hij zei: 'Ik zeg maar niks meer voor je wegrent om alle mensen van de kibboets te waarschuwen.'

Maar ik rende niet weg. Ik vroeg: 'Waarvoor zou ik ze dan moeten waarschuwen?'

Dillon sloeg zijn magere armen over elkaar. Hij zei: 'Mijn zus zei vroeger in Utah altijd dat mensen me raadselachtig vinden. Maar dan doe ik mijn mond open en is het raadsel verdwenen. Ze zei altijd dat ik mijn kop moest houden als ik het niet zeker wist en gewoon aardig moest doen.'

'En daar ben je nu mee bezig? Met aardig doen?' vroeg ik.

Hij zei: 'Ik geloof dat ik nu bezig ben met stom doen, omdat ik je leuk vind en bang ben dat je me niet ziet zitten.'

Dillon was zo mogelijk nog slechter in flirten dan mijn ex-vriend Eerlijke Luke. Maar hij was anders dan Luke. Dat zag ik duidelijk. Ook een blonde *goj* maar totaal anders. Totaal mooi. Ik klom achterop.

Hij droeg geen helm en bood mij er ook geen aan. Ik sloeg mijn armen om zijn middel. We zeiden het volgende uur niets. Hij reed soms wel honderdveertig kilometer per uur volgens zijn snelheidsmeter. Ik keek naar het diepe doodse blauw van de Dode Zee en toen waren we voorbij de woestijn van Judea en reden we over het dofbeige plateau van de Negev. We reden naar het zuiden en ik pakte hem steviger vast. Ik wist niet zeker of ik wel van racen hield, maar ik wist wel zeker dat ik hem nooit meer los wilde laten.

Er was eens een natuurreservaat genaamd Hai Bar Yotvata. Het bevond zich bij Eilat in de zuidelijke Negev en had een tweeledige taak. De eerste was het behoud van bedreigde diersoorten in de woestijn. Zeldzame roofdieren als caracals, gestreepte hyena's, steppewolven en diverse soorten roofvogels werden in kooien gehouden. De meeste waren gewond geraakt of hadden problemen veroorzaakt zoals vuilnisbakken plunderen of te dicht bij mensen komen die bang voor ze waren. Dat onderdeel van Hai Bar was simpel. Het was in wezen een dierentuin langs de weg.

Het meer gecompliceerde aspect van Hai Bar was zijn fokprogramma, dat was opgezet om bepaalde dierenpopulaties opnieuw in de Negev te introduceren. Dat werd het herinvoeringproject van Bijbelse wilde diersoorten genoemd. Het idee was dat elk dier dat in de Bijbel werd genoemd ooit in theorie door de Israëlische wildernis had gezworven. Als er met dieren die elders waren gevangen of gekocht een fokstapel kon worden opgezet, dan zouden die Bijbelse species opnieuw geïntroduceerd kunnen worden.

In sommige gevallen was het bestaan van Bijbelse wilde diersoorten goed gedocumenteerd. Jeremia 2:24: *Een woudezelin, gewend in de woestijn, die naar de lust harer ziel de wind schept; wie zou zich van haar afkeren? Allen die haar zoeken zullen niet moe worden; in haar maand zullen zij haar vinden.* Men veronderstelde dat het dier dat daarmee overeenkwam een majestueuze soort wilde halfezel was die bekend stond als de Syrische onager, *Equus hemionus hemippus*. Die was door intensieve jacht in het Midden-Oosten uitgestorven en volgens rapportages voor het laatst waargenomen in 1936. De oprichters van Hai Bar hadden een veestapel van de nauw verwante ondersoort *Equus hemionus onager* verworven, ook bekend als de Perzische onager. Sommige waren met valstrikken in de Iraanse Khorason-woestijn gevangen en andere waren van de Amsterdamse dierentuin Artis gekocht. Sinds de jaren zeventig werden ze in een omheind gebied van 1600 hectare in het Arava-breukdal gefokt, en de eerste herintroductie van achttien hengsten en achttien merries in de wildernis van de Negev-woestijn had in 1982 plaatsgevonden, rond de tijd dat ik Luke probeerde over te halen om met mij naar het westen van Massachusetts te verhuizen.

Sommige andere correlaties waren veel vager. In het reservaat werd ook een kudde spiesbokken gefokt, witte, aan de woestijn aangepaste antilopen met lange rechte hoorns. Van opzij gezien kan het lijken of een spiesbok maar één hoorn heeft, en in de Bijbel staan verwijzingen naar eenhoorns. Het idee was dat de spiesbok daarmee overeenkwam. Ik hoorde dat allemaal van Dillon, die in Hai Bar voor ene Amnon Grossman werkte, een zwijgzame man van begin veertig met blauwe ogen. Amnon was een bioloog van het Israëlische Bureau voor Natuurreservaten die als beheerder van het park was aangesteld. Hij was lang en had zwart krulhaar dat altijd heel stoffig was. Hij had vier mensen in dienst, onder wie Dillon, en dat werden er later vijf toen ik erbij kwam.

Het kostte iets meer dan een uur om daar op Dillons motor te komen. Ik weet nog wat er door me heen ging toen Dillon het parkeerterrein van Hai Bar opreed, stopte en de motor uitzette. Ik had geen idee waar ik was. Misschien ging hij me wel als slavin verkopen. Ik weet nog dat ik dacht dat ik mezelf terug moest halen naar de werkelijkheid, dat ik me moest realiseren dat ik net roekeloos, zonder helm, samen met een jongen die ik niet kende door het land was gejakkerd en dat we ergens in een godvergeten uithoek schenen te zijn beland. Ik keek om me heen en zag wat mensen, wat me geruststelde omdat ik niet direct gevaar liep. Dillon wendde zich tot me en zei: 'Dit is waar ik werk. Ik denk dat je het hier zeker net zo fijn zult vinden als op een motor.' Toen stak hij zijn hand uit, streelde mijn arm en zei: 'Zie je wel? Je vond het heerlijk om te racen.'

Toen ik van de leren buddyseat stapte waar ik schrijlings op had gezeten stond ik te trillen op mijn benen. Ik begon te lopen, om het lopen, en ik voelde me letterlijk heel licht. Het leek of mijn voeten amper de grond raakten en ik dacht dat ik elk moment flauw kon vallen. Dillon riep naar de mensen die ik had gezien, twee mannen in uniform, leek het, die pratend en rokend tegen een jeep leunden. Ze spraken Hebreeuws. Ze droegen alle twee een bruine hoed met een platte rand en een trekkoordje. Ze zagen eruit als boswachters of parkopzichters. De oudste was groot en fors en had een harde stem. De jongste was ongeveer even groot maar dunner, met een donkerder huid. Beide mannen hadden een automatisch geweer over hun schouder bungelen. Ik zag ook een vrouw maar die stond binnen, achter een hordeur, naar ons te kijken. Toen voelde ik de lichtheid vervliegen en ik vroeg me af wat er net was gebeurd. Ik had het gevoel of ik net ergens heen was gegaan, onzichtbaar, en weer terug was gekomen.

Dillon stelde me voor aan de twee mannen. De jongste heette Yotam. De oudste noemde zichzelf bij zijn achternaam, Berstein. Hij zei: 'Noem mij zo, maar niet zoals Mr. Blondie mij graag noem.'

Dillon zei: 'Ik noem hem graag Mr. Grote Lelijke Beer.'

Berstein lachte luidkeels en zei: 'En wat jou naam?'

'Ik heet Vicky,' zei ik.

'Ah, Vie-kie,' zei hij. 'Je hebt gezicht als filmster.'

Ik bedankte hem, al vermoedde ik dat het een standaardbabbel van hem was.

'Waar kom je vandaan bij ons?' vroeg Berstein.

Ik zei: 'Ik woon in de kibboets Ein Gedi. Daarvoor woonde ik in Massachusetts.'

'En je ben filmster?'

Ik zei: 'Ik ben opgeleid tot dierenarts.'

'Dierenarts!' bulderde Berstein. 'Jij praat met Salzman als hij kom hier. Hij ook dierenarts. Hij drink zijn thee zonder de suiker. Hij kom uit Sfat, in noorden. Hij kom volgende maand met Amnon praten over plaatsen van nieuwe *pra'im* naar Makhtesh Ramon krater.'

Toen zei hij: 'Zo, Mr. Blondie, jij neem haar binnen. Jij toon haar de Hai Bar.' Hij keek me aan en zei: 'Hai Bar is park met dieren. Als dierentuin, behalve geen kooien. Je gaat in jeep met Mr. Blondie Boy uit Verenigde Staten en dan je zeg mij wat vind je over de *pra'im* als ze dichtbij komen. Dan als nog steeds verliefd op Blondie Boy je blijf bij hem en hij vraag jij struisvogelstront scheppen.'

Berstein moest hard lachen om zijn grap en drukte toen zijn sigaret uit op de motorkap van de jeep waar hij tegenaan had geleund. Tot dat moment had ik geen last van de rook gehad. En ook niet van stille Yotams reukwater.

We namen een jeep en reden door de poort het reservaat in. Dat was mijn eerste kennismaking met de dieren in het omheinde gebied. Een groep struisvogels kwam op ons afgestapt. Enkele van de beesten begonnen met hun grote wigvormige snavel op de voorruit te pikken. Ik schrok, maar Dillon vond het prachtig. Ik zag twee verschillende soorten spiesbokken en ook een stel wilde schapen met lange hoorns, de zogenaamde addaxen. De *pra'im* bleken de Perzische onagers te zijn. Dat waren de enige dieren waar we niet dichtbij konden komen. Ze hadden een helder wit achterdeel, poten en buik. De kleur van hun flanken varieerde van lichtbruin tot romig beige. We reden een halfuur rond binnen de omheining van het park en gingen toen terug naar het hoofdgebouw, waarna Dillon zei: 'Nu moet ik echt struisvogelstront gaan scheppen.'

Ik hielp hem ermee. Vijf uur later, nadat we in een restaurant in Eilat hadden gegeten, scheurden we met krankzinnige snelheid over de weg door het Arava-breukdal terug naar het noorden. Ik hield hem stevig vast. Ik had het koud. Er woei een westenwind door de vallei. De hemel was zwart en er was geen maan en de sterren fonkelden aan de hemel voor ons uit. Op een gegeven moment deed ik mijn ogen dicht en dacht: als ik nu doodga sterf ik gelukkig. Even later kregen we de lichten van de zoutfabriek aan de Dode Zee in het oog, en daarna reden we langs de oever van het meer. Links van ons lagen de steile rotsheuvels van Judea en rechts ving de gladde waterspiegel de reflectie van de sterren. Ik deed mijn ogen weer dicht en toen voelde ik de lichtheid weer door me heen tintelen. Dezelfde lichtheid die ik eerder had gevoeld, maar nu nog veel lichter. Ik stak een hand uit in de wind, voelde de lucht tussen mijn vingers stromen. Al die fiasco's van mij, dacht ik, en ineens was ik nergens meer bang voor.

Wat Dillons zus had gezegd was wel waar. Als je in Dillons ogen keek kon je een kolossaal raadsel bespeuren, en vervolgens begon hij te kletsen over welk nieuw plakplaatje hij op zijn motor zou doen. Of wilde hij de tekst van een nummer van Cheap Trick analyseren. Of wilde hij het over een aflevering van *In Search Of...* hebben, alsof dat televisieprogramma de waarheid in pacht had gehad over alles, van het monster van Loch Ness tot Toetanchamon. Op een keer vroeg hij of ik van mening was dat Lee Harvey Oswald in z'n eentje had gehandeld, en toen ik zei: 'Nee, natuurlijk niet,' kwam er een grote grijns op zijn gezicht en omhelsde Dillon me alsof wij de enige twee mensen ter wereld waren die er zo over dachten. Dat gezegd zijnde lag er toch altijd die blik in zijn ogen als hij stil was, die griezelige sereniteit waaromheen een onzichtbare orkaan scheen te kolken. Ik had genoeg meegemaakt om te weten dat wat ik van Dillons buitenkant zag niet hetzelfde was als wat ik uit de diepte van zijn wezen voelde opstralen. Ik wist dat Dillon op een verholen manier heel bijzonder was, dat hetgeen ik in hem voelde sluimeren geen projectie of hersenschim van me was.

Ik ging ervan uit dat het allemaal geleidelijk geopenbaard zou worden, dat ik geleidelijk zou merken wat wel of niet mogelijk zou zijn. Toen vroeg Dillon of ik hem wilde vergezellen op zijn wekelijkse inspectietrip naar de onagers die in Makhtesh Ramon, een woestijnkrater midden in de Negev, waren vrijgelaten. Die ene dag samen zorgde voor een versnelling van wat er tussen ons speelde die wel iets weg had van Dillons rijgedrag op zijn motor. Zijn werk in Hai Bar hield onder meer in dat hij een of twee dagen per week de activiteiten en het verspreidingsgebied van de wilde halfezels moest inspecteren. Ik ontdekte dat hij een haast bovennatuurlijke intuïtie had, die hem net zo goed van pas kwam bij het opsporen van de ezels als bij het manoeuvreren door zijn leven, zo scheen het. Wat ik die dag bij Dillon zag was wellicht mijn eerste glimp van de buitengewone aspecten die ik had aangevoeld. En het was ook denkbaar – en dat moet ik serieus in overweging nemen, niettegenstaande mijn cynische inslag – dat mijn pad met Dillon al lang geleden was voorbeschikt.

Makhtesh Ramon was door erosie ontstaan toen een vroegere zee zich langzaam had teruggetrokken. Het was een laagte van tweehonderd vierkante kilometer, met een bodem in een rijke schakering van aardetinten – rode en gele en bruine tonen die opgloeiden in de ondergaande zon. De onagers waren destijds uitgezet in de Saharonim-oase, een natuurlijke bron in de buurt van de zuidelijke wand van de krater. Sinds ze waren vrijgelaten was er een gestage stroom veldonderzoekers voorbijgekomen die de bewegingen en gedragingen van de ezels hadden geregistreerd. Of liever gezegd hadden geprobeerd te registreren. Onder degenen die een serieuze poging hadden gedaan was een postdoctorale student uit de Verenigde Staten die zijn eigen voorspellende model voor de sociale structuur bij de halfezels wilde toetsen in relatie tot hun ecologische habitat. Hij had onderzoek gedaan naar diverse kuddedieren binnen de familie van de paardachtigen, waaronder bergzebra's in Zuid-Afrika en wilde paarden in het Nevada-gedeelte van de Great Basin Desert. Hij had gemeend dat de onagers een perfect deelonderwerp van zijn onderzoek zouden vormen. De uitgezette populatie wilde halfezels kon als een gecontroleerde experimentele opstelling worden gezien waarbinnen de aan dor land aangepaste ezelgemeenschap verder zou evolueren. Na zes vruchteloze maanden had hij echter een rapport van één pagina ingediend bij het Israëlische Bureau voor

Natuurreservaten dat als volgt besloot: *Ondanks deze unieke situatie heb ik geconcludeerd dat de onagers niet bestudeerd kunnen worden. Ik had het gemakkelijker toen ik de wilde ezelsoort* Equus kiang *in de Nepalese uitlopers van de Himalaya volgde.* In feite was Amnon Grossman de enige die in staat was geweest om de onagers met enige regelmaat op te sporen. Hij had zelf twee jaar ervoor toezicht gehouden op de overplaatsing van de dieren van Hai Bar naar Makhtesh. Het was echter twee uur rijden van het park naar de krater, en Amnon had tijd noch zin om achter ze aan te sjouwen.

En toen verscheen Dillon Morley ten tonele. Hij trok een paar dagen met Amnon op, en toen hij ook het gebied binnen en buiten de krater had leren kennen was hij minstens zo kundig als Amnon. Omdat Dillon in Ein Gedi woonde was het voor hem veel dichterbij. Eén avond per week liet hij zijn motor achter in het Hai Bar-reservaat en reed hij in een van de groene jeeps van het Bureau voor Natuurreservaten terug naar huis. Dan stond hij de volgende dag vroeg op en reed hij de bochtige snelweg op die uit Judea voerde, door Dimona en dan zuidwaarts naar het woestijnstadje Mitzpe Ramon, vanwaar hij een verharde weg nam die naar de bodem van de krater voerde.

Toen vroeg Dillon of ik mee wilde gaan, twee weken na onze kennismaking. De eerste keer dat we door de pas genaamd Ma'ale Ha'atzmaut reden en langs de binnenwand van de krater door vier haarspeldbochten omlaag slingerden staat me nog helder voor de geest. Een kudde steenbokken huppelde omhoog tegen de steile kalksteenrotsen terwijl we afdaalden. Een vale gier zeilde door het luchtruim beneden ons, daarna op ooghoogte en toen hoog boven ons. Toen we bij de bodem van de krater kwamen sloeg Dillon af van de verharde weg en volgde een zandweg langs de noordkant van een lange, steile dagzomende aardlaag van kalksteen. Hij stuurde de jeep over een aantal droge rivierbeddingen, de zogenaamde wadi's, en reed oostwaarts over een vlak basaltachtig terrein naar een groep pikzwarte lavaheuvels die bekend stond als Giv'at Ga'ash. We vonden drie merries die samen in een wadi tussen de lavaheuvels graasden. Met behulp van subtiele kenmerken die hij uit het hoofd had geleerd – patronen van zwarte vlekken op hun achterdeel, littekens op hun flanken, een gehavend oor – identificeerde Dillon ze als Zilpa, Hagar en Esther. Het klinkt misschien wat dwaas, maar alle onagers moesten een Bijbelse naam hebben. Dat was een officiële verordening geweest van hoge natuurambtenaren in Jeruzalem, en waarschijnlijk was het handig om fondsen te werven.

Het was halfzeven 's ochtends. Ik zat de stille, sobere schoonheid van de woestijn in me op te nemen toen Dillon op zijn argeloze wijze zei: 'Ik zit me af te vragen. Hoe zou je het vinden als het snel zou gaan tussen ons?'

Ik vroeg: 'Wat tussen ons?'

Hij zei: 'Alles.'

'Eerlijk gezegd probeer ik daar niet al te veel over na te denken,' zei ik.

'Nou, dat heb ik wel,' zei hij.

'Wat heb je wel?'

'Veel over alles nagedacht.'

Ik moest eerst lachen maar besefte algauw dat hij het meende.

Ik zei: 'Ik geloof dat je daar wat meer over moet vertellen.'

'Er valt niet veel te vertellen,' zei Dillon. 'Ik weet bijna zeker dat jij de vrouw bent naar wie ik heb gezocht.'

'Je bent eenentwintig.'

Hij zei: 'Op een gegeven moment word ik wel ouder.'

Omdat ik niets anders wist te zeggen vroeg ik: 'Waar heb je allemaal gezocht?'

Toen vertelde Dillon me voor het eerst over zijn reizen. Hij zei dat hij vlak na zijn negentiende verjaardag de dringende behoefte begon te voelen om weg te gaan en, in zijn eigen woorden, uit het systeem te stappen waar hij deel van uitmaakte. Met geld uit het voor hem beheerde fonds trok hij naar Holland. Hij woonde een tijdje in Amsterdam en daarna in Den Haag. Hij staarde naar schilderijen in musea en doolde rond door oude kerken. Hij zag de eerste golf tulpen in bloei staan in de Keukenhof. Hij had een korte affaire met een artistiekerig, kettingrokend meisje uit Frankrijk. Op een middag nam hij de tram van Den Haag naar Scheveningen, waar hij een bezoekje bracht aan wat volgens hem misschien wel het abominabelste aquarium ter wereld was. Terwijl hij naar een ongezond ogende rog stond te staren – met een volgens hem een beetje groenige kleur van onderen – begreep hij dat het weer tijd was voor verandering. De volgende ochtend begon hij een reis naar Griekenland te plannen.

Hij woonde op Naxos, Kreta en Mykonos, in die volgorde. Hij bracht het grootste deel van die tijd door in afzondering, lezend. Hij las drie romans van Dostojevski, Heideggers *Zijn en tijd* en elk gedicht van Ezra Pound of T.S. Eliot dat hij kon vinden. Hij legde uit dat Dostojevski, Pound en Eliot alle drie antisemieten waren geweest. Martin Heidegger was nota bene lid geweest van de nazipartij. Dillon had hun werk gelezen in de hoop erachter te komen hoe die mannen tegelijkertijd visionair en moreel analfabeet hadden kunnen zijn. Ik vroeg of hij een antwoord had gevonden en hij zei nee.

Hij ging naar Israël toen hij *Misdaad en straf* uit had. Eerst betrok hij een flatje in Jeruzalem, waar hij zich onmiddellijk onderdompelde in de verschrikkingen die in het Yad Vashem Holocaustmuseum waren gecatalogiseerd. Daarna betaalde hij een gids om hem alle staties van de Via Dolorosa te laten zien. Hij zat dagenlang in de Kerk van het Heilige Graf naar de vermeende plek van Jezus' kruisiging te staren.

Hij vertelde dat allemaal terwijl we in de jeep tussen die lavaheuvels zaten en toekeken hoe de drie merries aan brem knabbelden en aan twee andere planten die Dillon bij hun Latijnse naam noemde, *Astragalus* en *Echinops*. Toen Zilpa uit de wadi klom en over de inktzwarte lavavlakte oostwaarts liep, zat Dillon wel vijf of tien minuten in zijn notitieboek te schrijven. Ik zat zwijgend naast hem en vroeg me af waarom zijn verhaal niet raar klonk, maar dat deed het niet.

Toen deed ik zoiets roekeloos dat ik er nu nog versteld van sta. Ik flapte eruit dat ik mezelf in slaap had gehuild op de dag dat ik hem had ontmoet. Ik zei dat mijn hart na één blik op hem op hol was geslagen van een woest verlangen, maar dat ik ervan uit was gegaan dat het nooit iets kon worden.

Hij zei: 'Nou, ik hield daarvoor al van jou.'

'Je kende me niet eens.'

Hij zei: 'Ik heb jou je geiten zien melken. Het heeft weken geduurd voor ik de moed wist op te brengen om Moti te vragen ons aan elkaar voor te stellen.'

'Toen hield je al van me?' vroeg ik.

'Ja,' zei Dillon.

'Je bent eenentwintig,' zei ik.

'Op een gegeven moment word ik wel ouder,' zei hij weer.

'En wat dan?' vroeg ik. 'Gaan we trouwen?'

Hij zei: 'Ik hoop het.'

Ik zei: 'Nou goed. Dank je wel dat je al je kaarten op tafel hebt gelegd. Kunnen we nu weer wat langzamer gaan?'

'Natuurlijk,' zei hij.

Hagar en Esther klommen ook uit de wadi en volgden Zilpa over de lavavlakte. Dillon pakte zijn notitieboek en begon weer te schrijven. Nu en dan keek hij even op om kwajongensachtig te lachen. Ten slotte lachte ik terug en snapte ik dat 'langzaam gaan' een gepasseerd station was en dat elke poging tot gas terugnemen louter een formaliteit zou zijn.

De volgende tien uur staken we wadi's over, klommen we over dagzomende aardlagen en slipten we over vlaktes van kalksteenslag. We alarmeerden trapganzen, gazellen, pofadders en agamen, en hij vond telkens sporen en mest van onagers. Als die nog vers waren speurde hij de weidse woestijn af met zijn verrekijker en ontdekte hij vage schaduwen die paardachtige silhouetten bleken te zijn. We vonden één grote groep – zeven merries, vijf ervan met veulens – die op een zandsteenvlakte liep te grazen die op Mars leek en bekendstond als de Rode Vallei. We troffen twee vrijgezelle hengsten aan, Samson en Noach, verscholen achter een tafelberg die bekendstond als Har Katum. We stuitten op de alfahengst, Abraham, die een zandpad verkende dat vroeger de route tussen Petra en Gaza was geweest van de specerijenhandelaars uit Nabatea. Gezien de wijze van verkennen van Abraham – hij zigzagde voortdurend en bleef vaak stilstaan om de reukklieren in zijn tandvlees te ontbloten – voorspelde Dillon dat de hengst Zebulon in de buurt was. Tien minuten later klom Zebulon uit een wadi vlak voor ons, wierp één blik op Abraham en ging er in volle galop vandoor. Het leek zo methodisch, zo zakelijk zoals Dillon de dieren opspoorde dat ik, als ik niet beter had geweten, had kunnen menen dat er honderden wilde halfezels door het gebied zwierven.

Toen de avond viel en de wind aantrok stuurde Dillon de jeep weer terug naar de verharde weg. We reden tegen de noordwand van de krater omhoog en toen we boven op het plateau kwamen was het net of we uit een oeroude wereld verrezen. We aten falafel in een cafeetje bij het busstation van Mitzpe Ramon. We stapten weer in de jeep en Dillon scheurde onwijs hard naar Ein Gedi. Ik deed mijn best om mijn nasmeulende gevoel van ontzag te verbergen terwijl ik met ongekende heftigheid met hem vrijde, waarna ik in een diepe slaap viel. Later werd ik wakker en zag ik dat hij de gegevens van de dag zat uit te werken terwijl hij luisterde naar en meezong met het nummer 'Too Shy' van Kajagoogoo op zijn walkman. Ineens waren we weer terug bij de volstrekt niet raadselachtige, haast nog puberende Dillon die zijn muziek zo hard draaide dat ik me afvroeg of hij gehoorproblemen had; de jongen van eenentwintig die van Holland naar Griekenland naar Israël was gereisd met een allegaartje van cassettebandjes van onder andere de Velvet Underground, Duran Duran en de volledige soundtrack van *The Muppet Movie*.

Maar ik wende gauw genoeg aan Dillons grillen en eigenaardigheden. Gauw genoeg was mijn enige angst iets wat overeenkwam met een voormalige stripper met rood haar en borstimplantaten – dat mooie, blonde Dillon op een dag een tot inkeer gekomen stripper of wie dan ook zou leren kennen en dat dit weinig goeds voorspelde voor zijn veel oudere vriendin, mij. Op een avond zaten we naar het diepe doodse blauw van het water van de Dode Zee te kijken en legde ik dat allemaal uit en zei Dillon op besliste toon dat ik me geen zorgen hoefde te maken. Ik vroeg of hij bepaalde angsten had en hij zei nee, hij zag onze toekomst helemaal voor zich. Kort na dat gesprek hoorde hij van Amnon dat er in Hai Bar een kamer leegstond. Hij vroeg of ik overgehaald kon worden om die samen met hem te delen, ook al was hij nog kleiner dan mijn kamertje in de kibboets. We stonden bij de kippenren van Ein Gedi toen hij het vroeg, en ik antwoordde: 'Vang je me op als ik spring?' Toen Dillon onzeker knikte zei ik: 'Dit heb ik altijd al willen doen.' Toen sprong ik in zijn gespreide armen en zei: 'Ik ben de jouwe.'

Het contact met Lillian verwaterde geleidelijk. Af en toe schreef ze een brief, maar het duurde weken voor ik haar terugschreef en na een poos kwamen er geen brieven meer van haar. Mijn ouders bleven wel schrijven. En een van mijn collega's van de veterinaire kliniek stuurde me een uitnodiging voor een bruiloft. Ik deed iets raars. Ik ging weg uit de kibboets Ein Gedi zonder een adres op te geven om post voor mij door te sturen. Ik schreef mijn ouders nog één brief om te zeggen dat ik weg was uit de kibboets en een poosje onbereikbaar zou zijn. Ik zei dat ze zich niet ongerust moesten maken en dat het steeds beter met me ging. Het was december, schreef ik, en een stuk kouder, zij het niet te vergelijken met de temperaturen in het westen van Massachusetts in deze tijd van het jaar. Ik weet niet waarom, maar dat vond ik voldoende informatie. Ik gaf hun ook niet mijn adres in het Hai Bar-natuurreservaat door.

We betrokken de kamer in Hai Bar en het leek wel of mijn lichaam dingen was vergeten. Het was bijvoorbeeld vergeten dat schimmel er slecht voor kon zijn. Het vergat te reageren op dingen als geparfumeerde zeep en kookgeuren en allerlei uitwerpselen van Bijbelse wilde dieren. Op een avond, toen Dillon terugkwam uit Eilat waar hij wat dingen had afgehandeld, kroop hij bij me in bed en zei: 'Laten we een kindje maken.' Ik zei: 'Een kindje?' Hij zei: 'Een kindje. Makkelijk zat.' En ik dacht: ja, het is makkelijk zat om een kindje te maken. Om een baby'tje te hebben, net als de babygazelle waarvan de moeder was doodgegaan en die we flesvoeding hadden gegeven. Behalve dat ons baby'tje geen wees zou zijn. 'Laten we een kindje maken,' zei ik, en dat herhaalde ik elke keer als Dillon op me klom en de pezige spieren in zijn spillebenen aanspande en geluiden maakte die niemand met wie ik ooit naar bed was geweest had gemaakt. Soms koerde hij, soms jammerde hij, soms brulde hij tegen me. Soms stortte hij zowat ineen als we klaar waren en viel hij meteen in slaap. Dan lag ik wakker en liet de ene golf herinneringen na de andere over me heen spoelen.

Ik zag mezelf als laatstejaars van de middelbare school bij een basketbalwedstrijd. Ik stak zo'n reuzenvinger van schuimplastic op en zat uitgelaten te joelen en wende me naar mijn vriendje, Neil, om met hem te zoenen. Ik herinnerde me een keer toen ik nog studeerde dat ik op een warme lenteavond lsd had genomen en ronddanste met zo'n Mardi Gras-kralenketting om en later inbrak in een collegezaal waar ik college gaf aan twee trippende jongens die om elk woord dat ik zei in een hysterische deuk lagen. Ik herinnerde me dat ik Luke leerde kennen in Ithaca waar ik in het roofvogelcentrum van de faculteit diergeneeskunde van Cornell University werkte. Hij kwam een gewonde steenarend fotograferen. Ik bedacht meteen dat Luke er een stuk leuker uit zou zien als hij zijn sikje afschoor. Ik herinnerde me *2001: A Space Odyssey*, een film waar ik dol op was en die Luke vreselijk vond, met name de scène waarin de man oud en eenzaam in een kamer zit, ergens in een verre uithoek van het heelal. Ik herinnerde me de spookachtige stilte op die plek voorbij alles, zo hypnotiserend en onrustbarend dat ik die laatste episode terugspoelde en nog een keer afspeelde toen Luke allang lag te slapen. Maar algauw werd ik niet meer melancholiek of nostalgisch van die herinneringen. Algauw begonnen al die herinneringen weg te zweven.

Ik was twee maanden zwanger toen ze weer verscheen, de vrouw die ik bij mijn eerste bezoek aan Hai Bar even door de hordeur had gezien. Ik vroeg hoe ze heette en ze zei Helena-Ariadne. Ze was lang en had blond haar. Later, toen ik naar de achtergrond van haar naam informeerde, vertelde ze dat haar vader klassieke talen had gedoceerd op Harvard en dat ze naar zijn twee favoriete mythologische halfgodinnen was vernoemd. Nog later zou ze me een hoop andere dingen vertellen, maar die dag in begin maart 1984 was ze naar Hai Bar gekomen om me over Dillon te vertellen.

Hij was met zijn motor verongelukt toen hij met meer dan honderdzestig kilometer per uur langs Ein Gedi noordwaarts scheurde, en zoals altijd had hij geen helm gedragen. Hij was vlak bij het strand van de Dode Zee van de weg geraakt en door de lucht gevlogen en tegen een steenheuvel te pletter geslagen, en niemand in het universum zou enige kans hebben gehad het ongeluk te overleven.

Maar hij had het wel overleefd, zei ze. Ze had het zien gebeuren. Ze stond bij een bushalte vlakbij toen het gebeurde. Zij was degene geweest die de ambulance had gebeld. Hij was naar een ziekenhuis in Jeruzalem gebracht. Hij was buiten kennis en lag, althans op dat moment, in coma. Maar hij ademde. Hij was diverse keren geopereerd.

Ik ging bij hem op bezoek. Ik zag zijn verminkte gezicht, zijn kneuzingen, de draden die aan zijn lichaam zaten. Ik ging zes dagen achtereen bij hem op bezoek en toen kwamen zijn ouders uit Salt Lake City. Ik kreeg het benauwd van zijn ouders. Ze maakten me nerveus en schenen te menen dat Dillon het niet lang meer zou maken. Ik vertelde dat ik hun zoon van het Centrum voor Veldonderzoek in Ein Gedi kende. Ik zei niet dat ik zwanger was van zijn kind. En toen was hij verdwenen, per vliegtuig overgebracht naar zijn ouderlijk huis in Salt Lake City. Ik bleef in ons kamertje in Hai Bar, waar ik werd getroost door Yotam, Berstein en een andere opzichter, Natan. Ik werkte voor Amnon, die kwam en ging. Ik wachtte tot mijn buik begon te zwellen. Twee keer die week kreeg ik bezoek van Helena-Ariadne. Ze waarschuwde me dat ik Dillon niet moest volgen. Ze zei dat zijn familie invloedrijk en gevaarlijk was, dat ik er goed aan had gedaan om hun niet over de baby te vertellen. Ze zei dat ze binnenkort achter hem aan zou gaan. Ze had daar een goede reden voor, zei ze, en ik was zo radeloos dat ik er verder niet naar vroeg. Ze zou op een gegeven moment terugkomen, zei ze, en dan zou ik horen wat er was gebeurd. Ze kon niet zeggen hoelang ze weg zou blijven.

Een van de onagers die nog in de reservaatfokkerij verbleef heette Jozef. Hij was makkelijk te herkennen omdat hij een veelkleurige vacht had, met roodachtig beige en wat gelig bruin en romig mosterdbruin. Zijn achterdeel, poten en buik waren helder wit, net als bij alle andere, maar vanwege zijn kleurrijke vacht was hij een van de weinige wilde halfezels in de reservaatkudde die je er zo uit kon pikken. Jozef was altijd Dillons favoriet geweest en hij noemde hem liever Mr. Rainbow.

Hoewel het veel eenvoudiger was dan proberen de nieuw uitgezette onagers in de Makhtesh Ramon-krater op te sporen, was er maar één manier om in de buurt van de Hai Bar-kudde te komen, namelijk door in een jeep langzaam achter ze aan te rijden door het omheinde gebied. Daar raakten ze op den duur aan gewend en dan lieten ze de jeep tot een meter of twintig of dertig naderen voor ze wegdraafden. Ik vond het fijn om op zoek te gaan naar de wilde halfezels, om door een verrekijker naar Jozef te staren, en ik kan het niet verklaren maar die simpele handeling hield me op de been, ondanks het uitblijven van nieuws van Helena-Ariadne. Ik heb geen idee hoe ik zo rustig kon blijven in die weken, die overgingen in maanden terwijl de baby in me groeide. Ten langen leste stortte ik in en schreef een brief aan mijn ouders. Ik schreef om te zeggen dat ik zwanger was, dat ik in een natuurreservaat woonde in de buurt van Eilat, de zuidelijkste stad van Israël, en overwoog om binnen afzienbare tijd terug te gaan naar de VS. Maar toen verscheurde ik de brief, en voor het eerst in die maanden na Dillons ongeluk voelde ik me eenzaam en miserabel. Ik schreef aan Lillian in plaats van aan mijn ouders. Ik vertelde haar alles. Dat al mijn kwalen waren verdwenen. Dat ik had gemeend het aardse paradijs in de woestijn te hebben gevonden met een jongen van eenentwintig uit Utah. Dat ik er zo van overtuigd was geweest dat het allemaal goed zou komen dat ik na Dillons ongeluk drie maanden lang rustig was gebleven, maar dat mijn zekerheid nu snel werd uitgehold. Moest ik terugkomen? vroeg ik Lillian in de brief. Was het mogelijk dat de symptomen terugkwamen als ik terugging? Hoelang moest je in de woestijn blijven als je die symptomen had? Moet je horen, schreef ik, en vertelde haar toen over de onager die Jozef heette. Ik schreef dat ik in elk geval Jozef nog had met zijn veelkleurige vacht. Maar ineens leek de hele brief onzinnig en verscheurde ik die ook.

Toen begon verreweg het vreemdste gedeelte van mijn verhaal. Diezelfde avond, slechts een paar uur nadat ik die brieven had verscheurd, trad ik in contact met de lange blonde vrouw, Helena-Ariadne, en begonnen we wat een gesprek leek. Het was bijna zoiets als dromen maar dan meer dagdromen. In mijn hoofd zei ik tegen haar dat ik nog steeds gezond was. In mijn hoofd vertelde ik: ik ben vijf maanden zwanger en ik hoef niet meer over te geven na het ontbijt. In mijn hoofd vroeg ik de lange blonde vrouw: moet ik naar huis gaan?

Ik had nog een studieschuld die ik moest terugbetalen. Ik had op medische gronden uitstel gevraagd en gekregen, maar na één jaar zou ik de afbetaling moeten hervatten. Ik had nog geld van de verkoop van het huis, maar dat zou ik nodig hebben als de baby kwam. Ik wist niet hoelang mijn gratis kost en inwoning in Hai Bar zou worden voortgezet, en op den duur zou ik ook mijn visum moeten vernieuwen. Of anders proberen Israëlisch staatsburger te worden. Ik zei die dingen in mijn hoofd tegen Helena-Ariadne en ze antwoordde.

Ze zei: het beste wat je voor jezelf kunt doen is blijven waar je bent.

Ik zei: de schimmel heeft mijn leven verziekt. Al mijn plannen. Ik was op de goede weg.

Ze zei: er is geen weg behalve voor iemand die je niet kunt zien.

Ik vroeg: wie ziet het dan, jij?'

Ze zei: de weg die je je verbeeldt is een schim die niet gevolgd kan worden.

Ben ik ook een schim? vroeg ik.

Ze antwoordde: nee.

Er was een spiesbok in het reservaat die bekendstond als Hermes. In tegenstelling tot de onagers hadden de spiesbokken geen Bijbelse namen gekregen. Ares, Nero, Ferdinand, Attila, Napoleon, Elizabeth, Hera en Isis waren enkele van de ongeveer twintig spiesbokken. Een mix van keizers, goden, godinnen, koningen, koninginnen.

Hermes was door een jongere spiesbok gespiest. Het was juli en de hete geïoniseerde wind genaamd de *hamsin* woei over de Negev. De dieren schenen agressiever te worden van de hete wind. We hadden Hermes in een box vastgezet. Naast me stond de dierenarts uit Sfat, Yeheskel Salzman, toe te kijken terwijl ik de wond schoonmaakte en hechtte. Hij was onder de indruk van mijn vakkundigheid, zei hij herhaaldelijk. Ik was de wond aan het verbinden toen er een auto het parkeerterrein van Hai Bar opreed. Ik luisterde maar half. Ik was te zeer met de spiesbok bezig. We wikkelden verbandgaas om Hermes' lijf zodat hij de hechtingen niet stuk zou kauwen. Toen keek ik op en stond ze vlak naast me. Haar haar was nu donker. Het was Helena-Ariadne. Ik had haar toen al zo vaak in mijn hoofd gezien dat ik eerst niet zeker wist of zij het wel was.

'Dillon is terug,' zei ze. 'Hij is hier. Maar voor je naar hem toe gaat wil ik met je praten.'

Toen was ik blij en bang en dankbaar. Ik zei dat ik zo klaar zou zijn met de spiesbok. Yeheskel Salzman zei: 'Ga maar. Ik maak het wel af.' Toen liep ik de box uit en begon te huilen.

Dillon was bij kennis, zei de vrouw na een korte stilte. Hij was in leven. Hij was al zes weken uit bed en liep weer, maar ze was nog met hem bezig. Het ging veel beter met hem dan toen ze met hem was begonnen, in mei. Het zou een tijd duren voor hij weer wist wie ik was, zei ze.

Ze ging me voor naar ons kamertje, waar ze hem heen had gebracht. Dillon zat op de stoel. Er liepen twee kromme littekens over zijn gezicht waar het was dichtgenaaid. Hij was minstens vijftien kilo afgevallen. Ze hadden zijn hoofd destijds kaalgeschoren en nu was zijn blonde haar net een borstel. Toen hij naar me opkeek zei Helena-Ariadne: 'Dit is Vicky. Zij is de vrouw die het kindje draagt dat jullie samen hebben gemaakt.' Dillon lachte naar me en zei: 'Je bent heel mooi.' Ik zei: 'Dank je wel.' Hij zei: 'Hallo.'

Ze bracht hem 's avonds ergens heen, maar overdag kwam ze terug met hem. Dan zat ze uren bij hem terwijl ik de dieren verzorgde. Hij was alert en heel spraakzaam, al zei de vrouw praktisch niets. Af en toe, als ik langsliep, keek Dillon met een glimlach naar me op. Op een keer was ik in de omheinde wei en liep hij zingend voorbij: *Getting to know you. Getting to know all about you.* Een andere keer hoorde ik dat hij de jingle van *The Muppet Movie* tegen Jozef stond te zingen, die hij sinds kort weer Mr. Rainbow noemde.

Er kwam een dag waarop de lange vrouw me apart nam en zei: 'Hij begint zich jou weer te herinneren, maar je moet begrijpen dat het niet dezelfde Dillon is. Of niet helemaal hetzelfde. Ik wil het aan hemzelf overlaten om het uit te leggen, als hij helder genoeg is en zich op zijn gemak voelt.'

Een andere dag zei ze: 'Hij wil je aanraken. Je buik voelen.'

Ik liet hem me aanraken.

Daarna zei ze op een dag: 'Hij wil dat je hem alles over de schimmel vertelt.'

Soms sloeg ik haar gade, de lange vrouw. Soms had ik de indruk dat ze zinderde of trilde. Soms hield ik mezelf voor dat het alleen maar het trillen van de hittewaas was. Soms dacht ik: die vrouw is niet echt. Andere keren kwam ik tot de conclusie dat ze deels echt was en deels een schim, of had ik het gevoel dat ze uit de kosmische ruimte kwam. Vroeg of laat zou ik mijn ouders bellen, en ook Lillian. Wat zou ik tegen hen zeggen? Zou ik zeggen dat mensen op kunnen lossen? Dat mensen uitgewist kunnen worden of vlak voor je ogen in rook opgaan? Dat mensen naar vreemde plaatsen kunnen reizen die je niet kunt bevatten? Dat mensen bij zeldzame gelegenheden werkelijk terugkeren?

Op een ochtend eind augustus schoor de vrouw die Helena-Ariadne heette al haar voormalige blonde en recentelijk donkere haar af. Kaal was ze nog steeds heel mooi. Misschien nog wel mooier.

Ze zei: 'Hij zou graag een nacht met je doorbrengen, naast je. Hij wil het over een paar dagen doen, als je er klaar voor bent.'

Ik zei: 'Dat zou ik heel fijn vinden.'

'Goed,' zei de vrouw. 'Nu moet ik je nog iets anders vertellen.'

'Ik luister,' zei ik.

Ze zei: 'Dillon heeft een lange beproeving achter de rug waarvan hij zich het meeste niet zal herinneren. Maar hij zal je stukjes en beetjes vertellen, en je moet niet bang zijn.'

Ik zei: 'Ik dacht dat hij weer in orde was.'

'Dat is hij ook,' zei ze.

'Stel dat zijn ouders komen?'

'Dat zal niet gebeuren.'

'Weten ze dat hij hier is?'

'Dat doet er niet toe. Nu moet je goed luisteren. Ik ga je wat instructies geven.'

Ik ging ervan uit dat die instructies over Dillon zouden gaan, over zijn verwondingen, zijn coma. Ik zette me schrap voor wat ik te horen zou krijgen. Ik dacht dat ze me misschien wat van de technieken zou leren die ze bij haar revalidatietherapie met hem had gebruikt. Haar instructies waren echter zowel eenvoudiger als meer omvattend, en ze hadden betrekking op mijzelf.

Ze zei: 'Op een dag, over een aantal jaren, zul je behoefte voelen om dit allemaal op te schrijven. Dan moet je jouw versie van wat er is gebeurd vertellen. Je zult niet alles meer weten, maar wat je nog wel weet zal belangrijk zijn.'

Ik vroeg waarom het belangrijk zou zijn. De vrouw zei dat het me zou helpen om dingen te snappen. Het zou mij en ook anderen helpen om te begrijpen op welke wijze de aaneenschakeling van gebeurtenissen waar ik deel van uitmaakte zou uitpakken. Ik vroeg of ze de schimmel bedoelde en mijn besluit om naar Israël te gaan en het tegenkomen van Dillon – was dat de aaneenschakeling waar ze het over had?

Ze zei: 'Onder andere. Deze aaneenschakeling is nog veel langer.'

'Hoe lang?' vroeg ik.

'Dat weet ik niet,' zei ze.

Ik wachtte op meer instructies maar die waren er niet. Ons gesprek was kennelijk afgelopen, dus stelde ik Helena-Ariadne nog één vraag. Ik vroeg of ze zich kon herinneren dat ze die ene avond ongeveer tweeënhalve maand geleden met mij had gesproken. Ze zei nee.

'Begin juni,' zei ik, maar ze keek me alleen maar aan.

Toen bukte ze. Ze gaf me een kus op mijn wang en zei: 'Je bent een sterke vrouw. Binnenkort ga ik weg en moet je het alleen rooien.'

Toen Dillon die avond terugkwam maakte hij een stille indruk. Hij liep met zijn ontspannen, slungelige passen over het parkeerterrein. Hij hief zijn hand boven zijn hoofd en wapperde met zijn vingers. '*Sjalom*,' zei hij. Het was de eerste keer dat ik hem een Hebreeuws woord hoorde zeggen. Het was de eerste keer dat ik bedacht dat ons ongeboren kind Hebreeuws zou leren spreken als we in Israël bleven. Het was de eerste keer, geloof ik, dat ik die woestijn als mijn thuis begon te zien.

Spoedig daarna hoorde ik een heleboel dingen. Hij vertelde me bijvoorbeeld over zijn redding uit het zomerhuis van zijn ouders in de bergen in Utah, waarvan de bijzonderheden schaars waren omdat Dillons kennis van het voorval beperkt was tot het summiere verslag dat Helena-Ariadne ervan had gegeven. Ik hoorde hem een bepaalde plek beschrijven waar hij wakker werd, daarna een andere, telkens met Helena-Ariadne naast hem die uitlegde dat ze hem een medicijn had toegediend dat de chemische processen in zijn hersenen die verantwoordelijk waren voor het bestendigen van zijn coma tijdelijk uitschakelde. Elke keer als hij wakker werd had het op een soort telereizen geleken of op tijdreizen, zei Dillon. Het duurde weken voor hij doorkreeg wat ze aan het doen was.

Ik weet van een parkeerterrein in Kalamazoo in Michigan, waar Dillon voor het eerst sinds zijn ongeluk heel even uit zichzelf wakker werd. Ik weet van een rit door de Badlands van South Dakota waar Dillon voor het eerst tegen haar begon te praten. Van een rit door de Pawnee Grasslands in het noorden van Colorado, waar Dillon luisterde terwijl Helena-Ariadne hem de namen van vogels leerde. Prairiegors, veldleeuwerik, holenuil, vink, plevier. Dat zijn de vogels van de westelijke prairie, vertelde Dillon me, alsof de namen een soort code waren. Van een eiland voor de kust van Maine waar Dillon zich realiseerde dat hij niet meer terugglee d in zijn coma. Van het geluid van blaffende zeehonden. Van wilde bosbessenstruiken die in sponzige moerassen groeiden.

Van de duistere geheimen van zijn familie, waarmee je op zich al een encyclopedie zou kunnen vullen en die misschien toch niet geloofd werden. Van dingen die zo absurd leken dat ik hem soms moest vragen om zijn mond te houden en de kamer uit moest en me afvroeg of een van ons gek was, of misschien wel wij allebei.

Van de veranderingen die Dillon had ondergaan, van de technieken die Helena-Ariadne had toegepast en die voor een re-integratie van zijn geest hadden gezorgd, zoals Dillon het uitdrukte. Hij had nog steeds zijn bovennatuurlijke intuïtie, kon nog steeds onagers vinden alsof hij ze met behulp van een kristallen bol opspoorde. De orkaan die ik in hem had bespeurd was echter veel bedaarder en merkte ik maar heel af en toe op.

In oktober van dat jaar werd onze dochter, Arava, geboren op een winderige ochtend in het Hadassah-ziekenhuis in Jeruzalem. Op de eerste dag van haar leven namen we haar mee naar de befaamde synagoge van het ziekenhuis waar we een poos naar de Chagall-ramen zaten te kijken.

Een halfjaar later trouwden Dillon en ik in Ein Gedi, en dat was ook de eerste keer dat ik familieleden van Dillon te zien kreeg, afgezien van zijn ouders. Zijn zus, Dee, was gekomen, en zijn tante Julia met haar tienerdochter Dara. De drie blonde sirenen, noemde ik ze weleens schertsend.

Het was ook in die lente dat er een aanslag op het leven van de beheerder van het reservaat, Amnon Grossman, werd gepleegd. Het schietincident vond plaats nadat hij was teruggekeerd uit de Gazastrook, waar hij was gestationeerd tijdens zijn *miluim*, wat het Hebreeuwse woord is voor de maand van actieve militaire dienst die alle Israëlische mannen elk jaar tot hun vierenvijftigste moeten vervullen. Ik heb de schietpartij niet gezien maar wel gehoord, waarna ik naar buiten rende en hem daar zag liggen, zijn overhemd en broek doordrenkt met zijn eigen bloed.

Amnon lag vijf weken in het ziekenhuis en overleefde de aanslag. Het jaar erop schonk zijn vrouw, Shoshanna, het leven aan hun zoon Yakov, die ze Yaki noemden. Hij en Arava groeiden samen op, bijna als broer en zus, vonden wij althans, tot hun tienertijd. Toen veranderde er iets, ofschoon het er misschien altijd al in zat, en ineens werd het duidelijk dat ze elkaar niet als broer en zus zagen. Hoe komt het dat ik geloof dat Helena-Ariadne dit allemaal had voorzien? Lag het zo voor de hand dat deze twee kinderen geboren zouden worden en verliefd op elkaar zouden worden?

Dillon en ik deden wat we moesten doen om Israëlisch staatsburger te worden. Hij verdiepte zich in de joodse leer en bekeerde zich officieel. Hij diende drie jaar verplicht in het leger. Sindsdien is hij één maand per jaar weg voor actieve dienst. Arava heeft ook in het leger gediend. Gedurende de twee jaar die Israëlische vrouwen verplicht zijn te dienen heeft ze als woestijngids in de Negev gewerkt. Yaki heeft dienst gedaan bij een telecommunicatie-eenheid op een legerbasis bij Tiberias, en toen hij zijn drie jaar had vervuld hebben ze samen een reis naar Nieuw-Zeeland gemaakt. Na hun terugkeer schreef Yaki zich in aan de Hebreeuwse Universiteit van Jeruzalem, waar Arava al studeerde. Ze woonden samen in Jeruzalem en zijn niet lang geleden getrouwd. Het voelt haast alsof ik een bezwering heb aangeroepen, een toekomst heb voorspeld die ook mijn eigen verleden is terwijl ik dit opschrijf. Yaki en Arava. Zij schijnen de ontknoping van dit verhaal te zijn.

Dillon heeft me eens verteld dat hij het gevoel had dat hij door vele werelden was gereisd teneinde terug te keren naar de onze, en dat hij stomverbaasd was wat hij zag toen hij terug was. Hij was ook stomverbaasd, zei hij, dat wat hij vanaf dat moment zou zien merendeels de dingen zouden zijn die we samen zagen. Ik ben nu vierenvijftig en Dillon is zesenveertig en hij luistert nog steeds naar harde muziek door zijn koptelefoon en ik vraag me nog steeds af of Helena-Ariadne nog eens zal verschijnen. Ik ben nog steeds benieuwd naar alles wat ik niet weet, en ik ben benieuwd waarom het belangrijk schijnt te zijn wat ik wel weet. Waarom ik blijf kijken hoe Dillon over het parkeerterrein van Hai Bar loopt. Waarom ik terugga naar dat ene moment alsof ik er door de zwaartekracht naartoe word getrokken.

Ik stond buiten en omklemde mijn buik. Ik zwaaide naar Dillon en zocht naar een lange, kale vrouw. Toen Dillon bij me was vroeg ik: 'Waar is ze?' en hij zei dat ze weg was. Ik zei dat ik die ochtend nog met Helena-Ariadne had gesproken. Hij zei dat hij het wist. Dat het hem speet. Hij was zenuwachtig geweest en had haar als boodschapper gestuurd. Als het oké was, zei hij, zou hij die avond graag naast me liggen. Hij zei dat hij me alles wilde vertellen, in één keer, maar ze had hem geïnstrueerd om het langzaam te doen omdat bepaalde dingen onmogelijk zouden kunnen lijken. 'Je moet me niet onderschatten,' zei ik, en toen schopte de baby in me. Ik pakte zijn hand en we begonnen te lopen, gewoon om te lopen, het maakte niet uit waarheen.

9

Het oude woud

In een verhaal van de Argentijnse schrijver Jorge Luis Borges verklaart een gevangengenomen tovenaar genaamd Tzinacán het volgende: 'De god voorzag dat aan het einde der tijden veel ellende en verval zou plaatsvinden, en hij schreef op de eerste dag van de Schepping een toverspreuk, die bij machte was dat kwaad te bezweren.' Naast de cel van de tovenaar staat een kooi met een jaguar erin. Zijn verhaal draait om zijn overtuiging dat de toverzin waarop hij doelde uit het vlekkenpatroon in de vacht van de jaguar kan worden afgeleid. Na jarenlang naar de jaguar te hebben gestaard komt hij tot een reeks van veertien ogenschijnlijk willekeurige woorden die hem, hardop uitgesproken, gelijkwaardig zullen maken aan de Schepper. Hij verkiest echter om die woorden niet te declameren maar in plaats daarvan kalm op zijn eigen dood en vergetelheid te wachten.

Mijn vrouw, Doris, heeft me dat verhaal lang geleden voorgelezen. '*Nu*, het is een raadsel,' zei ze toen het uit was. 'Hij lost het raadsel op maar wil ons niet de oplossing verklappen.'

Ik was het met haar eens, en dus leek het aanvankelijk de vraag of die tovenaar had besloten dat hij niet het recht had om de tekst hardop te lezen en het kwaad af te wenden, of dat het verhaal impliceerde dat verwoesting en verderf het lot van het menselijk ras zou zijn, niettegenstaande de vooruitziendheid van de god. Pas later realiseerde ik me dat het verhaal bij mij veeleer de vraag opwierp wat ervoor nodig is om iets te vinden wat is verborgen, wat verscholen ligt binnen datgene waar je elke dag naar staart. Misschien is de strekking van het verhaal dat je eerder diep dan ver moet zoeken als je geheimen van het heelal wilt ontsluieren, dat zodra een geheim is ontsluierd het zijn macht verliest tenzij een gedeelte ervan is achtergehouden. Ik heb het verhaal misschien wel tien keer overgelezen in de jaren sinds Doris is overleden, en in mijn dagdromen fantaseer ik dat ik de toverzin van de god heb herkend. Ik fantaseer dat ik de geheime woorden heb afgeleid uit de vormen van wolken of heb opgemaakt uit de hoeken tussen de takken van een eikenboom waar ik door mijn raam op uitkijk. En ik heb me afgevraagd wat ik moest doen. Ik heb gefantaseerd dat ik de woorden hardop uitsprak en evenzeer heb ik de vele redenen overwogen om te zwijgen. Het behoeft geen betoog dat daarmee de excentrieke wensdromen worden gesymboliseerd van een man die veel te veel literatuur en filosofie heeft gelezen. Beter gezegd, het zijn de gedachten van een oude man die in bed een luier moet dragen en die op sommige ochtenden amper zijn armen of benen kan bewegen.

Mijn naam is Maximilian Rubin, en tegen de tijd dat u dit allemaal leest ben ik misschien wel dood. Het is echter ook goed mogelijk dat ik dan nog leef, want dat ben ik wel van plan. Op mijn leeftijd wordt het leven echter broos. Ik heb angina en hartruis en de laatste tijd ook suikerziekte. Ik word al tien jaar bij elke beweging geplaagd door jicht. Ik ben twee keer getrouwd geweest en net deze week heb ik kennisgemaakt met mijn eerste achterkleinkind. Misschien bent u geneigd om te denken dat ik 'klaar' ben. In zekere zin is dat ook zo, veronderstel ik, maar ik ben het leven geenszins beu. Net als sommige (maar lang niet alle) mensen zou ik graag het eeuwige leven hebben. In mijn hoofd voel ik me nog vijfentwintig, en tien, en zestig, en mijn leeftijd, te weten vierennegentig. Geen wonder dat Descartes lichaam en geest gescheiden wilde houden. Hij had natuurlijk ongelijk, maar het voelt wel alsof de twee onafhankelijk van elkaar zijn. En als ik morgen te horen zou krijgen dat ik nog maar een maand te leven had zou ik ziedend zijn, verbijsterd, en enige tijd niet in staat om me aan mijn dagelijkse gewoonten en rituelen over te geven. Maar als de eerste schok was weggeëbd zou ik weer tot mezelf komen, en ik denk dat ik wel in staat zou zijn om de dood te accepteren, er een plan de campagne voor te bedenken en in te zien waarom de dood, zeker op mijn leeftijd, niet iets is om bang voor te zijn.

U zou het vermakelijk kunnen vinden – of niet – dat ik nu in het Charles Bierman Huis woon, een joods verzorgingstehuis in het stadje Montclair, New Jersey. Ik woon hier al tien jaar, sinds mijn vorige onderkomen, het Pine Manor Bejaardentehuis te South Orange, wegens bankroet in 1985 moest sluiten, kort na de dood van mijn geliefde Doris en de gebeurtenissen die ik voornemens ben hier op te tekenen. Ik schrijf dit allemaal handmatig uit op een houten bureautje waarop geen plaats is voor wat voor computer dan ook. Mijn slaapkamer meet grofweg twintig vierkante meter en aan een muur hangt een eenzame poster van Bavtah, een luipaard die vroeger wild rondzwierf in het bekken van de Dode Zee in Israël maar het laatste deel van haar leven in de dierentuin van het Hai Bar Yotvata Natuurreservaat heeft doorgebracht, bij Eilat. Uiteraard heb ik de vlekken van de luipaard aandachtig bekeken.

Bij wijze van nog meer inleidende informatie zou ik ook moeten vermelden dat ik zevenendertig jaar getrouwd ben geweest met mijn eerste vrouw, Natalie Rubin (geb. Weinberger), tot haar dood in het najaar van 1973. Onze zoon Michael woont in het dichtbij gelegen stadje Livingston, waar hij als arts werkzaam is. Onze jongste zoon, Daniel, is op veertienjarige leeftijd overleden aan leukemie, een voorval dat, tot mijn huidige grote verbazing, onverschrokken is beschreven in het enige boek dat ooit van mijn hand is verschenen, *De onzichtbare wereld*, gepubliceerd in 1963 door de reeds lang ter ziele gegane Temple Beth El Press te Hawthorne, New Jersey. In het boek heb ik gedetailleerd verslag gedaan van mijn gewoonte om met Daniel te praten, wiens aanwezigheid ik nog immer zo sterk voel dat ik me bij tijd en wijle heb afgevraagd waarom hij niets terugzegt. Ik heb Doris in het voorjaar van 1982 leren kennen, kort nadat ze op Pine Manor was komen wonen. Ze was in 1911 geboren in het onder Oostenrijkse heerschappij staande Galicië, dat in 1918 bij de Tweede Poolse Republiek werd gevoegd. Ze overleefde de Holocaust en kwam in 1945 naar de VS. In augustus 1982 namen we de benen naar Las Vegas om daar in het huwelijk te treden.

Indien u me had verteld dat ik mijn meest ware liefde op eenentachtigjarige leeftijd zou vinden, dan had ik u niet geloofd. Indien u me had verteld dat ik nu nog in leven zou zijn dan had ik misschien gelachen maar u daarna in mijn hart wel geloofd. Het lijkt bizar en in zekere zin verontrustend dat er bijna dertien jaar zijn verstreken sinds de lentemorgen waarop ik met Doris kennismaakte. Ook nu nog word ik wakker in de veronderstelling dat ik haar in mijn leunstoel zie zitten of slapen als ik mijn hoofd optil.

Doris was eenenzeventig toen we trouwden, wat tamelijk jong was binnen het scala van leeftijden in het Pine Manor Bejaardentehuis. Haar kinderen woonden echter ver weg en ze had al een paar jaar last van een soort duizeligheid die tot enkele valpartijen had geleid, waaronder eentje waarbij ze haar heup had gebroken. Na de revalidatie was ze naar Pine Manor gekomen, en ik wil hier aantekenen – voor het geval u mijn aantrekking tot Doris verkeerdelijk als iets ongepasts interpreteert – dat ik vanaf de eerste keer dat mijn blik op haar viel iets voelde wat ik nooit met Natalie had gevoeld. Ik voelde een aantrekkingskracht die aan hunkering grensde. Ik kreeg de idiote sensatie dat ik alles zou doen wat ze me vroeg. Ik voelde me aangetrokken door haar bitse manier van doen, die ook doortrokken scheen te zijn met kwetsbaarheid. Om maar te zwijgen van het feit dat haar mollige figuur precies strookte met wat altijd mijn type is geweest, ondanks mijn huwelijk met Natalie, die een en al knoken was. Ik onderkende dat ze, zoals de meesten van ons, diep gekwetst was geweest. In tegenstelling tot de meesten stopte ze dat niet weg, voelde ik. Ik begreep dat ik getuige was van innerlijke en uiterlijke schoonheid van grote klasse, dat deze vrouw op haar veertigste nog steeds hoofden had doen draaien, dat op haar dertigste de meeste mannen alleen al om haar ogen subiet voor de bijl gingen. Maar afgezien van dat alles kon ik een zekere weerklank tussen ons voelen. Ik voelde het bij ons eerste gesprek en ik voelde het toen ze voor het eerst over wijlen haar man Victor Schulman sprak, een bankdirecteur die in 1977 was overleden. Ze dacht liefdevol terug aan Victor, maar ik vermoedde dat ze hem niet miste. Ik voelde dat Victors karakter niet expansief genoeg was geweest voor Doris, en ik waagde het te geloven dat het mijne dat wel was.

Ik hoorde algauw over Doris' activiteiten als overlevende van de

Holocaust. Ze hield lezingen in plaatselijke synagogen. Ik ging naar twee van die programma's waarin zij en andere Holocaustdeskundigen korte voordrachten gaven en daarna als panel bij het discussiegedeelte optraden. Doris kon nuchter vertellen over nazi's die baby's opgooiden en uit de lucht schoten, over tweelingen bij wie gelijktijdig een arm werd afgezaagd in het kader van Josef Mengeles schandelijke experimenten, over een bekende Poolse zangeres die door vier mannen werd verkracht en daarna vermoord omdat ze niet helder bleek te kunnen zingen met een paardenbit in haar mond. Ik heb haar eens gevraagd hoe het mogelijk was dat ze zo emotieloos over voorvallen kon praten waarbij meer dan eens teergevoelige mensen uit het publiek de zaal moesten verlaten. Doris' antwoord op mijn vraag was simpel. Ze zei: 'Ik vertel dezelfde verhalen telkens weer opnieuw, dus ik raak eraan gewend, als verhalen. En ik heb het nooit over de ergste dingen die ik heb meegemaakt.'

Aan het einde van de winter van 1983, een halfjaar nadat we waren getrouwd, werd ze door een man uit Arlington, Virginia, benaderd die de verhalen van Doris en een groepje kennissen van haar die de vernietigingskampen eveneens hadden overleefd wilde verzamelen, als archiefmateriaal ten behoeve van het Holocaustmuseum dat in Washington D.C. was gepland. De meeste andere overlevenden met wie Doris contact onderhield woonden in de Catskills. Na wat op mij overkwam als een overdreven lange voorbereidingsperiode namen we een bus naar de Catskills teneinde de volgende morgen met de groep in een gecharterde bus te stappen en naar Arlington te reizen. Daar zou elke overlevende om de beurt een getuigenis over de Holocaust afleggen die op video werd vastgelegd. We zouden allemaal in een chique hotel verblijven, compleet met koosjer avondeten indien gewenst, waar een benefietavond zou worden gehouden waarop Doris en haar gezelschap de eregasten zouden zijn.

Op die tocht hoorde ik voor de eerste en enige keer het volledige verhaal van de wijze waarop Doris de jodenvervolging had overleefd. Ik zat bij haar in de studio toen haar relaas werd opgenomen, en de dingen die uit haar mond kwamen waren van het soort dat ik alleen in geschiedenisboeken had gelezen of in oorlogsfilms had gezien. Het is ondoenlijk om haar hele getuigenis hier te herhalen aangezien het ruim drie volle uren kostte om het op te nemen, maar ik zal proberen weer te geven wat mij als het meest memorabele trof, niet dat ook maar één woord van haar getuigenis me minder dan miraculeus toescheen. Ik wil ook vermelden dat ze, toen we de studio in gingen, tegen me zei: 'Het is lief dat je meegaat, Max, maar ik ben bang dat je me niet meer zo graag mag als je mijn hele verhaal hebt gehoord.' Ik dacht daar even over na en probeerde in te schatten hoe sterk ik in mijn schoenen stond. Ik besloot dat er geen enkel aspect aan Doris was waar ik beducht voor was. En ik kan u nu meteen vertellen dat ik gelijk had. Er was niets in haar getuigenis dat me ontgoochelde.

Ze vluchtte in de herfst van 1939 uit Warschau, na het begin van de Duitse belegering. Haar eerste echtgenoot, Pinchas, een wiskundeleraar en vooraanstaand inwoner van Warschau, was bang dat de nazi's hem zouden arresteren als hij niet naar het politiek neutrale Litouwen ontsnapte. Samen met Doris dook hij eerst onder bij familie in Wyszków, dat daarna door de Duitsers werd gebombardeerd, dus vluchtten ze door de bossen naar het stadje Jadów. Dat werd ook gebombardeerd en vervolgens trokken ze naar het noorden. Twee dagen na de inval van de Sovjets werden ze onderschept door soldaten van het Rode Leger, en nadat ze hadden uitgelegd – in een mengelmoes van Pools en stukjes Russisch en koortsachtige gebaren met handen en voeten – dat ze op de vlucht waren voor de Duitsers, werden ze in een goederentrein naar Bialystok gezet, waar ze een half brood kregen en toestemming van het stadsbestuur om de nacht op een overvolle vloer in een synagoge door te brengen. De volgende dag wisten ze van een boer met paard en wagen een lift naar Grodno te krijgen. Vandaar gingen ze noordwaarts en staken ze de grens met Litouwen over, dat nog vrij was. Uiteindelijk bereikten ze Kovno, waar ze algauw met duizenden andere Pools-joodse vluchtelingen waren.

Twee weken na hun aankomst, toen de Sovjets het hele oosten van Polen hadden bezet, voegden Doris' zus Hanna met haar man Jonah en hun vijfjarige dochtertje zich bij hen in Kovno. Pinchas en Jonah hadden aan hetzelfde gymnasium in Warschau lesgegeven en Jonah was twee jaar eerder, in 1937, uit de stad weggegaan en met zijn gezin bij zijn broer ingetrokken op diens boerderij in een dorpje op de noordoever van de rivier de Bug. Toen Russische soldaten Jonahs broer kwamen halen was hij met zijn gezin de nacht in gevlucht. Hij had niet meer dan veertig seconden gehad om zijn vrouw en dochtertje naar de schuur te sturen, zijn noodrantsoen met eten, water, wat gereedschap, Amerikaanse dollars en Poolse zloty's te pakken en ook naar de schuur te hollen. Binnen tien minuten werden zijn broer, Lejb, en zijn schoonzus, Idel, met een geweer in de rug weggevoerd. Hij nam aan dat ze naar een werkkamp in Siberië waren gedeporteerd en dat de Russen de boerderij hadden genaast.

Pinchas en Jonah hadden samen genoeg geld bij zich om een piepklein kamertje voor hen vijven te huren in een flat die in totaal zevenentwintig Pools-joodse vluchtelingen herbergde. Ze wisten wat werk als privéleraar te regelen. Beide mannen bezaten ook enige vaardigheid als timmerman en konden daarmee ook wat klussen binnenhalen. Ze overleefden doordat ze van aanpakken wisten. Het viel Doris op dat de man van haar zus, Jonah, heel charismatisch was, wat erg goed van pas kwam als ze dekens of schoenen en dergelijke nodig hadden. Ze kregen steun van de plaatselijke joodse gemeenschap en van diverse liefdadigheidsinstellingen, die soep uitdeelden en andere voorzieningen boden en vluchtelingen hielpen weg te komen uit het door oorlog verscheurde Europa. Vroeg of laat zou Litouwen worden opgeslokt door Duitsland of de Sovjet-Unie; iedereen in Kovno begreep dat.

Pinchas en Jonah probeerden alle twee een visum te bemachtigen en een overtocht naar het westelijk halfrond of Palestina te regelen, maar uiteindelijk slaagde alleen Jonah daarin. Eind juli 1940, ongeveer een maand nadat de Sovjets Kovno hadden ingenomen, verzekerde hij zich van een gezinsvisum voor doortocht naar het Verre Oosten via Japan. Na al die maanden als vluchteling was het weinige spaargeld waarmee hij en Pinchas destijds waren gearriveerd echter allang op. Hij diende een financieringsaanvraag in bij het

American Jewish Joint Distribution Committee, dat hem twee maar geen drie reisbiljetten voor de treinreis door Siberië kon toekennen. De kaartjes zouden toen door Jonahs vrouw en dochtertje worden gebruikt. Doris, Pinchas en Jonah zouden achterblijven, in de veronderstelling dat ze een extra toelage zouden krijgen en spoedig konden volgen. De maanden erna verstreken echter zonder succes en tegen het einde van 1940 was het buitengewoon lastig geworden om nog uit het door de Sovjets bezette Litouwen te ontkomen. Alle liefdadigheidsinstellingen en behulpzame buitenlandse consulaten waren door de Russen het land uitgezet, en de druk op de vluchtelingen om de Sovjet-Russische nationaliteit aan te nemen – en daarmee het recht op emigratie te verspelen – werd steeds groter. Jonah en Pinchas hadden contact gelegd met de verzetsbeweging in Kovno en overwogen om naar het zuiden te vluchten met het vage idee om te proberen naar Palestina te ontkomen. Tegelijkertijd waren ze bezig om valse identiteitsbewijzen op de kop te tikken waarmee ze voor Litouwers zouden kunnen doorgaan en zodoende de noodzaak om zich te laten naturaliseren te omzeilen. Dankzij hun connecties met de verzetsbeweging lukte dat laatste plan, waardoor het minder urgent leek om te vluchten.

Eind juni 1941 lijfden de Duitsers Litouwen in. Nog geen dag na de invasie beschuldigden antisemitische Litouwse extremisten die zichzelf vrijheidsstrijders noemden de joden in Kovno ervan dat ze Litouwen aan de Sovjets hadden overgedragen. Ze gebruikten dat als excuus voor terreuracties en moorden. Gedurende twee dagen van onophoudelijk geweld werden talloze gruweldaden gepleegd. Ook werden er mensen gearresteerd, en die hele zomer werden de joden uit Kovno met duizenden tegelijk naar het Zevende Fort gebracht, een van de negentiende-eeuwse Russische forten rondom de stad, waar ten slotte naar schatting zevenduizend mannen werden vermoord en in massagraven gedumpt. Op een of andere manier had Doris hoop gehouden, beweerde ze. Zij, Pinchas en Jonah hadden geloofd dat alles weer tot rust zou komen na die eerste uitbarsting van geweld. In die tijd hoorden Pinchas en Jonah van werk waarvoor vijfhonderd joodse intellectuelen werden gezocht.

Ze solliciteerden. Het zou om archiefwerkzaamheden gaan in het gemeentehuis van Kovno. In de hoop op de lijst te komen hadden ze zich tot iedereen gewend van wie ze meenden dat hij misschien enige invloed kon aanwenden. Het zouden de vijfhonderd beste, knapste joodse intellectuelen van de stad zijn, en toen ze vernamen dat ze tot de mannen behoorden die waren uitgekozen, vonden ze dat ze ontzettend veel mazzel hadden gehad. De selectie was uitgevoerd door zogenaamde Litouwse nationalisten die de menigte mannen op 8 augustus 1941 bijeenriepen om hen naar hun werk te begeleiden. Later die dag kwam het nieuws dat die zogenaamde nationalisten gewoon extremisten en andere gewapende criminelen waren die door de Duitse veiligheidsdienst waren gerekruteerd om de uitverkoren joden naar een van de Russische forten buiten de stad te brengen en hen daar dood te schieten. Doris besloot dat gedeelte van haar getuigenis met de opmerking dat ze sindsdien elk jaar op de ochtend van die dag in augustus wakker was geworden en naar het toilet moest om over te geven.

Vier dagen nadat Pinchas en Jonah waren vermoord verhuisde Doris naar het getto van Kovno. Ze woonde daar van augustus 1941 tot en met juli 1943. Ze beschreef nog twee gruwelijke slachtingen die in het najaar van 1941 plaatsvonden. De eerste speelde zich eind september af. Er werd een selectie gemaakt van ongeveer duizend mannen, vrouwen en kinderen uit het getto, waarna deze joden werden weggevoerd en bij het Negende Fort werden doodgeschoten. Drie weken later kreeg de Joodse Raad van het getto het bevel om alle inwoners op het plein te verzamelen. Die keer werden er meer dan tienduizend de stad uitgebracht en in groepen met machinegeweervuur afgeslacht, waarna ze in grote kuilen bij het Negende Fort werden begraven. Dat werd door joodse overlevenden uit het getto van Kovno aangeduid met 'de Grote Actie'. De twee jaar erna vonden er geen grootschalige executies meer plaats.

Ik heb deze gebeurtenissen in grote lijnen beschreven omdat ik verder wil naar wat mij de onvoorstelbaarste en wonderbaarlijkste gedeeltes van Doris' verbijsterende getuigenis toeschijnen, te beginnen met haar tijd in het getto van Kovno. Hoewel het gettoleven in één woord afgrijselijk was, vonden er ook enkele minder bekende, verrassende activiteiten plaats. Zo was er een orkest dat in de zomer van 1942 optrad, en in datzelfde jaar werd een vakschool opgericht. Doris had als meisje in een *jesjiwa*-koor in Warschau gezongen en werd door de Joodse Raad aangezocht om een koor van gettokinderen te leiden. Ze stelde dat het toen een betrekkelijk gelukkige tijd was. Onder auspiciën van de vakschool leerde ze de kinderen zingen en leidde ze uitvoeringen waarin ze zelf ook zong. Toen vielen nazisoldaten eind juli 1943 binnen tijdens een voorstelling, en voor ze het wist was ze samen met de veertien kinderen van het koor opgepakt en werden ze binnen twee dagen op een trein gezet die eerst naar Vilna ging en daarna zuidwestelijk door Grodno en naar het voormalige Polen. Misschien omdat ze zich de chaperonne van de kinderen voelde hield ze haar hoofd koel en kreeg ze geen zenuwinzinking zoals veel andere volwassenen in de overvolle wagon van de trein die, zo vond ze na de oorlog uit, op weg was naar Treblinka. De kinderen waren gelukkig niet zo bang als de volwassenen. Een van de oudere jongens had haar ingefluisterd dat de schuifdeur van de treinwagon niet op slot was gedaan, en toen herkende ze de *puszcza*, het oerbos dat zich ten noorden, oosten en zuiden van Bialystok uitstrekte. Toen de trein door dat oude woud reed, vroeg ze de jongen om vijf kinderen uit te kiezen die volgens hem een goede kans hadden om in het woud te overleven. Het nazibeleid was sinds de zomer geen geheim meer en dus wist ze tot op zekere hoogte wat alle gevangenen in die trein te wachten stond.

Doris was eenendertig. Hoewel ze destijds flink onder haar gewicht was, was ze nog wel in betrekkelijk goede conditie, net als de kinderen. Toch had ze zich afgevraagd of ze allemaal wel fit genoeg waren om uit een rijdende trein te springen. Ze verklaarde in haar getuigenis dat ze bijna verzuimde om het sein te geven, dat ze het stuk donker, dicht woud zag dat haar de beste plek had geleken en toen bedacht dat het misschien beter voor de kinderen zou zijn om snel te sterven, in plaats van in de bossen te verhongeren. Maar toen dacht ze aan de verschrikkingen waarvan ze in het getto getuige was geweest en aan de gruwelen die haar waren verteld door mensen die er de voorkeur aan gaven om niet de ogen te sluiten voor de dingen die gebeurden. En toen gaf ze het. Ze gaf het sein. Vijf kinderen sprongen en toen nog eens vijf en toen bleek dat alle veertien kinderen wisten wat er stond te gebeuren. Ze sprong als laatste en toen klonken er al salvo's van geweerschoten. Ze kwam op de harde grond terecht en maakte door haar vaart een koprol en sprong snel overeind en keek rond. Drie kinderen die vlak voor haar waren gesprongen waren door een hagel van kogels neergemaaid, maar er waren ook twee jongens die naar de beschutting van het bos renden. Ze volgde de jongens de *puszcza* in, vertelde Doris. Dat waren de laatste resten van het immense woud dat zich vroeger over een groot deel van Europa had uitgestrekt. Ze rende tussen de bomen aan de rand van het bos in de hoop de andere kinderen te vinden. Ze vonden één meisje, dat vertelde dat geen van de andere kinderen met wie ze uit de trein was gesprongen het bos had gehaald. Doris vertelde de kinderen dat ze in de *puszcza* waren, een oeroud woud dat vroeger het privéjachtdomein van de Russische tsaren was geweest die er op herten, elanden, everzwijnen en Europese bizons jaagden, de zogenaamde wisenten. Ze verklaarde in haar getuigenis dat ze het tegen de kinderen maar niet over de beren en lynxen en wolven en andere roofdieren had gehad. Ze zei dat ze het woud lang geleden als heilig was gaan beschouwen, en ze geloofde dat de heilige dieren die er leefden het niet zouden wagen hen aan te vallen.

Ze leidde de drie kinderen dieper het woud in. Het viel haar weer in dat ze hen mogelijk alleen maar naar de hongersdood leidde, zoals ze al had gevreesd. Ze wist ook dat het bos door groepen Duitse soldaten met afgerichte honden zou worden uitgekamd als er alarm werd geslagen na de ontsnapping. Het zou niet zo moeilijk zijn om de plek vast te stellen waar de kinderen waren gesprongen, aangezien de meesten van hen dood of stervend langs de spoorlijn lagen.

Ze liepen urenlang, en toen de dag aanbrak kwamen ze bij een reusachtige omgevallen eik die met zijn wortels een natuurlijke holte in de aarde had gevormd. Ze verzamelden takken van groenblijvende bomen om de holte af te dekken en verscholen zich daar en sliepen het grootste deel van de dag. Toen de avond viel gingen ze weer op pad. Doris had nog steeds geen idee waar ze heen ging. Ze had maar één plan: om diep het bos in te trekken. Op de derde dag, toen ze bij zonsopgang samen met de drie kinderen een rustplaats zocht, hoorden ze stemmen Russisch praatten. Ze verscholen zich en stuurden Rivka, de lichtvoetigste van hun groepje, eropaf om te kijken aan wie de Russische stemmen toebehoorden. Toen Rivka terugkwam vertelde ze dat er drie mannen waren die leden van een partizanengroep leken te zijn.

Ze liet de kinderen achter in hun schuilplaats en ging erheen. Ze wist dat joodse vrouwen vaak door groepen partizanen werden verkracht, en ze wist niet wat er van de kinderen zou worden. Ze sloop naderbij en zag de drie mannen en riep naar hen in haar beste Russisch. Ze zei dat ze met drie anderen uit een nazitrein was ontsnapt en zich bij de verzetsbeweging van de partizanen wilde aansluiten. Een van de mannen lachte haar uit. Een andere man zei: 'Dobrusz?' Dat was Doris' naam in het Pools. Ze herkende Jankiel Fischman en zijn jongere broer, Anszel, die naar haar glimlachte. Toen sprak de man die haar had uitgelachen in het Pools. 'Hebben jullie wapens?' vroeg hij, en Jankiel Fischman zei: 'Dit is Dobrusz Werblonsky, getrouwd met Pinchas, die lesgaf aan het gymnasium in Warschau.' De andere man zei: 'Als ze geen wapens hebben kunnen ze zich niet bij ons aansluiten. En zeker niet als het alleen maar een stel uitgemergelde meiden zijn.'

Doris legde uit dat ze zich met drie kinderen schuilhield. Ze waren allemaal kwiek en fit en lenig. Ze konden tot goede spionnen getraind worden. De man zei: 'Je hebt geen wapens en je hebt geen eten en je reist met drie kinderen?' Hij wendde zich tot Jankiel en zei: 'Sorry, maar dat gaat niet gebeuren.' Toen richtte de man zijn pistool op Doris, maar voor hij kon schieten, als hij inderdaad een kostbare kogel had willen verspillen, bracht Jankiel de kolf van zijn geweer neer op de man zijn hoofd. Terwijl Doris verbluft toekeek, sloeg Jankiel de man net zo lang met de geweerkolf op zijn hoofd tot zijn schedel was ingeslagen en hij duidelijk dood was. 'Ga de kinderen halen,' zei Jankiel. 'We begraven die Wit-Russische klootzak en dan kun jij zijn twee pistolen en zijn messen nemen en gaan we terug naar het kamp en zeggen we dat jij en de kinderen gewapend zijn. We zeggen dat Alexy zich van ons heeft afgescheiden en dat we verwachten dat hij tegen de avond terugkomt.' Toen Doris zich omdraaide zag ze dat de drie kinderen er al aankwamen.

Doris bleef die hele winter in het woud. Ze knipte haar haar af zodat ze eruitzag als een man, en ze leerde met een pistool te schieten en als de wind te rennen en zich meteen te verstoppen bij elk teken van Duitse soldaten of Russische boeren die hen zouden kunnen uitleveren. Met de twee jongens ging het goed, al verloor ze hen uit het oog. Het meisje, Rivka, dat vijftien was, leefde niet lang. Minder dan een maand na de toevallige ontmoeting met Jankiel en Anszel werd Rivka door Russische partizanen verkracht, door haar buik gestoken en voor dood achtergelaten. Ze had het verdrongen, zei Doris. Ze had verdrongen dat dat meisje, dat zo'n mooie sopraanstem had, een van haar lievelingskinderen van het koor was geweest. Ze had verdrongen dat ze tegen het meisje had gezegd sterk te zijn en vertrouwen te hebben in het oude woud, dat de *puszcza* haar in staat zou stellen te overleven.

In mei 1944 werd Doris door Duitse soldaten opgepakt. Ze was verlinkt door een dorpeling die ze voor een bondgenoot had aangezien. Twee weken ervoor had haar verzetsgroep in het woud drie soldaten aangevallen en gedood die op herten jaagden. Naar aanleiding daarvan was er een speciale eenheid gevormd om het oude woud met behulp van honden en antisemitische boeren te 'zuiveren'. Doris werd in haar eentje gevangengenomen in een dorp. Ze ontkende dat ze bij het verzet zat maar niettemin stond ze perplex dat ze niet ter plekke werd geëxecuteerd. Ze begon te vrezen dat haar een nog erger lot te wachten stond. Ze had verhalen gehoord over aanranding en marteling door sadistische Duitse soldaten in het gebied, maar binnen een dag was ze in een veewagon geladen en met andere gezonde mannen en vrouwen, voornamelijk niet-joden, naar Auschwitz-Birkenau gedeporteerd.

Doris verklaarde in haar getuigenis dat haar herinnering aan de acht maanden die ze in Auschwitz doorbracht heel wazig was. Er was iets met haar hersens gebeurd. Het was alsof haar hersens weigerden nog meer indrukken op te nemen. Alsof één enkele herinnering alle andere had verdrongen. Dat was haar herinnering aan wat Doris 'de auditie' noemde, die een paar weken na haar aankomst plaatsvond. Een SS-officier had bekendgemaakt dat elke vrouw die goed kon zingen naar deze auditie moest komen, en dat elke vrouw die zangervaring bleek te hebben maar niet op kwam dagen zou worden opgehangen. Doris was een van de zes vrouwen die zich voor de auditie hadden aangemeld. Onder hen was een bekende operazangeres uit Warschau die door de officieren was herkend. Misschien was de ontdekking van de beroemde joodse vrouw in het kamp wel de aanleiding voor de audities geweest. Het lot van deze vrouw heb ik al vermeld. Ze moest als eerste auditie doen, en toen ze naar voren stapte werd ze gelast al haar kleren uit te trekken. Een van de SS'ers haalde een hoofdstel tevoorschijn. Het bit werd in haar mond geduwd en toen beval een officier haar om te zingen. Ze beschimpten de naakte vrouw en jouwden haar uit, en ten slotte pakte een van de mannen een stok en sloeg haar zo hard op haar achterste dat ze viel. De mannen stortten zich op haar en verkrachtten haar met stokken en geweren, en toen vuurde een van hen een kogel in haar anus en grapte dat dat de manier was om een beroemde joodse vrouw lekker hard te naaien. Ze lieten haar verscheidene minuten krijsen en kronkelen voor ze een tweede keer werd neergeschoten en gedood. Toen de volgende vrouw werd gevraagd om te zingen volgde een soortgelijke scène, hoewel hierbij geen bit werd gebruikt. In plaats daarvan moest ze zingen terwijl een SS'er de loop van een geweer in haar keel stak. Het was snel duidelijk geworden, zei Doris, dat de auditie gewoon een spelletje was dat die officieren hadden bedacht om wat lol te maken, zoals zij het zagen.

Doris bleek de laatste van de zes vrouwen te zijn om 'auditie' te doen. De andere vijf – drie van hen dood, twee levensgevaarlijk gewond – waren naar de ziekenzaal gesleurd. Toen de SS'er haar gelastte om te zingen, weigerde Doris. Ze had zich schrap gezet voor de sadistische aanranding die ze zou ondergaan, maar die kwam niet. De SS'er gelastte haar nogmaals om te zingen. Hij zei dat hij elke derde vrouw in haar barak die avond zou laten ophangen als Doris niet zou zingen. Dus begon ze te zingen en wat uit haar mond klonk was de partij die Rivka, het tienermeisje dat ze het woud in had geleid, had gezongen toen het koor 'Sjalom Aleechem' had uitgevoerd. De andere vrouwen hadden in het Duits of Pools gezongen maar zij zong in het Hebreeuws, en ze rekende erop dat een van de Duitsers haar een kogel door haar keel zou schieten. Maar ze zong tot de officier haar beval te stoppen, en toen keek hij naar een andere officier, trok een gezicht en barstte in lachen uit. 'Die jodin zingt een joods lied voor ons!' zei hij. 'Ik geloof niet dat ik ooit zo'n grap heb meegemaakt!' Hij was onmiskenbaar de hoogste officier van de aanwezigen want de anderen begonnen ook te lachen. 'Zing het nog een keer!' schreeuwde hij. Doris stelde zich Rivka voor in het woud zoals ze in de schaduw en beschutting van een reusachtige omgevallen eik lag te slapen, en zong het toen nogmaals. Ze zong het luider en de officier zei: 'Dit is een jodin die dood wil, dus laten we haar leven en zingen.' De andere SS'ers schaterden het weer uit. 'We zullen je niet laten sterven, tenminste nu nog niet,' zei de officier. 'Gefeliciteerd,' vervolgde hij, 'je bent geslaagd voor de auditie. We zullen je te eten geven en je weer laten opbloeien. Daarna zullen we een bevredigende manier bedenken om je te doden.' Meer gelach. Ze kreeg een glas water en een stukje gerookte worst. Ze werd ongedeerd teruggestuurd naar haar barak. Gedurende de volgende zeven maanden, tot de bevrijding van het kamp, nam de SS-officier haar in bescherming. Af en toe werd ze opgeroepen voor een nieuwe 'auditie', en elke keer rekende ze erop dat ze als tijdverdrijf gedood zou worden. Ze verklaarde dat het merkwaardige was dat ze de officier consequent neerbuigend bleef bejegenen. Bij meer dan een van die audities had ze gezegd: 'Bent u van plan me vandaag dood te schieten? Zo ja, dan zou ik u daarvoor erkentelijk zijn.' Na de oorlog vernam ze dat de SS'er vermoedelijk met Mengele en anderen naar Brazilië was ontkomen. Ze beweerde dat ze die man, meer dan welke andere nazi dan ook, meer dan Hitler, dolgraag dood zou hebben gezien. Toen Doris dat zei huiverde ze. Ze kneep haar ogen dicht. Toen zei ze: 'Mijn god, wat heb ik lang zitten praten.' Haar werd gevraagd of er nog meer was dat ze opgetekend wilde zien, en zonder ook maar één traan te laten zei Doris: 'Nee. Ik heb genoeg gezegd.'

Behalve die tocht naar Arlington waren er tijdens ons eerste huwelijksjaar geen onderbrekingen van onze dagelijkse routine in Pine Manor. We speelden scrabble en luisterden naar programma's op de National Public Radio. We aten samen met Hiram Merlinman, mijn beste vriend en enige waardige schaaktegenstander. Mijn zoon Michael kwam eens in de week op bezoek. Eens per maand of per twee maanden kwam een van mijn twee kleinkinderen met hem mee, of allebei. Meestal was het Anthony aangezien zijn oudere zus, Dani, aan een studie was begonnen.

Op onze twee nachten in Las Vegas na sliepen we apart in onze eigen kamer, ofschoon Doris een enkele keer, als ze weer eens aan slapeloosheid leed, haar ongeneeslijke aandoening, op haar tenen mijn kamer binnenstapte en tot het ochtendgloren in mijn leunstoel ging zitten. Ondanks haar forse bouw was Doris zo stil als een muis en hoorde ik haar nooit binnenkomen, maar soms, als ik me in die toestand tussen slapen en waken bevond, gingen mijn ogen open en zag ik het silhouet van Doris' gezicht en lichaam, wat me aanvankelijk als een bizarre geestverschijning voorkwam maar dat langzamerhand samen begon te vallen met haar levende, ademende persoon. Soms viel ik weer in slaap en werd Doris onderdeel van een droom, maar vaker voelde ik me uit een of ander melkwegstelsel terugglijden. Dan zei ik goeiemorgen en dan lachte Doris naar me en zei dat ik had liggen snurken of in mijn slaap had gepraat of dat het leek of ik vredig en diep had liggen pitten. Soms vertelde ik haar over mijn dromen. Soms luisterden we naar de radio. Dat schiep een intimiteit die ik nooit met mijn eerste vrouw, Natalie, had gekend, en als iemand me zou vragen om mijn definitie van geluk te geven, dan zou ik gewoon herhalen wat ik net heb verteld.

Misschien was de enige complicatie waarmee ik in die fase werd geconfronteerd van filosofische aard: omdat mijn liefde voor Doris misschien wel de uitbundigste was die ik ooit had meegemaakt, worstelde ik met die meest nieuwerwetse van alle strikvragen, namelijk dat ik me, nu ik met mijn geliefde Doris was getrouwd, ervan bewust werd dat het grote mysterie zich opdrong wat er zou gebeuren *nadat* we, naar het zich liet aanzien, nog lang en gelukkig hadden geleefd. Laat me dit zeggen. Er bestaat geen lang en gelukkig. En er is ook niet altijd sprake van een terugkeer naar de grauwe werkelijkheid. Zo basaal mogelijk samengevat is wat er gebeurt gewoon het leven in welke gedaante dan ook. Merkwaardig genoeg kan die gedaante zich echter soms nog tot een ander verhaal omvormen.

Het was januari 1985. We zaten samen beneden in de gemeenschappelijke ruimte van het Pine Manor Bejaardentehuis naar het nieuws te kijken. Ik herinner me een verslag over aids, dat toen nog betrekkelijk nieuw was. Daarna kwam er een item over een vrouw die cyaankali had gebruikt om eekhoorns op haar zolder te verdelgen en daarmee onopzettelijk haar twee kinderen had gedood. Het was de gebruikelijke kommer en kwel, en ik begon net te knikkebollen toen ik Doris mijn dijbeen voelde vastgrijpen, zo hard dat ik van schrik bijna van mijn stoel viel. Daarna greep ze me bij mijn arm. Doris had heel sterke handen. Dat was me altijd al opgevallen maar ik had nog nooit zoiets gevoeld, zo krachtig was haar greep toen ze me bij mijn pols pakte en naar de televisie staarde.

Het scherm toonde een foto van het gezicht van een man van om en nabij de veertig. Het duurde even voor ik de context vatte, maar toen begreep ik dat de man militair was in het Israëlische leger. Daarna kwam er een korrelig, grijsgroen filmpje dat in Rafiah was opgenomen, een Palestijns stadje in het westen van de Gazastrook dat in de Zesdaagse Oorlog was ingenomen en sinds 1967 door Israëlische troepen werd bezet. Ik zag een wazige gestalte vooroverbuigen over de opstaande rand van een plat dak. Toen zoomde de camera in en zag ik dat het twee mensen waren die samensmolten en uiteenvloeiden, en toen werd één van de twee figuren een vijftienjarige Palestijnse jongen die van een dak viel. Het was van onderen gefilmd en het was moeilijk te zeggen hoe hoog het dak was, misschien drie verdiepingen of zo. De jongen viel uit beeld en ik vernam dat hij op beton was gesmakt en op slag dood was geweest.

Misschien hebt u het item ook op het nieuws gezien. Het werd die week in januari herhaaldelijk uitgezonden, en als u het hebt gezien zult u zich ongetwijfeld hebben afgevraagd, net als ik, welke van de twee mogelijke interpretaties van het korrelige grijsgroene filmpje de juiste was. Was de Israëlische militair op het dak een barbaarse crimineel die een tienerjongen zijn dood tegemoet had gesmeten? Of was het juist andersom? Was de jongen willens en wetens gesprongen en had de militair geprobeerd hem uit de lucht te grijpen voor hij viel? U had het filmpje, dat hooguit een seconde of tien duurde, zo vaak kunnen zien als u wilde en dan nog had u het niet met zekerheid kunnen zeggen. Het probleem was dat de film van onderen was opgenomen. Je kon weliswaar het zwakke geluid horen van de jongen die 'Allahoe akbar!' gilde, een aanroeping van zijn god, maar verder hoorde je niet veel, op het gesprek tussen de Amerikaanse cameravrouw en degene die naast haar stond na, een gesprek dat voornamelijk neerkwam op kreten als 'O mijn god, Lorraine, heb je dat?' Het probleem was dat de kwaliteit van het filmpje net zo slecht was als die van de vermeende film van bigfoot die door iemand op een steigerend paard was gemaakt. En ten slotte was het probleem dat de militair, geïdentificeerd als een tweeënveertigjarige Israëli genaamd Amnon Grossman, weigerde commentaar aan de pers te geven over het voorval.

Er werd uiteraard een verklaring afgelegd door een woordvoerder van de Israëlische strijdkrachten die bijzonderheden verschafte over de Israëlische actie in Rafiah. De militair die in het filmpje te zien was behoorde tot een eenheid die een huis was binnengevallen om een bekende terrorist en leider te arresteren van een fundamentalistische groepering genaamd de Islamitische Jihad. De Palestijnse jongen had naar verluidt een plank vol roestige spijkers in het gezicht van een andere Israëlische soldaat geslagen die nu blind was aan één oog. Amnon Grossman en nog een soldaat hadden opdracht gekregen achter de jongen aan te gaan, en de soldaat die met Grossman het dak was opgegaan had onder ede verklaard dat hij had gezien dat Grossman zijn geweer had weggegooid en de jongen probeerde vast te grijpen om hem te redden toen hij sprong. Op het filmpje kun je inderdaad zien dat de militair eerst zelf ook bijna valt, dat zijn handen op een gegeven moment naar het overhemd van de jongen lijken te graaien en het vast proberen te pakken. Maar dan laten de handen los, en dat is hetzij omdat de militair in een laatste reflex poogde zichzelf te redden en niet samen met de jongen omlaag te vallen, hetzij omdat de man de jongen een zet had gegeven. De cameravrouw, geïdentificeerd als een New Yorkse genaamd Lorraine Williams, zei dat de tiener volgens haar was vermoord, en zo dachten de leden van de Palestijnse familie die ze toevallig stond te interviewen toen het huis werd bestormd er ook over. Maar hoe vaker je het filmpje bekijkt, hoe onontwarbaarder het voorval lijkt. Al met al was het gebeuren intrigerend als een heftige botsing van nagenoeg lijnrecht tegenovergestelde versies. Blijkbaar werden er in de hele Gazastrook uit protest autobanden in brand gestoken. Men eiste dat Amnon Grossman wegens moord terechtstond, maar de Israëli's deden de Palestijnse aantijgingen af als nonsens.

Zoals ik zei had Doris me stevig bij mijn arm gepakt, en zo bleef ze me vasthouden gedurende het hele kwartier van de berichtgeving over het incident, die eerste avond dat het in de VS werd uitgezonden. Toen het nieuws op een ander onderwerp overging liet Doris mijn arm los en pakte de wandelstok waarmee ze zich door Pine Manor verplaatste. Ze draaide zich naar me om en zei dat ze even alleen wilde zijn op haar kamer.

'Is er iets mis?' vroeg ik.

Ze schudde haar hoofd en zei: 'Nee hoor, het is niks.'

Ik zei: 'Je hebt me behoorlijk hard in mijn arm geknepen voor iets wat niks is.'

'Ik had kramp in mijn rug,' zei ze. 'Een beetje kramp. Ik moet even gaan liggen.'

Ze gaf me een kus op mijn wang, stond op en liep naar de lift. Ik zag aan de manier waarop ze liep dat ze echt geen kramp in haar rug had. Ik bleef nog een poosje beneden om in een lichte staat van verwarring op de basketbal- en ijshockeyuitslagen te wachten.

De dagen erna bleef Doris het nieuwsitem volgen. Ze las de krant, iets waar ze zelden de tijd voor vond. Ze ging zo ver dat ze een foto van Amnon Grossman uitknipte die in *The New York Times* was afgedrukt. De man was afgebeeld in het uniform van een parkopzichter, wat klaarblijkelijk zijn werk was. Ze las me ook redactionele commentaren voor waarin de ene of de andere kant van het gebeuren werd gesteund, plus een hoofdartikel waarin het meest evidente aspect van de hele zaak werd benadrukt, namelijk dat het voorval een grote mediahype was geworden.

Van tijd tot tijd verraste ze me door dingen te zeggen als: 'Ik denk toch dat hij het heeft gedaan. Wat vreselijk. Onvergeeflijk.' Andere keren echter verklaarde ze dat ze hem geen ongelijk gaf als hij de jongen van het dak had geduwd. 'Als dat Palestijnse joch de kans had gehad zou hij vast hetzelfde hebben gedaan.' En nog weer een andere keer zei ze: 'Die militair, Amnon Grossman, dat is niet het soort man dat een jongen van een dak zou smijten. Hij probeerde vast om de jongen te redden. Ik heb het filmpje wel tien keer gezien en het is zonneklaar. Per slot van rekening roept die jongen zijn god aan. Hij denkt dat hij een martelaar is en dat zijn ziel rechtstreeks naar de hemel zal vliegen.' En ze zei ook een keer: 'Ik snap het. Dat bittere hart. Daardoor word je ertoe gebracht om een jongen van een dak te duwen. Het is zonneklaar.'

In wezen stond ik versteld van haar aanhoudende overpeinzingen, maar ik durfde het onderwerp niet ter sprake te brengen. Het leek of ze zich niet realiseerde hoezeer het haar in beslag nam. Ik was blij toen de gebeurtenis uit de actualiteit raakte, en binnen drie weken leek het allemaal min of meer verleden tijd geworden.

Maar toen klopte Hiram Merlinman half februari op de deur van mijn kamer, waar ik een artikel over de Griekse wiskundige en filosoof Zeno van Elea zat te lezen en Doris in mijn leunstoel een dutje deed. Hy vertelde dat hij met een aantal bewoners in de gemeenschappelijke ruimte televisie had zitten kijken. Er was een natuurprogramma begonnen op de educatieve zender over een speciaal fokreservaat voor zeldzame wilde dieren in het zuiden van de Negev-woestijn, in Israël. Tot zijn stomme verbazing was die militair Amnon Grossman geïnterviewd. Het bleek dat hij de beheerder van het reservaat was. De aflevering was een herhaling, enige tijd voor het incident in de Gazastrook opgenomen, maar bij de Public Broadcasting Service scheen het verband niet te zijn doorgedrongen. Terwijl hij dat stond te vertellen werd Doris wakker. Ik was blij dat we de uitzending van het programma hadden gemist, maar Hy, die de maand ervoor met het idee was gekomen om het fragment van de vallende jongen met de videorecorder van Pine Manor op te nemen zodat we het korrelige filmpje eindeloos konden bekijken, vertelde dat hij het laatste gedeelte van het natuurprogramma had opgenomen. Doris stond meteen op. 'Waar is de band? Beneden?' Hy beaamde dat.

Met tegenzin ging ik met haar mee naar beneden om Hy's videoband te bekijken. Ik ging naast Doris op de bank zitten. Ik keek naar Hy en naar Ada Kupritz, die in een leunstoel zat te breien. Ik overwoog om hun te vragen ons alleen te laten maar deed het niet. Toen spoelde Hy de band terug, waarop een aflevering van het spelprogramma *Wheel of Fortune* ruw werd onderbroken en de gemaakt bezeten gezichten van de drie deelnemers abrupt plaatsmaakten voor de waakzame kop van een witte, middelgrote antilope met lange, spitse hoorns. Het dier was aan het schermutselen met niemand minder dan Amnon Grossman, die de antilope telkens met een bamboestok tegen zijn hoorns sloeg. 'Ach, wat gruwelijk,' zei Doris, maar al kijkend vernamen we dat de witte antilope, een species die bekendstond als de Arabische oryx of spiesbok, Hermes heette, dat hij oud was en de laatste tijd ruzie zocht met jongere, sterkere mannetjes die allemaal binnen de omheining van het al eerder genoemde, 1600 hectare grote Hai Bar Yotvata Natuurreservaat rondzwierven en hem spiesten. Na elk gevecht moesten Hermes' wonden gehecht worden, en ze hadden besloten dat het beter was om hem in een aparte kraal te houden. Hermes wist echter telkens te ontsnappen, en dan ging hij weer vechten en verloor hij. Na zijn derde uitbraak had Amnon Grossman iets slims bedacht. Hij realiseerde zich dat de oude spiesbok de baas wilde zijn en dus ging Grossman elke ochtend de kraal in met een bamboestok waarmee hij

Hermes tegen zijn hoorns sloeg om zodoende een gevecht te ensceneren. Daarna trok hij zich terug zodat de spiesbok meende dat hij de man had verdreven. Toen dat dagelijkse ritueel eenmaal was ingesteld, met Hermes telkens als overwinnaar, brak de spiesbok nooit meer uit zijn kraal.

Na het tafereel met Hermes keken en luisterden we naar Amnon Grossman, de man die wel of niet een jongen van een dak had geduwd, die uitweidde over de taak van het reservaat als natuurbeschermingsinstelling. In de tijd dat het programma was opgenomen bestonden de fokstapels uit kuddes spiesbokken, kromhoornige oryxen, struisvogels, Nubische steenbokken, wilde schapen die addaxen werden genoemd, Somalische wilde ezels en een soort wilde halfezels, de zogenaamde onagers. Er waren al kuddes onagers uitgezet en er waren plannen om in de toekomst ook spiesbokken en struisvogels los te laten. Die drie diersoorten zouden naar verluidt in Bijbelse tijden hebben rondgezworven door de Negev. 'Een hoop goeie scrabblewoorden,' merkte ik op tegen Doris, maar die scheen in haar eigen wereld te zitten en luisterde niet. Ze stond zonder iets te zeggen op en liep naar de lift. Toen ik haar riep schreeuwde ze: 'Max, blijf hier. Blijf maar bij Hy.'

Ik had al eerder naar boven willen gaan, maar die avond kwam Michael langs met Dani, mijn kleindochter, en bovendien zag het er niet naar uit dat wat Doris zo van streek had gemaakt aangaande Amnon Grossman al te veel kwaad kon of op zichzelf een probleem was. Ik zou er weldra achter komen dat ik op dat punt een kolossale inschattingsfout maakte, ondanks het feit dat Doris geagiteerder was dan ik haar ooit had gezien in de bijna drie jaar dat ik haar kende. Ik bleef beneden zitten toen Michael en Dani arriveerden. Ik speelde een partijtje schaak met Dani waarbij ik haar voornamelijk aanwijzingen gaf. Dani was geen natuurtalent maar wel veel beter dan haar vader, en haar verstand was scherp genoeg om over niet al te lange tijd en met enige begeleiding een geduchte tegenstander te worden, meende ik. Dani en Michael bleven eten. Om een uur of acht liep ik met hen mee naar Michaels auto, nam afscheid en ging naar boven om te kijken wat er met Doris aan de hand was.

We hadden elk onze eigen kamer op dezelfde verdieping, een concessie die na ons huwelijk was gedaan aangezien de twee verdiepingen van Pine Manor eigenlijk niet bedoeld waren voor gemengde bewoning. Doris' kamer, met een eigen badkamer, lag aan het einde van de gang. Toen ik dichterbij kwam hoorde ik haar gedempte gesnik. Dat was geloof ik de eerste keer dat ik haar ooit had horen snikken. Ik klopte zachtjes aan en vroeg: 'Dori, is alles goed met je?'

Tussen het snikken door zei ze: 'Kom binnen. De deur is open.'

Ik trof haar zittend op haar bed aan, haar ogen rood en opgezwollen, haar bril op het nachtkastje.

'Kwam het door dat programma?' vroeg ik. 'Heeft het met die Israëlische man te maken?'

'Misschien,' zei Doris en barstte in tranen uit.

Ik pakte haar hand vast. Toen ze kalmeerde zei ik: 'Vertel me alsjeblieft wat er is.'

Doris zei: 'Ik betwijfel of je dat echt wilt weten.'

'Ik wil het echt weten,' zei ik. 'Alles wat jou aangaat wil ik weten.'

'Oké,' zei ze. 'Misschien is het onzinnig, maar volgens mij niet. Die Israëlische man, Amnon Grossman. Misschien is het je opgevallen dat hij een heel Pools gezicht heeft. Maar wat je niet kan opvallen, wat alleen mijn zus Hanna of haar dochter Beverly zou kunnen opvallen, is dat die man sprekend lijkt op mijn eerste echtgenoot. Hij is net Pinchas' dubbelganger. De gelijkenis is zo sterk dat het angstaanjagend is, of anders wonderbaarlijk. Het grijpt me aan, het brengt gevoelens naar boven die zo diep waren weggestopt dat ik mezelf nauwelijks meer in de hand heb.'

Ik zei: 'Je echtgenoot is meer dan veertig jaar geleden gestorven.'

Doris haalde diep adem en zei: 'Wees maar niet bang, ik lijd niet aan waanvoorstellingen.'

Daarna kwam het me wel logisch voor. Immers, waarom zou ze niet overweldigd worden door haar gevoelens voor een man van wie ze had gehouden en met wie ze was getrouwd, een man die was vermoord omdat hij joods was, nu ze met die eigenaardige schim uit het verleden werd geconfronteerd? 'Het moet een ontzettende schok zijn,' zei ik tegen Doris. 'Ik begrijp volkomen waarom je door die gevoelens word overmand.'

Doris zei: 'Nee, Maxi, dat begrijp je niet. Want er is nog meer.'

'Hoeveel meer?'

Ze zei: 'Maxi, dit is niet zoiets simpels als met je zoon praten die in 1958 is gestorven, ook al lijkt het daar wel op, in het begin. Het spijt me.'

'Zo simpel is dat niet,' zei ik.

'Dat weet ik,' zei ze. Ze wreef me verontschuldigend over mijn arm. Toen zei ze: 'Ik heb je nooit veel over mijn eerste man verteld. Je hebt het verhaal van zijn dood gehoord toen ik die getuigenis aflegde, maar er waren toen ook veel dingen die ik niet wilde vertellen omdat ik de zin er niet van inzag. Ik was nog maar achtentwintig toen we naar Kovno vluchtten. Ik dacht dat ik behoorlijk slim was maar ik was een dom wicht. Ik dacht ook dat ik mooi was, en dat me daardoor niets kon gebeuren. Nu zit ik te wauwelen. Ik moet ophouden met wauwelen. Ik moet je vertellen dat er een verhaal de ronde deed over die vijfhonderd joodse intellectuelen die in Kovno waren vermoord. Zo'n verhaal dat de mensen elkaar navertellen. Volgens dat verhaal wisten twee mannen aan de dood te ontsnappen. Dat was een manier, heb ik altijd gedacht, om de mensen hoop te bieden van wie bekenden waren gedood die ze als intelligent en begaafd hadden beschouwd. Maar niet een van die mannen is ooit opgedoken, tot nu toe.'

'Tot nu toe?' herhaalde ik.

'Ja.'

Ik stelde de voor de hand liggende vraag: 'Hoe kan die Israëliër nou je man zijn?'

Ze zei: 'Die Israëliër, Amnon Grossman, is misschien zijn zoon.'

Ik zei weer wat voor de hand lag. Dat het een slag in de lucht was.

Ze zei: 'Ze hebben precies hetzelfde postuur en dezelfde neus. Ik zag dat meteen toen ik naar dat natuurprogramma keek. Dat is geen bewijs, ik weet het. Het spijt me. Wat ik nu aan het doen ben is mezelf een verhaal op de mouw spelden. Dat hij het heeft overleefd en een zoon heeft gekregen. En wat moet ik met dat verhaal? Ik weet niet eens of ik wel wíl dat het waar is.'

'Maar stel dat het inderdaad waar is, wat zou je dan doen?' vroeg ik

'Ik heb geen flauw idee!' gilde ze. 'Dat is het stomme van een mens zijn. Je wilt dingen te weten komen. Dan kom je erachter en kun je iets oplossen. En wat dan? Er is een gezegde, weet je. Waarom zou je de zool van een oude schoen repareren als je de andere schoen kwijt bent?'

Ik zei: 'Dat gezegde heb ik nog nooit gehoord.'

'Het is uit het Jiddisch. Of misschien heeft mijn moeder het wel verzonnen. Daar had ze een handje van, gezegdes verzinnen. Gezegdes die niemand nog weet. Dit is er nog een. Ze zei: mysterie is een wortel. Je kunt hem schrapen, maar toch doe je hem in de soep! Dat waren van die stomme gezegdes van haar. En toen ik naar de VS kwam merkte ik dat ik ook gezegdes verzon. Een boek is net een koning. Wist je dat, Max? Als je het niet snapt moet je het misschien aan je lang geleden gestorven zoon vragen. Of misschien kan ik het aan mijn lang geleden gestorven moeder vragen. Dan kan ik haar ook vragen of ze het fijn vond om in het getto van Warschau te wonen. Ik kan vragen of ze van de liquidatie heeft genoten. Dan kan ik vragen of mijn man zijn doodvonnis heeft overleefd. En waarom dat woord, trouwens, *vonnis*? Heeft iemand een vonnis geveld? Ik vonnis je tot de dood. Is dat het vonnis? In welk opzicht verschilt dat van het vonnis waarmee we worden geboren? Waarom geen levensvonnis, Max? Heb je daar weleens over nagedacht? En stel dat het waar is dat hij is blijven leven? Wordt alles daar anders door, als hij was blijven leven? Ik denk van niet, en ik denk ook van wel. O, Max, het spijt me zo. Dit is zo vermoeiend. Er gebeuren zoveel rare dingen in mijn hoofd. Ik zal ophouden met mijn gewauwel. Ik moet tot bedaren komen. Ik moet hier zitten en mijn mond houden en stil zijn met jou, Max. Het spijt me zo. Ik ga nu mijn mond houden.'

Ik bleef een uur bij Doris zitten. Ze hield niet lang haar mond, maar stilaan kalmeerde ze. Ten slotte moest ze lachen om haar uitbarsting. Ze zei: 'Ik lijk vast niet goed wijs, dus je moet me maar negeren, alsjeblieft.' Ik zei dat als zij niet goed wijs was, dat ik dan misschien wel rijp was voor het gekkenhuis. Ze moest weer lachen en beaamde dat. Toen zei ze: 'Je bent een goeie man, Max, en ik hou van je. Het is goed dat ik ten slotte hier terecht ben gekomen, naast jou, na de jaren die ik met Victor ben geweest. Het is goed omdat jij me herinnert aan hoe ik me voelde vóór al die dingen die in de oorlog gebeurden. Het is niet mijn bedoeling om door te drammen over mijn eerste echtgenoot. Het komt alleen maar doordat het gezicht van die man het weer voor de geest roept. Het komt alleen maar doordat we allemaal soms zouden willen dat verhalen waar waren.'

Kort daarna liet ik haar alleen. Toen ik door de gang liep voelde ik een belachelijke steek van jaloezie. Ik stelde me voor dat ik de volgende ochtend iets tegen haar zou zeggen in de trant van: 'Je bent mijn vrouw. Waarom zou je je druk maken om het verleden als wij bij elkaar zijn?' Maar toen riep ik mezelf tot de orde en dacht: Max, zo'n zielig mannetje als je je nu voordoet, zo ben je niet. Toen stapte ik mijn kamer in, deed de deur dicht, ging op het toilet zitten en concentreerde me op mijn darmen. Ik realiseerde me dat ik bij alle heisa van die dag mijn glas water met metamucil met sinaasappelsmaak had overgeslagen dat ik 's middag altijd neem. Het duurde een poos, maar toen ik klaar was ging ik op bed zitten en sloot mijn ogen en sprak tegen mijn zoon Daniel. Ik zei: 'Een boek is net een koning.' Ik zei: 'Ik moet bekennen dat ik het niet snap.' Ik zei: 'Ik besef dat ze dingen heeft gezien. Dat ze dingen heeft gedaan die ik niet kan bevatten.' Ik zei: 'Voor een man die Engels heeft gegeven op een middelbare school in New Jersey, een man wiens familie eind negentiende eeuw uit Rusland is ontkomen, is dit heel verwarrend, en dat is ook de reden waarom ik van haar hou.'

Ik stapte die avond in bed en nam het artikel over Zeno van Elea weer ter hand waar ik 's middags aan was begonnen. Het ging uiteraard over Zeno's acht paradoxen, een reeks vraagstukken die hij had bedacht ter ondersteuning van de theorie dat onze zintuigen ten spijt elke veelvormigheid en verandering en zelfs beweging een illusie is. Alle paradoxen zijn soortgelijk, en de eenvoudigste staat bekend als de tweedelingsparadox, die stelt dat we bij elke voortbeweging eerst halverwege moeten arriveren voor we ons doel bereiken. Daarna moeten we echter eerst de helft van de resterende afstand afleggen, dan daar weer de helft van enzovoort. Als je het zo bekijkt kunnen we ons doel nooit bereiken. Ik had al lang geleden kennisgenomen van Zeno, maar ik was benieuwd of er in het artikel iets nieuws over hem te leren viel. Ik kwam niet erg ver voor ik in slaap viel. Over Zeno mijmeren heeft wel iets weg van schaapjes tellen, bedenk ik me nu.

Toen de dag aanbrak werd ik echter met hernieuwde bezorgdheid wakker. Ik draaide me op mijn rug om mijn erg jichtige rechterschouder te ontzien. Ik hield mijn ogen dicht in de hoop weer in slaap te vallen, maar gaf het al snel op. Ik deed mijn ogen open en zag Doris in mijn leunstoel zitten, haar rollator voor haar. Ze zag er rustig maar afgemat uit. Toen ze zag dat mijn ogen opengingen glimlachte ze teder en zei: 'Maxi, je lag weer in je slaap te praten.'

'Wat zei ik dan?'

'Het klonk als "Arme, arme Edgar Linton". Wie is dat?'

'Dat is uit een boek, *Wuthering Heights*. Ik heb het vroeger in de klas behandeld.'

'Mocht je Edgar graag?'

'Ik geloof dat ik aan hem de grootste hekel van allemaal had.'

'Misschien mocht je hem wel maar weet je het niet,' zei ze schertsend.

Ik ging rechtop zitten en voelde mijn lichaam loslaten wat het de hele nacht had omklemd. Ik keek Doris aan. Ik vroeg me af wanneer ze binnen was gekomen, en hoe ze het zoals altijd had klaargespeeld om dat zo stil te doen.

'Hoe voel je je?' vroeg ik.

'Ik heb geen oog dichtgedaan.'

'Ik heb ook een zware nacht gehad,' zei ik.

'Dat weet ik,' zei ze. 'Je lag de hele tijd te draaien. Je leek wel een pannenkoek.'

'Een pannenkoek?' vroeg ik.

'Het was net of iemand met een bakspaan je de hele tijd omgooide.'

Ze stak haar hand uit en legde hem op mijn been terwijl ik de beeldspraak overdacht. Ze zei dat ze het tijdschriftartikel over Zeno van Elea had zitten lezen.

Ik zei: 'Ik heb al twee keer geprobeerd om het te lezen, maar ik kom telkens niet verder dan de tweede bladzij.'

'Dan zal hij wel gelijk hebben,' zei Doris. 'Dat het onmogelijk is om ergens te komen.'

Ik zei: 'Wij komen er wel.'

Ze moest lachen. Toen richtte ze zich op en stapte heel voorzichtig in bed. Het was een tweepersoonsbed en we pasten er lekker in. Ze legde haar arm om mijn rug en gaf me een kus op mijn wang. Toen zei ze: 'Nee, Maxi, we komen er niet. We zijn te oud. Het grootste deel van het woud ligt achter ons.'

Een halfuur lang viel ik weer in slaap, naast haar.

'Een mens vervloeit geleidelijk met de vorm van zijn lot.' Dat zijn de woorden van Borges' opgesloten tovenaar. Dat zijn Tzinacáns woorden vlak voor zijn vertelling overgaat in een verslag van zijn omgang met het goddelijke waardoor hij het schrift van de vlekken van de jaguar gaat begrijpen. Op dat moment weten we nog niet of hij het patroon zal ontcijferen, en we weten evenmin zeker of de vlekken van de jaguar wel het ware schrift vormen. Het enige wat we weten is dat het verhaal verder moet gaan. We weten dat er iets in de resterende alinea's verteld gaat worden. Dus lezen we die alinea's. Het verhaal wordt een geheel en ineens is het net of we naar een hologram hebben zitten staren. Het hele verhaal is daar al de hele tijd geweest. Het heeft jaren geduurd voor ik begreep dat ik daarom zo graag verhalen lees. Dat elk verhaal in dit opzicht net als de toverzin van de god is. In de jaren sinds Doris' dood heb ik dat allemaal aan haar uitgelegd, maar nu, terwijl ik dit schrijf, vraag ik me af tegen wie ik het heb. Er bekruipt me weleens het rare gevoel dat ik het tegen mezelf heb.

Op de ochtend van 20 februari zette Doris haar wandelstok tegen de bank om de bovenste knoop van haar gebreide vest dicht te doen. Toen ze daarna haar stok wilde pakken kreeg ze een aanval van duizeligheid en viel. Een van de medewerkers van Pine Manor belde de eerstehulp en ik ging naar haar toe. Ze had veel pijn. Toen ik naast haar op de vloer knielde zei ze: 'Het spijt me, Maxi. Ik heb iets gebroken.'

Ik zei: 'Je hoeft je niet te verontschuldigen.'

'Ik wil dat dit jaar net zoals vorig jaar wordt,' zei Doris. 'Allebei gezond en geen rare dingen. Maar ik geloof niet dat het net als vorig jaar wordt.'

'Je komt er best weer bovenop,' zei ik. 'Gebroken botten genezen weer.'

'Misschien is het meer dan dat,' zei ze. Ze verschoof haar been een stukje en kromp ineen. 'Ik denk dat die dubbelganger, die Amnon Grossman, me erop heeft gewezen dat mijn hart ook is gebroken.'

'Je hebt een prachtig hart,' zei ik. 'Je hart is kranig en heroïsch.'

Ze zei: 'Het is lief dat je dat zegt. En je mag het ook best zeggen, Maxi, want je kunt met geen mogelijkheid weten wie ik werkelijk ben.'

Twee dagen later werd Doris in het Saint Barnabas Hospital in Livingston, waar mijn zoon Michael werkte, aan haar heup geopereerd, en de dagen daarna zat ik vaak bij haar op haar kamer in het ziekenhuis. Ik las als ze sliep, keek televisie, speelde scrabble met haar als ze zin had in hersengymnastiek. Als het bezoekuur was afgelopen bracht Michael of Anthony me met de auto terug naar Pine Manor. Er was niets om me zorgen te maken. Zoals ik had aangenomen was de prognose dat Doris er binnen enkele maanden weer helemaal bovenop zou zijn. Ze zou poliklinisch moeten revalideren en te allen tijde haar rollator moeten gebruiken om te voorkomen dat ze zou vallen als ze duizelig werd. Ze had nog meer pinnen in haar heup, waardoor er een alarm zou afgaan, grapte ik, als ze de volgende keer door de veiligheidscontrole van het vliegveld moest.

Op een ochtend kwam ik in het ziekenhuis en kreeg ik van iemand van de administratie te horen dat Doris die nacht voor meer dan tweehonderd dollar had getelefoneerd. De man vertelde dat ze haar telefoon hadden weggehaald, en hij vroeg of ik wist of ze al die telefoongesprekken wel kon betalen. Ik zei dat ze die wel degelijk kon betalen en dat ze onmiddellijk haar telefoon terug moesten brengen voor ik een schriftelijke klacht indiende. Toen ging ik naar haar kamer waar ik haar bleek en heel geagiteerd aantrof.

'Ze hebben mijn telefoon weggehaald!' gilde Doris, en ik stelde haar gerust dat ik het al had geregeld. Ik vroeg wie ze had gebeld. 'Mijn zonen in Californië,' zei ze. Ik zei dat de rekening meer dan tweehonderd dollar bedroeg. Ik vroeg of ze de hele nacht met haar zonen aan de telefoon had gezeten. 'Ja, de hele nacht,' zei ze, en ik zweeg. Ik veronderstelde dat het mogelijk was dat ze belangrijke gesprekken met haar zonen had gevoerd. Toen ik naast haar ging zitten zei ze: 'Oké, Maxi. Luister. Ik heb naar Israël gebeld. Voornamelijk naar Yad Vashem, het Holocaustmuseum in Jeruzalem. Ik heb met een heleboel mensen daar gesproken en iedereen zei hetzelfde, namelijk niets. Toen heb ik iemand gevonden die me het telefoonnummer kon geven van dat natuurreservaat in de woestijn. Ik heb wel twintig keer gebeld voor ze hem aan de telefoon haalden, Amnon Grossman. Ik heb hem gevraagd of zijn vader in de oorlog van Polen naar Litouwen was gevlucht en hij zei nee, maar ik voel gewoon dat hij liegt. Ik heb nog een keer gebeld, maar toen kreeg ik te horen dat hij er niet was. Iemand moet ernaartoe gaan, zo snel mogelijk naar Israël vliegen. Iemand moet met Amnon Grossman praten. Zou je zoon Michael misschien willen gaan?'

'Daar heeft hij geen tijd voor, dat kan ik je verzekeren.'

Ze vroeg: 'Kun jij niet gaan?'

'Misschien wel,' zei ik. 'Wat moet ik daar gaan uitzoeken?'

Ze gilde: 'Godsamme! Ik moet er zelf naartoe, want ik ben de enige die weet waarom. Ik moet erheen maar ik kan niet, met een gebroken heup, en Amnon Grossman, weet ik veel, misschien gaat hij in rook op.'

'Hij gaat niet in rook op,' zei ik.

'Hoezo niet?'

'Je heup moet genezen en daarna ga ik met je mee,' zei ik.

'Jij kunt daar niet naartoe, Max.'

'Maar dat vroeg je me net.'

Ze zei: 'Dat weet ik, maar ik ben helemaal de kluts kwijt.'

'Moet ik hulp halen? Moet ik een verpleegster roepen?'

'Nee!' krijste Doris, en toen knipperde een van haar ogen en scheen haar halve gezicht te verslappen en ik riep: 'Doris! O, mijn god!' Ik drukte op de knop voor een verpleegster en voelde de vertwijfeling van het besef dat ik niet in staat was om de gang door te rennen. Evenmin was ik in staat om Doris in mijn armen te tillen en haar in veiligheid te brengen. Ik was tot niets in staat. Ik drukte de hele tijd met mijn ene hand op de knop en hield die van Doris vast met de andere. Het duurde bijna vijf minuten voor er een verpleegster verscheen, en toen gilde ik: 'Schiet op, haal een dokter!'

Een hersenbloeding was het waar ik getuige van was geweest. Blijkbaar verklaart dat waarom de symptomen zich zo snel voordeden. Ze verkeerde drie dagen in kritieke toestand, en hoewel de linkerkant van haar lichaam door de beroerte was verlamd, overleefde ze het. Haar spraak noch haar gezichtsvermogen was aangetast, maar een week lang zei ze amper een woord. Die hele week was ik elke dag naar haar wezen kijken. Ik hield haar niet-verlamde hand vast en zat naast haar. Die hele week had ik geen idee of ze richting dood ging of ervandaan.

Ik was blij toen Michael me vertelde dat ze van de intensivecare-afdeling was overgebracht naar een eigen, nieuwe kamer. Hij was bij haar langsgeweest, zei Michael, en ze leek een stuk opgewekter. Die dag haalde hij me zelf op in plaats van een taxi te sturen, en toen hij me naar het ziekenhuis bracht begon ik een optimistisch gevoel te krijgen. Ik zat te denken dat Doris niet kapot te krijgen was, het ging ieders bevattingsvermogen te boven. Ik zat te denken dat we tijd zat zouden hebben om samen te zijn en om dwaze dingen te lachen.

Toen ik in haar nieuwe kamer kwam stond de televisie aan en mijn eerste gedachte was dat het beter ging. Ik begroette haar en de niet-verlamde kant van haar mond krulde in een tedere glimlach. Ze zette de televisie uit en ik ging in de stoel naast haar bed zitten. Ik vroeg: 'Hoe is het met je?' Ik zei: 'Ik mis je in Pine Manor.' Toen trok er een floers van vertwijfeling over haar ogen en zonder iets te zeggen begon Doris te huilen.

Zoals ik al heb verteld had ik haar nog nooit zien huilen vóór die dag toen we het natuurprogramma met Amnon Grossman hadden gezien. Het had me destijds verrast, en nu was ik net zo verrast om haar zo snel na mijn komst in haar nieuwe kamer in het ziekenhuis te zien huilen. Ik pakte haar hand en zag hoe de rechterkant van haar gezicht vertrok en de andere kant roerloos bleef. Ze huilde tranen met tuiten. Het leek alsof het nooit meer op zou houden. Toen Michael me aan het einde van die middag terugbracht naar Pine Manor, vroeg ik of de langdurige huilbui waarvan ik getuige was geweest gebruikelijk was bij mensen die door een beroerte waren getroffen. Hij zei van niet.

Bij mijn volgende bezoek keuvelden we wat en speelden we scrabble. Op een gegeven moment vroeg ze echter of ik de deur dicht wilde doen, en vervolgens huilde ze minstens twee uur lang, met tussenpozen. De dag erna vroeg ze zodra ik binnenkwam of ik de deur dicht wilde doen. Ze zette de televisie uit en de volgende drie uur huilde ze aan één stuk door. Ik wist niet wat er vanbinnen met haar gebeurde, maar met die halve verkrampingen schenen jaren van smart op te wellen. Als Doris was uitgehuild bedankte ze me altijd. Dan bleef ik bij haar zitten tot ze uitgeput in slaap viel.

Ten langen leste maakte ik kennis met haar zonen, die samen met het vliegtuig uit Californië waren gekomen. Ze heetten Benny en Andrew Schulman en waren allebei in de dertig. Ze hadden een verblijf van een lang weekend gepland. Ze kwamen alle twee best aardig over en Doris leek blij om hen te zien, al wist ik dat ze jarenlang weinig contact met haar zonen had gehad. Benny was het meest aan het woord. Hij vertelde zijn moeder over zijn leven in een stadje ten noorden van San Francisco. Andrew las tijdschriften en ging af en toe de kamer uit om buiten in de kou een sigaret te roken. Op de eerste twee dagen van hun bezoek stapten de zonen een halfuur voor het einde van de officiële bezoektijd weer op. Ze gingen samen eten in een restaurantje in de buurt en daarna naar hun hotel. Doris had zichzelf tijdens die bezoeken zoveel mogelijk opgepept, maar zodra de zonen weg waren vroeg ze of de deur dicht mocht. Nog voor ik terug was bij haar bed barstte ze weer in tranen uit.

De zondagmorgen brak aan waarop haar zonen vroeg vertrokken om hun vliegtuig van Newark Airport naar huis te nemen. Doris gaf hun alle twee een afscheidskus en keek hen na. Ze wachtte misschien vijf minuten voor ze vroeg of ik de deur dicht wilde doen. Ik verwachtte dat ze zich zoals gewoonlijk weer meteen in een huilbui zou storten, maar dat gebeurde niet. In plaats daarvan vroeg ze: 'Maxi. Heb je het tegen hem gezegd? Heb je tegen Daniel gezegd dat een boek net een koning is?' Ik bevestigde dat. Ze zei: 'Ik heb je ertussen genomen want dat is geen gezegde. Het is een raadsel. Omdat ze alle twee een titel hebben. Dat is één antwoord. Omdat ze allebei aan regels zijn gebonden is een ander antwoord. Omdat ze alle twee met intriges te maken hebben. De lijst met redenen gaat maar door. Toen ik dat had bedacht vond ik mezelf heel snugger.'

'Ze hebben alle twee een rug,' zei ik.

Ze wierp me haar halve glimlach toe en zei: 'Dat is een goeie.' Toen zei ze: 'Maxi, ik ga binnenkort dood.'

'Nee hoor, Dori,' zei ik. 'Het gaat hier prima met je. Je ligt niet meer op de intensive care. Al dat huilen is vast goed –'

'Sst, Maxi,' zei ze.

Ik zweeg.

'Ik heb de *mise-mesjomme kolir* gezien, de vreemde doodskleur,' zei Doris. 'Ik heb hem gezien en dat betekent dat ik dood zal gaan op een manier die niet zacht is. Voor ik doodga moet ik je iets vertellen wat me zwaar valt. Het spijt me zo dat ik het moet zeggen. Na al die tijd, nu ik zo dicht bij de dood ben, moet ik het vertellen. Dit is het laatste wat ik van je zal vragen. Het is niet eerlijk dat jij degene moet zijn die te horen krijgt wat ik met zoveel moeite voor iedereen verborgen heb gehouden. Maar je hebt al zoveel aan moeten horen. Je bent mijn getuige geweest en daar zal ik altijd dankbaar voor zijn. Ik zal je nu vertellen wat het is, als het goed is.'

Ik zei dat het goed was en zette me schrap voor nog meer gruwelverhalen, misschien wel over haar omgang met de SS-officier in Auschwitz die haar had gedwongen om te zingen.

Maar wat ze zei was: 'Maxi, luister. Die Israëlische man, Amnon Grossman, die lijkt niet op Pinchas, mijn eerste echtgenoot.'

Ik was natuurlijk in de war. Even was ik bang dat ze een delirium had, met name omdat de bekentenis haar aan het huilen maakte. Ik dacht dat dit misschien wel alles was wat ze me wilde vertellen, dat ze een of twee uur zou janken waarna ik weer naar huis ging. Maar na een paar minuten hield ze op met huilen. Ze zei: 'Goed, ik zal zeggen hoe het zat en dan ga je me misschien verachten. Hij lijkt op de man van mijn zus, op Jonah. De man van mijn zus. Hij was mijn geliefde.'

Ik pakte haar hand en zei niets. Ze zei zijn naam. *Yonah Rabinowitz.* Ze zei dat Pinchas een brave man was, maar dat Jonah net een droom was, een explosie van kleur. Hij had zijn baan aan het gymnasium opgezegd toen het bestuur weigerde een groep jongens van school te sturen die een joodse leraar in elkaar hadden geslagen. Hij ging met zijn gezin op de boerderij van zijn broer wonen. Daar had hij het plan opgevat om schrijver te worden, om een grote, baanbrekende, allesomvattende roman over Polen te schrijven waarin alle grensherzieningen waren opgenomen. Hoe een plek eerst bij het ene land kan horen, daarna bij het andere en vervolgens helemaal geen plek meer is. Ze zei dat hij over de lynxen en de wolven en de wisenten in de *puszcza* wilde schrijven. Ze zei dat ze de hele periode die ze in het woud had doorgebracht de indruk had gehad dat ze in zijn hoofd zat, in zijn boek, ook al zou dat boek over zijn dochtertje Bejla moeten gaan. Zijn schrandere, hartveroverende dochtertje dat dingen vroeg als: is de wind gemaakt van geesten die door je heen trekken als je door een wei loopt? Hij had tegen Bejla gezegd dat ze op een dag de heldin van een verhaal zou zijn. Dat ze met lynxen en wolven moest vechten en op de rug van wisenten moest rijden. Dat ze in het verhaal altijd de wereld zou redden.

Doris legde uit dat ze verliefd was geworden op Jonah in de tijd dat ze in Kovno woonden. In het najaar van 1940, spoedig nadat zijn vrouw en dochtertje waren vertrokken, waren zij en Jonah hun heimelijke liefdesverhouding begonnen, die tot de zomer van 1941 had geduurd. Achter Pinchas' rug, zonder dat hij het in de gaten had. Of misschien wilde hij het niet weten, want hij had haar niet een keer gekust sinds ze uit Warschau waren gevlucht. En toen waren ze opeens allebei weg. Ze had zitten dubben bij welke man ze zou blijven als ze uit Litouwen waren ontsnapt en veilig waren. Ze had zitten piekeren hoe moeilijk het zou zijn om Pinchas te vertellen dat ze van Jonah hield. Ze had zich het hoofd zitten breken of Jonah nog steeds van haar zou houden als hij niet alleen in Kovno zat opgesloten. Jonah en Pinchas. Alle twee dood. Alle twee weggevoerd en vermoord. Ten slotte zweeg Doris en ik verwachtte dat ze elk moment weer in tranen kon uitbarsten, maar dat gebeurde niet. Ze haalde diep adem en zei: 'Nu zal ik je het ergste gedeelte vertellen, Max.'

Het ergste gedeelte? Wat kon er erger zijn dan alle misère die haar was overkomen, erger dan het verlies van dierbaren? Het ergste, stelde ze, was dat ze een verhaal had gehoord. Ze had een verhaal gehoord over die vijfhonderd joodse intellectuelen die in Kovno waren vermoord. Volgens dat verhaal hadden twee van de vijfhonderd mannen het overleefd. En natuurlijk had ze eerst geloofd dat die twee Pinchas en Jonah waren. Ze bad elke dag dat ze nog leefden. Net als andere weduwen in Kovno bad ze vurig, maar algauw begon ze de hoop te verliezen. En toen, zei Doris, begon ze te marchanderen. Ze hield zichzelf voor dat ze één van de twee zou nemen, één man. En langzaamaan werd het haar duidelijk dat ze hoopte dat haar man was omgekomen en Jonah het had overleefd. Ze bad tot God dat hij nog leefde en terugkwam, en met Pinchas dood en Jonahs gezin in Amerika zou hun liefde hun gegund zijn.

Ze zei: 'Ik bad, Maxi. Ik bad. Ik bad dat de man van mijn zus nog leefde en bad dat het zo zou gaan door het gebed voor mijn eigen man op te geven. Dat is het zwaarste gedeelte van de oorlog voor mij, en niet vanwege schuldgevoel tegenover Hanna of schaamtegevoel om wat ik voelde. Dat is de diepste smart voor mij omdat het nog stééds is waar ik voor zou bidden.'

Ze zei: 'In Auschwitz had ik waanvoorstellingen waarin ik hem zag. Dan stond ik naakt voor die officier te zingen en flakkerde Jonah in een hoek van de kamer. En 's nachts op mijn stapelbed zag ik hem op de vloer onder me staan. Even voelde ik dan mijn liefde voor hem en dan besefte ik dat mijn hersens me een gemene streek leverden. Ik geloofde dat ik mijn verdiende loon kreeg voor mijn zelfzuchtige gebeden. Het kon me niet schelen of ik leefde of dood was. Het kon me niet schelen wat ze met me deden. Het kon me op een gegeven moment niet meer schelen wat ze met anderen deden. Ik bleef niet in leven omdat ik rechtschapen was. Ze noemen me een overlever, maar ik heb het alleen overleefd omdat het me niet kon schelen. Omdat het daardoor lastiger voor hen werd om me te martelen. Omdat ze wisten dat leven mijn marteling was. Dat is de donkere kant van mijn ziel, en als er een hemel is geloof ik niet dat ik daarheen ga. Maar je mag het nooit aan mijn zus vertellen. Je mag het haar niet vertellen. Hanna mag hier nooit van haar leven van horen.'

Weer dacht ik dat ze zou gaan huilen, maar deze keer kneep Doris in mijn hand. Ze kneep zo hard dat ik moeite had om het niet uit te gillen van pijn. Ze zei: 'Dank je wel, Max, dat je dit aanhoort. Dank je wel dat je een man bent die zo goed kan liefhebben.' Toen zei ze: 'Jonah had het weleens over de joodse mystici die geloofden dat alle levende wezens door een aura van stralende kleuren worden omgeven. Ik voel dat aura bij jou, Max. Soms heb ik me verbeeld dat je in je slaap in die kleuren baadt. Ik kan Jonahs aura ook voelen, wat niet logisch is, maar toch, ik kon Jonah voelen toen ik Amnon Grossman voor het eerst op televisie zag. Het is een wonder, Maxi. Een groot wonder. Ik heb het gezien. Vraag me niet om het uit te leggen.'

Ten slotte begon ze te huilen. Misschien stond ze zichzelf even toe om de liefde te voelen waarvan ze jarenlang had geloofd dat ze er geen recht op had. Ik begreep dat en ik berustte erin. Ik had ook graag willen uitleggen dat wat ze voor Jonah had gevoeld niet afschuwelijk was, dat haar heimelijke gebeden haar vergeven konden worden, dat haar man Pinchas het na zoveel jaren misschien had kunnen begrijpen, maar ik ging ervan uit dat ze me niet zou geloven. Hoe dan ook, ik wist dat ze het niet zou willen horen. En voor het eerst geloofde ik wat ze tegen me had gezegd, vlak nadat haar zonen waren vertrokken. Het was meer dan geloven: ik begreep dat ze weldra zou sterven. Ik wist dat Doris het geen week meer zou maken.

Ze stierf die nacht, zo bleek. Toen het telefoontje van mijn zoon kwam, de volgende ochtend vroeg, onderging ik het nieuws gelaten. Ik had een groot deel van de nacht liggen janken. En ik had al doorgekregen wat voor rolletje ik in dit relaas zou spelen. Een mens raakt inderdaad geleidelijk in de war door het patroon van zijn eigen lot. Vaak komt dat doordat het patroon veel minder bijzonder is dan hij had gehoopt. Ik was voornemens geweest om grootser, heroïscher te leven, maar een mens moet de rol accepteren die hij krijgt toebedeeld, en als die rol is uitgespeeld moet hij zijn best doen om er met waardigheid over te spreken.

Er werd een rouwdienst voor Doris gehouden in South Orange. Michael organiseerde het. Haar zonen kwamen weer met het vliegtuig. Deze keer werden ze vergezeld door hun gezinnen. Ik hield een korte grafrede. Haar zus en haar zoon Benny ook. Overeenkomstig Doris' wens zou ze gecremeerd worden. De as zou aan haar zus worden toevertrouwd, die me zou bellen, zei ze, als ze een goede datum had geprikt om de as dat voorjaar te verstrooien. Er was een beeldenpark, het Storm King Art Center, in de vallei van de rivier de Hudson. Hanna zei dat ze die plek op het oog had, omdat Doris het daar altijd heerlijk had gevonden. Ik kende het park, met zijn 200 hectaren weids glooiende velden en moderne beeldhouwkunst, omdat Doris me daar per limousine heen had gebracht op mijn tweeëntachtigste verjaardag. Ik zei tegen Hanna dat het me een uitstekende plek leek, en toen dacht ik bij mezelf: een boek is als een koning.

Na de rouwdienst gingen we *sjiwwe* zitten in Pine Manor. Haar zonen kwamen, evenals verscheidene vrouwen die Doris van de plaatselijke synagoge kende. Ik liet de rabbijn mijn revers scheuren. Ik dekte de spiegel in mijn kamer af. En toen de tijd rijp was sprak ik Bejla Rabinowitz aan, die ik tot Doris' laatste biecht alleen als Beverly had gekend. Ze was zelf kort tevoren in de rouw geweest nadat haar vriend aan leukemie was gestorven. Ik werd in de verleiding gebracht om het over Daniel te hebben en over diens ziekte al die jaren geleden, maar ik voelde dat ze in bepaalde opzichten net als

Doris was. Ze zat niet op sentimenteel gedoe te wachten, en ze zou evenmin mijn ideeën over praten met doden hebben willen aanhoren.

Ik gaf haar de video-opname die Hiram van Amnon Grossman in het natuurprogramma had gemaakt. Ik gaf haar ook wat krantenknipsels die Doris na het voorval in de Gazastrook had bewaard. Toen deed ik iets wat misschien raar lijkt. Ik vertelde haar alles wat Doris me over Jonah had verteld, en ook dat Doris had gewild dat Hanna het nooit te weten zou komen. Ik gaf haar alles door omdat ik na rijp beraad tot de slotsom was gekomen dat het geen schending van vertrouwen was noch een inbreuk op wat er was voorgevallen. Ik vertelde haar alles omdat het me toescheen dat dit het laatste moment van mijn leven was dat ik iets van belang of betekenis zou doen. Toen ik was uitgesproken besefte ik dat ik niet langer de hoeder van dit verhaal was. Het was voorbij. Ik had niets meer te zeggen.

10

Deze wereld

OVER VERHALEN

Het grootste deel van mijn leven heb ik gemeend dat woorden de jammerlijke restanten zijn die zijn achtergelaten door mensen die zich door hun verslaafdheid aan deze wereld genoopt voelden om hun gedachten op te tekenen. Net zoals antiek aardewerk in scherven moet breken en er van oude gebouwen alleen nog fundamenten overblijven en dinosauriërs hun skeletten hebben achtergelaten, moeten al onze schrijfsels en notities, zelfs onze boeken, uiteindelijk hun betekenis verliezen. Ik zeg dat nu wel tegen jou, maar toch wil ik proberen om dat wat ik zelf ervaar te beschrijven, al was het maar voor deze ene keer. Maar ik beloof je dat niets uiteindelijk onomstotelijk zal zijn. Verhalen zijn als dromen wat dat betreft. Ze gebeuren. Ze gebeuren niet. Ze zijn hier. Ze bestaan op een totaal andere plek.

OVER PLATTE DAKEN

Luister. Ik was met twee andere mannen op een plat dak in Gaza-stad geposteerd. Ik staarde door een verrekijker en spiedde de straten onder me af. Ik staarde naar afval omdat de straat onder me uitgestorven was. Ik staarde naar de stalen rolluiken voor winkelpuien, naar het metaal dat met graffiti was bespoten, kleurig Arabisch, de ene slogan over de andere. De letters waren onderhand zo vaak overgeverfd dat alle winkelpuien op muurschilderingen leken. De kleuren vulden de lenzen van mijn verrekijker, knallend rood, zwart, groen. Telkens als er weer een Palestijnse jongen was gedwongen om de graffiti over te schilderen spoten ze er nieuw rood, zwart en groen overheen, zodat de kleuren van de winkelpuien steeds donkerder werden, tot elke gevel op een vormeloze Palestijnse vlag leek.

Ik had helemaal geen zin om daar te zijn, behalve 's nachts, als ik uitkeek naar kerkuilen. Als de zon onder was gegaan observeerde ik het afval in de stegen door een nachtkijker. De Palestijnen gooiden hun afval op straat voor hun geiten. De kerkuilen voedden zich met de ratten die zich in het donker te goed deden aan het afval. Ik zat naar het schrille gepiep en gesis en de maniakale snerpende kreten van kerkuilen te luisteren. Af en toe zag ik er eentje geluidloos, als een nachtvlinder, door de steeg vliegen.

Een van de andere mannen op het dak heette Uri. Ik had het met Uri over de kerkuilen en Uri praatte graag over de zee. Overdag was de Middellandse Zee ons decor, en vanaf die hoogte was het diepe blauw betoverend. Uri vertelde me dat hij in de Verenigde Staten was geweest en had leren surfen. Hij zei dat hij er weleens over dacht om terug te gaan, naar Californië, met zijn kinderen. Hij wist dat ik in New Mexico had gestudeerd en hij vroeg of ik er nooit over dacht om weg te gaan uit Israël. Ik haalde mijn schouders op en zei nee.

Uri had kerkuilen gezien. Hij had hun hartvormige kop door de nachtkijker gezien, waardoor alles er groen uitzag, of hij had ze als schimmen in de avondschemer langs zien flitsen. Hij had nooit hun ware kleuren gezien, maar ik had hem verteld dat ze van boven goudkleurig zijn met vlekjes blauwgrijs, zwart en wit; hun borst is wit of soms heel licht kaneelkleurig, en hun kop wit – twee witte schelpen, elk met een gitzwart oog in het midden.

De andere militair op het dak was Meir. Hij gaf niets om de uilen. Hij zat het grootste deel van de tijd te roken en brieven te schrijven en te kankeren dat hij zijn tijd op een dak moest verdoen. Hij had liever in het vluchtelingenkamp gepatrouilleerd of auto's doorzocht bij de Erez-controlepost, zoals hij de eerste week van zijn *miluim* had gedaan. Meir vertelde ons hoe hij toen een Palestijn in de waan had gebracht dat hij hem had gedood. Bij de controlepost had hij een auto doorzocht en een hamer gevonden. Toen had hij de bestuurder en diens gezin meegedeeld dat het bij zich hebben van een hamer reden was om geëxecuteerd te worden. Hij gelastte de man om uit te stappen en te blijven staan. Meir stapte achter een vrachtwagen en laadde zijn M16 met het filter van een sigaret. Toen hij terugkwam lag de man op zijn knieën over zijn twee zonen en drie dochters te jammeren. De man bad voor zijn leven toen Meir op hem afstapte, zijn geweer richtte en het sigarettenfilter op zijn borst afvuurde. Meir lachte schel terwijl hij het verhaal opdiste. Hij vertelde dat de Palestijn zijn handen tegen de plek had gedrukt waar het filter hem had geraakt, dat hij neerzeeg op de grond, leunend op zijn voorhoofd, en zijn handen niet weg durfde te halen. Dat hij had geloofd dat hij dood was tot Meir in het Arabisch tegen hem had geschreeuwd: 'Je bent nu een geest, sta op!' De Palestijn, in shock, kwam overeind. Toen hij zijn handen wegtrok zag hij dat hij niet gewond was, en hij barstte uit in tranen en viel weer op zijn knieën. Meir vertelde ons dat hij hem een trap had gegeven en dat de Palestijn als een insect ineen was gekropen. Ik zei tegen Meir dat hij in de gevangenis thuishoorde. Meir had gelachen en gezegd: 'Een Arabier is geen mens.'

OVER MONSTERS

Ik vertel je over Meir omdat ik wil dat je begrijpt dat er goede mensen in de wereld zijn en slechte mensen en heel veel mensen ertussenin. Ik vertel je over Meir omdat ik wil dat je begrijpt hoe makkelijk je een monster van Meir kunt maken. Wat je moet begrijpen is dat hij een monster van zichzelf maakt, maar dat hij voor mij en voor jou een mens is, net als de Palestijn.

Ik heb heel veel dieren grootgebracht en daar ben ik goed in en misschien dat ik daarom niet bang ben om vader te worden. Maar er zijn dagen dat ik me realiseer dat ik niet weet wat deze wereld voor jou in petto zal hebben. Er zijn dagen waarop ik ervan overtuigd ben dat het gedaan is met de wereld, en er zijn dagen waarop ik weet dat hij gewoon doordraait, ongeacht of ik er wel of niet deel van wil uitmaken. Dat is ook waarom ik je over Meir vertel.

Toen we tien dagen dezelfde post hadden bezet en het nog twee dagen duurde voor mijn *miluim* voorbij was, kregen we bevel om van het dak af te komen. Ik vond het jammer dat ik die avond niet kon kijken naar de uilen. We liepen over de markt achter een klein konvooi legertrucks aan. We drongen ons door mensen alsof we door water waadden. De mensen gingen uiteen voor de wagens vóór ons, maar zodra die voorbij waren werd de leemte opgevuld, en al die vrouwen en kinderen, en zelfs de geiten, deden alsof ze ons niet zagen. Diverse keren botste er iemand tegen mijn geweer op. Diverse keren hoorde ik Meir achter me tegen mensen schreeuwen, op die manier van hem. Toen zag ik Uri voor me terugdeinzen omdat er vanachter een betonnen muur twintig of dertig stenen waren gegooid. Een jeep die achter ons aan reed kwam naar voren gedenderd en miste een wegspringende Palestijnse jongen op een haar na. Toen werden er rubberkogels afgevuurd door Israëlische soldaten. Winkels dreunden dicht en ik hoorde gejoel. Uri begon te rennen en ik holde achter hem aan. Een tweede stenenregen kletterde op mijn helm. Ik voelde de punt van een steen onder mijn oog terechtkomen. Ik sprong op de laadbak van de legertruck, draaide me om en zag de menigte terugwijken. Ik keek naar Uri, die zei dat ik bloedde.

Op een basis in Khan Yunis liet ik de wond hechten. We mochten die avond een paar uur slapen, maar werden door onze commandant, Hershel Cohen, enige tijd na middernacht gewekt. We kregen orders om een Palestijnse radicaal te arresteren, een leider van de Islamitische Jihad, die vlak daarvoor twee jonge Israëlische soldaten had ontvoerd en vermoord. Shehadeh heette de man. Hij was die middag tijdens een oproer waargenomen in de buurt van zijn huis te Rafiah. We gingen met jeeps naar Rafiah. Toen we bij het huis aankwamen leek het verlaten. De voordeur was vergrendeld, dus brachten we explosieven aan. Toen de deur was opgeblazen stormden we naar binnen. Ik vind het raar om dit allemaal te vertellen. Meestal was ik de hele dag bezig met dieren verzorgen en kooien schoonmaken, met het beheer voeren over een natuurreservaat. Nu rende ik door de splinters van wat even daarvoor een deur was geweest.

Meir ging voorop, Uri achter hem, en toen ik. Meir liep in de hinderlaag van een jongen die hem met een houten plank vol roestige spijkers in zijn gezicht sloeg. Meirs hals en wang werden wijd opengereten. Hij vuurde kogels in het plafond en begon te krijsen. Het joch liet de plank vallen en schoot weg, een trap op. Uri en ik kregen orders om achter hem aan te gaan.

De jongen was het dak opgerend. Er hing een volle maan in de hemel boven de zee en in het maanlicht kon ik de jongen goed zien. Hij stond aan de verste kant van het dak op een lage borstwering, en toen Uri en ik op hem afliepen begon de jongen 'Allahoe akbar' te schreeuwen. Hij had niets in zijn handen. Er bestond geen gevaar dat hij ons zou doden. Uri richtte zijn geweer en beval de jongen om van het muurtje af te stappen.

De jongen bleef echter Allah aanroepen. Ik zag het aankomen. Zijn benen spanden zich. De jongen sprong op en gaf een laatste, doordringende kreet. Ik liet mijn geweer vallen, dook naar voren en pakte de jongen bij zijn overhemd. Even had ik het gevoel dat ik zweefde, dat ik eeuwig samen met die jongen zou vallen. Toen grepen Uri's handen de kraag van mijn uniform vast. Het overhemd van de jongen schoot uit mijn handen en terwijl Uri me terugrukte op het dak hing ik, omlaag kijkend, boven de vallende jongen. Zijn gezicht was hemelwaarts gericht. Zijn ogen waren dicht en het leek of de aarde naar hem opsteeg. Toen de jongen te pletter viel op het beton maakte dat nauwelijks geluid.

Onze commandant had het allemaal zien gebeuren. Hij stond in de deuropening naar het platte dak, zijn wapen in de aanslag voor het geval de jongen ons in de val bleek te lokken. Toen Uri me losliet, stond ik op. Cohen berispte me dat ik mijn leven en dat van Uri in gevaar had gebracht. Waar was ik mee bezig? schreeuwde Cohen. Was ik gek geworden? Ik had wel dood kunnen zijn, om te proberen een springende jongen te redden die Meir met een plank vol spijkers had geslagen. Ik stond te bedenken wat ik moest zeggen, hoe ik het moest uitleggen, maar Hershel Cohen schudde alleen maar met zijn hoofd en wuifde met zijn hand om aan te geven dat ik geen moeite hoefde te doen om te antwoorden.

We gingen naar beneden. Er lag een plas bloed in de gang waar Meir was aangevallen. Ik zag een Palestijn met handboeien om en concludeerde dat het Shehadeh moest zijn. Ik zag een vrouw en zes kinderen tegen een muur staan, onder schot gehouden met geweren. Ze deden Shehadeh een blinddoek om en leidden hem naar buiten, naar een stationair draaiende legertruck. Ik kon Meir horen krijsen, en ik moet je zeggen, ergens vond ik het niet erg dat hij gewond was. Ik bedacht ook dat ik binnen twee dagen weer terug mocht naar de Negev. Ik probeerde het allemaal van me af te zetten, mezelf voor te houden dat ik alleen maar een militair was die bevelen opvolgde. Maar terwijl de jeep terugjakkerde naar de basis zag ik de jongen voor me, keer op keer. Ik zag hem vallen en ik kon niet zeggen wat er door me heen ging. Ik wist niet waarom ik mijn leven op het spel had gezet door te proberen hem te redden.

OVER DE GEVOLGEN VAN NAAR VOREN DUIKEN

Er was een video, bleek algauw. Iemand had de vallende jongen van onderen gefilmd, en toen ik terugkwam van mijn *miluim* was er een totaal nieuwe situatie ontstaan. Je moeder streek met haar vinger over mijn hechtingen en vroeg niet of ik de jongen van het dak had gegooid, maar ik vertelde haar toch maar dat ik dat niet had gedaan. Ze had het nieuws gezien en de video, en de berichtgeving over het voorval werd als een sensatieverhaal opgeklopt, hoewel door de slechte kwaliteit van het korte filmpje onmogelijk viel vast te stellen wat er was gebeurd. De beelden waren zo wazig en ambigu dat zelfs ik niet kon uitleggen wat ik zag.

Er was een pro-Israëlische Amerikaanse televisiezender, hoorde ik, die zijn reportage *Sprong naar een andere wereld* had genoemd en uitvoerig teruggreep op de Palestijnse verwerping van het Verdelingsplan van de Verenigde Naties, volgens welke Palestina in 1948 tussen de Palestijnen en joden zou worden opgedeeld. Het andere uiterste was een Jordaans televisiestation dat het verhaal een titel gaf die in vertaling ongeveer luidde *De joden zijn de nazi's van nu*. Datzelfde station vermeldde mijn naam, mijn leeftijd, mijn werkadres. Ik vroeg je moeder of ze vond dat we op reis moesten. Shoshanna sloeg haar ogen ten hemel en zei: 'De dieren.'

Ze vroegen me minstens twintig keer of ik een verklaring wilde afleggen, maar ik voelde daar niets voor. Ik kreeg van Avner Kornblum, een ambtenaar op het Bureau voor Natuurreservaten in Jeruzalem, te horen dat daar twee dreigementen van anonieme bellers waren binnengekomen die de Islamitische Jihad vertegenwoordigden; één van de twee verzekerde hun dat hij me zou vermoorden, mijn lichaam in stukken zou hakken, de delen in een zak zou stoppen en naar hetzelfde dak in Rafiah zou brengen waar hij me stukje voor stukje naar beneden zou gooien. De andere beller had, wat simpeler, gezworen dat hij mijn hart vol kogels zou pompen. Kornblum stelde voor dat ik mijn besluit zou heroverwegen, maar ik vertelde hem dat mijn standpunt ongewijzigd was. Misschien vraag je je af, als je ooit de beelden van de vallende jongen ziet, waarom ik geen commentaar wilde geven. Het eerste deel van mijn antwoord is dat ik wist dat alles wat ik zou zeggen uit zijn context zou worden gerukt en zodanig gebruikt dat het in het straatje paste dat de interviewer had gekozen. Dat wil zeggen, ik was ervan overtuigd dat ik met mijn commentaar niemand tevreden zou stellen, behalve misschien Avner Kornblum. De andere reden voor mijn zwijgen lag gecompliceerder. Ik wist dat ik de jongen had willen redden. Ik wist dat die jongen mij met alle plezier zou hebben gedood. Ik wist dat de Palestijnen het Verdelingsplan van de hand hadden gewezen. Ik wist dat er tijdens de Holocaust zes miljoen joden waren vermoord en dat dat voor veel Palestijnen en menig Arabisch land nog lang niet genoeg was. En desondanks stond ik zelf nog steeds verbaasd van mijn eigen actie en wist ik niet precies wat ik daar uitvoerde op dat dak.

Ik sprak elk uur, leek het wel, met de ambtenaren van het Bureau voor Natuurreservaten in Jeruzalem, en na nog twee dagen met reportages stelde Kornblum voor dat ik me tijdens de openstellingsuren niet in Hai Bar zou vertonen. Ik stond die week elke dag vroeg op, reed er om vijf uur naartoe om een begin te maken met voederen en andere klussen. Ik ging om acht uur weg nadat ik mijn medewerkers had geïnstrueerd. Ik handelde thuis telefoontjes af en vroeg me af wanneer het allemaal over zou waaien. Ik bleef thuis met je moeder, die na schooltijd tekenles gaf aan groepjes kinderen uit de buurt. Ik omringde me met onze dieren, die je allemaal zult leren kennen. Je moet niet denken dat ik enigszins normaal of zelfs rationeel ben wat dieren aangaat. Dit zijn onze troeteldieren: Logo (een hond), Nachman (een klipdas), Zviya (een gazelle), Jojo en Avigail (woestijnvossen), Lester (een gestreepte hyena met drie poten).

OVER HET PLOTSELINGE VERLANGEN OM MIJ TE LEREN KENNEN

Een week verstreek. Toen nog een. Volgens de medewerkers van Hai Bar was de stroom journalisten die achter me aan zat nagenoeg opgedroogd, dus belde ik Kornblum om te zeggen dat ik naar mijn mening tijdens de openstellingsuren wel weer naar het reservaat kon. Kornblum had verder geen doodsbedreigingen meer ontvangen. Hij stemde ermee in en ik keerde terug. Alles ging goed tot er toevallig een natuurprogramma op televisie werd herhaald. Het was een aflevering van *Animals Around the World* die vorige zomer in Hai Bar was opgenomen en in het najaar was uitgezonden. Om volstrekt onduidelijke redenen werd hij in februari herhaald. Ineens werden mensen over de hele wereld herinnerd aan mijn bestaan en aan de moord die ik al dan niet had gepleegd. Nu er een maand was verstreken waren er geen ambigue videofilmpjes meer te bekijken, geen redactionele commentaren te lezen, geen 'onweerlegbare bewijzen' te zoeken of te verzinnen (één absurde Amerikaanse sensatiekrant had gemeld dat mijn vader een wrede kapo in Auschwitz was geweest, een waarachtige rechterhand van Höss en Mengele). In plaats daarvan ging het om mensen, voornamelijk ouderen, die naar natuurprogramma's keken en me hadden herkend als de man uit die beelden over de Gazastrook waarin een jongen van een plat dak was gesprongen of geduwd. Door die onverwachte connectie voelden ze zich genoopt me brieven te schrijven en die brieven naar Hai Bar te sturen. In de twee weken volgend op het natuurprogramma kreeg ik steunbetuigingen vol waardering voor mijn reddingspoging, brieven waarin ik aan de schandpaal werd genageld om mijn genadeloze moordactie, brieven waarin me sterkte werd gewenst omdat ik een slachtoffer van de media was geworden en brieven waarin me vergiffenis werd geschonken. Er is één brief die me met name voor de geest staat omdat die begon met de zin *Toen ik u over de spiesbok genaamd Hermes zag praten, werd ik overweldigd door een plotseling verlangen om u te leren kennen*. Ik begrijp niet wat er zo speciaal aan is om iemand geportretteerd te zien in een reportage met beeldmateriaal, maar het kan reacties oproepen waar we nauwelijks bij stilstaan. Het kan aanleiding voor ons zijn om acteurs te aanbidden en het kan ons een gevoel van innige verbondenheid geven met iemand die niet zozeer een mens is als een illusie. Was ik per ongeluk een illusie geworden?

Ik las elke brief. Ik analyseerde de zinnen. Een van mijn medewerkers, een Amerikaanse dierenarts die Vicki heet en met haar toekomstige echtgenoot en hun vier maanden oude dochtertje, dat ze Arava hebben genoemd, in Hai Bar woont, vroeg waarom ik al die brieven niet gewoon weggooide. Ik zei tegen haar dat het alleen uit nieuwsgierigheid was, maar als ik eerlijk ben las ik al die brieven omdat ik verbijsterd was dat ze waren gestuurd. Ik had er niet om gevraagd en toch stond ik er onwillekeurig versteld van dat ik, hoe kort en/of illusoir dan ook, een middelpunt van de aandacht voor zoveel verschillende mensen was geworden. Ik beantwoordde geen enkele brief, maar ik voelde me wel verplicht om de interactie te completeren door op zijn minst de woorden te lezen die als medium tussen de briefschrijvers en mijzelf bedoeld waren. Ik meende dat ik daarmee de balans terug kon laten slaan naar het punt waarop ik me had bevonden vóór de toevallige omstandigheden die tot mijn onverwachte bekendheid hadden geleid.

Vroeg op een middag werd ik zelfs opgebeld. Het was een vrouw uit New Jersey die naar Hai Bar had gebeld en naar mij had gevraagd. Zonder enige inleiding vroeg ze of mijn vader in Kovno, in Litouwen, was gestorven. Mijn eerste gedachte was dat de vrouw een journaliste was, maar haar stem zwoegde om de woorden over haar lippen te krijgen, alsof ze al haar krachten had verzameld om te telefoneren. Ik veronderstelde dat de vrouw was overweldigd door een plotseling verlangen om mij te leren kennen, maar al snel werd ikzelf overweldigd door het verlangen om haar te leren kennen. Ik zei ja, mijn vader was in Kovno, in Litouwen, gestorven. De vrouw barstte meteen in huilen uit. Toen hing ze op, maar een uur later belde ze weer. Ze vroeg nogmaals of mijn vader in Kovno, in Litouwen, was gestorven. Ik zei ja, dat hadden ze me verteld. De vrouw begon te huilen en hing op. Ze belde een derde keer, vlak voor ik aan het einde van de middag naar huis ging. Ze stelde dezelfde vraag. Terwijl ze sprak bekroop me het eigenaardige gevoel dat mijn stoffelijke lichaam elk moment kon vervliegen. Weer zei ik ja. Toen zei ik: 'Vertel me wie u bent.' Maar de vrouw was alweer aan het huilen en hing vlak daarna op. Ik wachtte tot ze weer zou bellen. De hele volgende dag bleef ik op mijn werk bij de telefoon, maar de vrouw belde niet.

OVER DE WENS OM MIJ TE DODEN

Toen ik je moeder over de telefoontjes van de vrouw uit New Jersey vertelde, reageerde ze door het litteken onder mijn oog te kussen. Ze vroeg waarom ik niet verwachtte dat de vrouw terug zou bellen en ik zei dat ik geen idee had, en ook niet waarom ze eigenlijk had gebeld. Het was vrijdag, 's morgens vroeg. Ik ging buiten in de tuin zitten waar onze gazelle, Zviya, ronddartelde en af en toe naar me toe kwam. Het duurde niet lang of je moeder stak haar hoofd naar buiten om te zeggen dat Vicki uit Hai Bar aan de telefoon was. Ik liep naar binnen in de hoop dat Vicki een boodschap van de vrouw in New Jersey had aangenomen, maar in plaats daarvan hoorde ik dat

Samson, een van de zesendertig wilde halfezels die we in de Makhtesh Ramon-krater hadden uitgezet, was teruggekomen naar Hai Bar en op dat moment voor de omheining aan de noordkant stond. Het leek of hij naar binnen wilde, vertelde Vicki. Ik vond het hilarisch, maar ik wist tegelijkertijd dat ik het omzichtig aan moest pakken om geen bezoekje van Avner Kornblum te riskeren. Dus belde ik Kornblum in Jeruzalem, legde uit dat Samson de weg terug naar de omheining van het reservaat had gevonden en dat ik met hem wilde overleggen alvorens te besluiten om de ezel binnen te laten dan wel hem te weren in de hoop dat hij weer honderdtwintig kilometer terug zou zwerven naar Makhtesh Ramon. Ik was op dat moment niet in Hai Bar, zei ik, maar zou er meteen naartoe gaan. Kornblum vroeg: 'Zul je hem aan zijn markeringen herkennen?' Ik zei van wel. 'En dan zul je zeker zijn dat het Samson is?' Ik verzekerde hem dat ik me van de identiteit van de wilde ezel zou vergewissen, al vond ik het een nogal bespottelijk punt omdat het duidelijk om een van de onagers ging die we hadden losgelaten, of het nu Samson was of niet; welke onager het ook was, we zouden er hetzelfde mee doen. 'Wat verwacht je zelf te doen?' vroeg hij, en ik antwoordde: 'Ik denk dat we hem binnenlaten. Dan zullen we kijken of hij gewond is en bepalen of hij uiteindelijk weer naar Makhtesh Ramon overgebracht moet worden.' 'Ik denk niet dat nog een overplaatsing van Samson raadzaam is,' zei Kornblum zelfgenoegzaam, alsof ik zelf niet ook al tot die slotsom was gekomen. 'Hoe is het tij?' vroeg Kornblum. 'Welk tij?' vroeg ik, in de war, en hij zei: 'Het tij van verslaggevers die trachten een boosdoener van faam van u te maken.' Zijn Engels was niet bijzonder goed, en daarom sprak ik meestal in die taal met hem. Dat hield onze gesprekken doorgaans kort. Ik zei: 'Het tij loopt af, maar nu en dan spoelt er nog wat aan.' Die metaforische scherts scheen hem te bevallen en hij zei: 'Goed dan. Hou me op de hoogte van je activiteiten.'

Ik nam Logo mee in de jeep en reed in twintig minuten van ons appartement in Eilat naar Hai Bar. Toen ik daar aankwam zag ik de onager. Hij stond nu vlak buiten de hoofdingang. Vicki zat op het stenen trapje naar het administratiekantoor. Dillon, haar vriend, stond naast haar met de baby op zijn arm. Berstein stond er ook bij, en toen hij me zag lachte hij en wees met zijn duim naar de binnen-kort-niet-meer-zo-wilde onager. 'Nu we laten Iejoor weer binnen?' vroeg hij, en ik zei: 'Ja, natuurlijk.' Ik stapte uit de jeep. Ik vroeg Vicki wanneer ze hem had ontdekt en ze antwoordde: 'Vlak voor ik belde.' En dus deed ik de poort open. Ik keek naar Samson, die terugkeek, toen zijn kop liet zakken en bedaard naar binnen kuierde.

Vicki, Dillon en de baby gingen na hem naar binnen. Ik deed de poort dicht en sprak met Berstein.

Hij zei: 'De luipaard, Bavtah, zij lijkt miserabel. Ze plast weer bloed. Misschien we moeten Salzman erbij halen.'

'Heb je haar een tranquillizer gegeven en Vicky naar haar laten kijken?' vroeg ik.

'Ja, natuurlijk,' zei hij, 'maar zij niet weten hoe een luipaard behandelen.'

'Salzman ook niet,' zei ik.

'Is waar,' zei Berstein. 'Ook is waar dat fijn is naar Vie-kies kont kijken als ze bukt voor zieke luipaard onderzoeken.' Toen lachte Berstein om zijn smakeloze grap. Het spijt me om dit fragment op te nemen, maar je zult Berstein spoedig leren kennen en misschien ben je dan hierdoor voorbereid.

Ik liep weg om naar Bavtah het luipaard te kijken, die al een paar jaar bij ons was, sinds de mensen van de Ein Gedi-kibboets haar bij vergissing hadden gevangen nadat een andere luipaard, Hoordus, een van hun geiten had gedood en opgegeten. Ik had de kibboets-bewoners gesmeekt om haar los te laten, maar met die mensen valt niet te praten. Bavtah was het derde vrouwtje dat was gevangen of gedood, en nu is de sekseverhouding van de luipaardenpopulatie helemaal scheefgetrokken, misschien wel onherstelbaar.

Ik had een stuk of tien stappen op het parkeerterrein gezet toen er een auto stopte. Er stapte een lange man uit gekleed in wat Berstein graag de kleren van 'die zwartjurken' noemde. Met andere woorden, een chassidische jood, met zijn lange zwarte jas en zwarte hoed. Ik zag dunne krulslierten haar langs beide kanten van zijn gezicht bungelen, wat mijn veronderstelling scheen te bevestigen. Ik vroeg de man of ik hem kon helpen en hij zei nee. Hij zei dat hij was gekomen om míj te helpen. Hij zei dat hij met dat doel uit Gush Katif was komen rijden, een conglomeraat van joodse nederzettingen in Gaza. Hij zei dat hij me op televisie had gezien en dat ik moest oppassen dat ik niet vermoord werd. Toen greep de man in zijn lange zwarte jas, trok er een geweer uit, richtte en vuurde.

OVER MORDECHAI AKIVA

Zijn kogel trof me in mijn buik en doorboorde een stukje van mijn dunne darm. Hij vuurde maar één keer. Een tel later schoot Berstein hem een kogel door zijn hoofd. Waarom de man, die werd geïdentificeerd als Mordechai Binyamin Akiva, zevenendertig jaar oud, mij wilde doden is nooit opgehelderd. Niemand uit zijn eigen nederzetting of uit een van de andere in Gush Katif had het zien aankomen. In de kranten werden allerlei theorieën opgeworpen. De voornaamste was dat Akiva ervan overtuigd was geweest dat ik verdiende te sterven vanwege mijn poging om de Palestijnse jongen te redden, en dat hij ervan uit was gegaan dat hij het met zo'n onduidelijke beweegreden ongestraft zou kunnen maken om naar Hai Bar te rijden en me dood te schieten. Een andere theorie was dat de man geloofde dat hij in opdracht van God handelde.

Dit vertel ik je nu wel, maar ik kan het Mordechai Akiva niet helemaal kwalijk nemen. Ik voelde van alle kanten dingen op me af razen. Ik had, hoe kortstondig ook, een deur opengezet waar van alles doorheen had kunnen komen. Ik was in zekere zin opgelucht toen ik per helikopter naar een ziekenhuis in Jeruzalem werd gebracht. Ik had veel bloed verloren, maar ik leefde nog en ik dacht dat hierdoor misschien uiteindelijk in evenwicht werd gebracht wat uit balans was. Ik dacht dat met dit voorval mogelijk de poort zou worden gesloten die ik onbedoeld had geopend toen ik naar de Palestijnse jongen graaide die wilde gaan springen.

Berstein en je moeder waren bij me in de helikopter. Ze hielden zich allebei bewonderenswaardig goed onder de omstandigheden.

Als ze om mij in de rats zaten lieten ze dat niet blijken. Er bestaat een gezegde dat je nog wel zult leren. We zeggen: 'Israëli's zijn gemene mensen. Israëli's zeggen wat ze menen en menen wat ze zeggen.' Misschien ging dat niet altijd op voor Berstein, maar het gold wel voor Shoshanna. Je moeder hield mijn hand vast en zei: 'Amnon, blijf leven, hoor.' Ik zei dat ik dat van plan was. Daarna verloor ik geleidelijk het bewustzijn.

OVER BEWUSTELOOSHEID

Ik hoorde stemmen om me heen. Ze waren allemaal mijn stem en ze waren het niet. Ik probeerde buiten mezelf om over te stappen op de volgende stem, maar als ik daar was zat ik nog steeds binnen mijn eigen stem. Het leek ergens wel of ik die stemmen verzamelde. Het leek of ik ze kon laten rusten door te praten en ze tevens iets kon geven om doorheen te gaan.

OVER DE RARE VOORTGANG VAN TIJD

Toen lag ik in een ziekenhuisbed, de kogel eruit gehaald, apparaten op me aangesloten, een hele rits hechtingen in mijn buik.

Toen was ik terug in de Negev-woestijn. Er stond een warme geïoniseerde wind die bekendstaat als de *hamsin*.

Toen kwam ik op 9 juni 1967 aan een parachute neer op de Golanhoogvlakte, en overal groeide gouden gras met paarse distels, een weidse blauwe hemel, een paartje ooievaars in een nest boven op een telefoonpaal, en ergens klonk geweervuur maar de kogels raakten me niet.

Toen voelde ik me beter, mijn hechtingen waren eruit, nog een litteken erbij, je moeder ergens in het huis, mijn hond en mijn hyena lagen naast het bed, mijn knorrige klipdas sjokte over de vloer.

Toen stonden je moeder en ik te kussen.

Toen stond ik op een maanloze nacht vol sterren in mijn achtertuin en de *hamsin* woei, en ik hoorde wat wel windstemmen leken, geluiden die als woorden vol betekenis klinken als je niet echt luistert, maar die als je aandachtig luistert klinken als het kaf van woorden dat spookachtig om je heen zweeft, zodanig dat je het ten slotte opgeeft en wind hoort. Waarna de cyclus zich natuurlijk herhaalt en je woorden hoort die je half hoort en half verzint om de ruimte rondom met iets bots te vullen waar een snijkant hoort te zijn. Ik stond lange tijd buiten. Ik hoorde de wind en keek naar de sterren. Wolkflarden gleden onder de sterrenbeelden door en wisten ze soms uit, tot die wolken voorbij waren en het patroon van de sterren hersteld kon worden, telkens weer, alsof het door het eindeloze spinnen van een noeste, onzichtbare spin werd gerepareerd.

OVER DE MENSEN OP DE BRUILOFT IN EIN GEDI

Op de zondagmiddag dat ik aanwezig was bij de huwelijksplechtigheid van mijn twee Amerikaanse medewerkers Vicki en Dillon, zag ik Shoshanna een poos met de baby, Arava, in haar armen staan. Arava had bolle wangen en deed telkens haar mond open en dan lachte ze en soms wees ze naar dingen. We stonden allemaal bij de bron van David in Ein Gedi. Ik keek naar dat prachtige meisje en bedacht dat ik graag zelf een kind zou willen hebben.

Behalve de rabbijn, Shoshanna, ikzelf en de baby bestond de kleine gastenlijst uit Vicki's ouders, haar Amerikaanse vriendin Lillian, Dillons tante Julia, zijn nichtje Dara en zijn zus Gwendine, die zich voorstelde als Dee. Op de receptie na de plechtigheid sprak ik uitvoerig met Julia, die me voorkwam als het soort vrouw dat jonge Israëli's zich plegen voor te stellen als ze over knappe blonde Amerikaanse meisjes fantaseren. We praatten over de koraalriffen voor de kust van het Sinaï-schiereiland, waar ze met Dara wilde gaan scubaduiken na hun verblijf in de zuidelijke Negev. Julia was marien biologe en ze had voor enkele weken onderdak geregeld in Sharm el-Sheikh om gegevens te verzamelen over verschillende soorten schijnkoraal die in de Rode Zee voorkwamen. Dat was allemaal plezierig gekeuvel met een interessante vrouw. Ik verwachtte dat mijn indrukken van de vijf andere gasten min of meer hetzelfde zouden zijn, maar dat duurde slechts tot Vicki met een lepeltje tegen haar wijnglas tikte omdat Dillons zus kennelijk gehoor ging geven aan een verzoek om een lied te zingen.

Ik had Julia spottend over Dee horen praten als haar 'betoverende nicht', maar toen die opstond van tafel leek ze eerst verlegen. Ze hield een kort toespraakje over dat ze zo blij was om 'Dilly' zo gelukkig te zien hier in Israël. Daarna haalde ze diep adem en begon te zingen. Zonder microfoon of begeleiding zong ze 'Blackbird', maar het had niets van de versie die de Beatles hadden opgenomen, niets van wat ik ooit had gehoord. Haar stem was vol en melodieus en helder, maar niet alleen maar heel mooi. Het nummer had iets ingetogen extatisch, alsof haar stem verder reikte dan tot ons en een andere wereld invloeide.

Na de receptie gingen Dillon en Vicki naar een hotel in Eilat terwijl Shoshanna en ik ons over Arava ontfermden en de zes gasten uit de VS in ons appartement ontvingen. We probeerden de dieren in onze slaapkamer te houden, maar Logo wist de deur open te krijgen en even scharrelden alle dieren rond door de keuken en de woonkamer. De gasten vonden het wel leuk, en nadat ik elk dier had voorgesteld tilde ik Nachman, Jojo en Avigail in mijn armen terwijl Shoshanna Logo en Lester terugdreef naar onze slaapkamer. Ik bond de deurklink vast met touw, zowel om de harmonie te bewaren als om te voorkomen dat Nachman, Jojo en Avigail door onze voordeur zouden ontsnappen.

Een poosje later liep ik de achtertuin in om te kijken hoe het met Zviya was en daar trof ik Dee. Ze dronk een Kinley-tonic. We stelden ons aan elkaar voor aangezien we nog niet met elkaar hadden gesproken. Ik vroeg waarom ze in haar eentje buiten stond en Dee zei dat ze bang was geweest voor Lester. Ik zei: 'Hij is tam,' en zij zei: 'Dat weet ik, maar toch vind ik het eng om zo vlak bij een hyena te zijn.' 'Je zou best aan hem wennen,' zei ik, en ik gaf haar toen in overweging dat ze op den duur zou zien dat Lester nog makker was dan

Logo. 'Dat zal best,' zei ze, maar ze voegde eraan toe dat ze ergens gewoon moeite had met het idee om bij een hyena in de buurt te zijn. Op dezelfde verlegen toon waarop ze op de bruiloft had gesproken zei ze: 'Misschien helpt het als je me zou kunnen vertellen waarom hij tam is.'

Ik zei dat Lester als pup in de steek was gelaten en dat een door gangreen aangetaste achterpoot geamputeerd had moeten worden, maar dat hij toen nog zo jong was dat hij zich moeiteloos aan het verlies van de poot had aangepast. Ik zei dat Lester graag aan mijn kant van het bed op de vloer sliep en dat zijn gesnurk na al die jaren iets rustgevends had en me hielp om in te slapen. Ik legde uit dat Lester nooit had ervaren dat hij wild was en mij min of meer als zijn moeder had aangenomen. Dee glimlachte flauwtjes en zei: 'Dank je wel. Dat helpt om dingen in hun context te zien.' Omdat ze verder geen informatie over Lester nodig scheen te hebben veranderde ik van onderwerp en vroeg waar ze had leren zingen.

Ze had in het kerkkoor gezeten, vertelde ze, en daarna in het schoolkoor. Op jonge leeftijd was het haar opgevallen dat de mensen luid applaudisseerden als ze een solo zong. Ik zei tegen haar dat ze prachtig zong, en Dee bedankte me, maar verontschuldigde zich toen voor haar lied van die middag. Het was te krachtig, zei ze. Ze was nerveus geweest, met Dillon en zijn nieuwe echtgenote om haar heen. Ik vroeg of ze nader kon toelichten wat ze bedoelde.

Dee zei: 'Als ik zing doe ik iets met de mensen die luisteren. Ik doe iets waardoor de mensen hun oren spitsen.'

'Dat zou ik talent noemen,' opperde ik.

Dee schudde haar hoofd en zei: 'Het is meer, of het is minder, net hoe je het bekijkt. Het is iets wat ik doe om mezelf te beschermen, al weet ik niet precies hoe.'

Ik zei: 'In elk geval heb ik genoten van je lied.'

'Tenminste, dat denk je,' zei ze met een schamper, detonerend lachje. Ze sloeg haar ogen ten hemel als een klein meisje en slaakte toen een lange zucht. 'Vond je het echt mooi zoals ik zong?' vroeg ze. Ik nam aan dat ze dat ook ironisch of sarcastisch bedoelde, maar toen ik haar aankeek besefte ik dat de wrange ondertoon van daarnet was verdwenen. Ik glimlachte en herhaalde mijn verzekering dat ze heel getalenteerd was. Ik zei dat het me niet zou verbazen als ze het helemaal zou gaan maken. Na een korte stilte waarin ze weer zoiets verlegens kreeg, zei ze dat ze daar nog steeds niet uit was, dat idee van succes hebben en of ze dat eigenlijk wel wilde. Ondertussen was ze pas geleden uit haar band van de laatste drie jaar gestapt en in haar eentje van Florida naar New York getogen, waar ze als serveerster werkte en in een club in Greenwich Village zong. Ik vroeg of 'Blackbird' tot haar standaardrepertoire behoorde. Ze zei ja, maar meestal zong ze de eerste regel van het nummer vier of vijf keer voor ze doorging naar de volgende. Zo kon ze vaststellen hoe krachtig haar stem was die avond. Tijdens de pauzes tussen de herhalingen werd de zaal meestal stil. Als ze dan verderging naar de volgende regel ademden de mensen uit en kon ze voelen hoe het publiek op haar reageerde. Terwijl ze dat uitlegde had ik de indruk dat ze beslist niet stond op te scheppen en dat het verschijnsel haar eigenlijk niet helemaal lekker zat. Toen zei ik iets wat me nu nog verbaast. Ik zei tegen Dee dat ze op haar hoede moest blijven. Ik zei dat ze moest uitkijken voor mensen die zich verdekt opstelden in de hoek van de zaal. Ze moest erom lachen en vreemd genoeg leek het precies de juiste opmerking om tegen haar te maken.

Ik was ervan uitgegaan dat mijn interactie met Dee Morley daarmee ten einde was voor die avond, maar later kwam ze naar me toe toen ik de keuken aan het opruimen was en vroeg ze of ze nog even met me kon praten. Ze zei dat er nog iets anders was wat ze me wilde vertellen. Ik vroeg wat dan, en Dee legde uit dat zij en Dillon uit een heel problematisch gezin kwamen en dat er daardoor dwingende redenen voor hen tweeën waren om ver van hun ouderlijk huis in Utah vandaan te blijven. Toen ik vroeg wat die redenen waren wilde ze daar niet verder op ingaan. Ze zei: 'Het spijt me dat ik zo vaag ben, maar ik weet nauwelijks hoe ik de dingen waar ik het over heb moet beschrijven. Ik geloof dat ik voornamelijk gewoon hoop dat je op mijn broertje zult passen. Ik weet dat hij hier veilig is en ik zou graag willen dat dat zo blijft. En wat mezelf aangaat, ik heb het gevoel dat ik meer te doen heb, veel moeilijker dingen dan proberen een beroemde popster te worden. Al zou het wel helpen, neem ik aan, om een popster te zijn.' Ze glimlachte weer – haar verlegen glimlach – en haalde iets uit haar tas. 'Dit is mijn demo,' zei ze. 'Misschien vind je het wat.' Ik bedankte haar voor het bandje en beloofde dat ik op haar broer zou passen. Ze zei: 'Dat weet ik,' en liep snel de keuken uit.

Je moeder was degene die voorstelde dat ik aan jou zou schrijven omdat ik 's nachts vaak laat opbleef en me dan afvroeg hoe ik deze wereld moest verklaren. Een zinloze onderneming, maar toch is wat ik hier opschrijf evenzeer een geloofsdaad als een daad van verzet. Ik ben me ervan bewust dat dit niet echt een getuigenis is. Ik zal dit niet in een envelop stoppen en verzegelen met instructies om het pas op je dertiende, eenentwintigste, veertigste of vijfenzestigste verjaardag open te maken. Ik zal dit helemaal niet in een envelop stoppen. Ik weet niet eens zeker of je dit zult lezen, maar misschien wel. Ik heb geprobeerd om het over dingen te hebben die het meest relevant lijken. Ook over Dee, die nog weleens op bezoek zal komen, vermoed ik. Op een dag zul je kennis met haar maken, en dan zal ze niet meer zo bang zijn voor Lester. Ik heb het ook over haar omdat ze het type mens lijkt dat op een gegeven moment in haar leven in een situatie zou kunnen verzeilen die lijkt op waar ik hier verslag van doe. Ik bedoel natuurlijk niet dat ze een jongen in Gaza zal willen redden of dat een man uit Gush Katif een moordaanslag op haar zal plegen. Ik bedoel dat ze iemand is die om wat voor reden dan ook tot de ontdekking kan komen dat ze het middelpunt van aanzienlijke belangstelling is geworden. Dat ze een eigen deur kan opendoen.

OVER EEN BRIEF UIT NEW JERSEY

Er lag weer een stapel brieven in Hai Bar op me te wachten toen ik later dat voorjaar weer aan het werk ging – nadat ik toestemming had gekregen van mijn arts en van Kornblum en van een stem diep in mijn binnenste die me influisterde dat de tijd van Mordechai Akiva en andere aspirant-moordenaars achter de rug was, al kon het geen kwaad om lieden die op het parkeerterrein rondhingen in het oog te houden. Vicki had de brieven in een doos bewaard, aannemende dat ik ze allemaal zou willen lezen, zoals ik eerder had gedaan. Maar ik had het helemaal gehad met brieven lezen. Ik was het beu om het gevoel te hebben dat ik een radio-ontvanger was die de uiteenlopende signalen van mensen over de hele wereld oppikte. Ze zei: 'Zal ik ze weggooien?' en ik zei: 'Nee, lees jij ze maar. Kijk of er doodsbedreigingen bij zitten. Kijk maar of er iets bij zit wat interessant lijkt.'

Een dag later gaf ze me twee opengemaakte enveloppen. In de eerste zat een getypte, wijdlopige brief die door een filmproducent uit Hollywood aan een secretaresse was gedicteerd, waarin hij aanbood om mijn 'levensrechten' te kopen in de hoop een filmscenario over de gebeurtenissen die ik hier heb beschreven uit te werken onder de mogelijke titels *Het Heilige Land, Het land van Salomo, Het land van melk en honing* en alleen *Het land*. Ik las alle vijf getypte pagina's en verscheurde de brief.

De tweede brief stemde echter tot nadenken, nog voor ik hem openvouwde.

Ik staarde enkele minuten naar de afzender in de linkerbovenhoek van de envelop. De naam van de schrijfster was Beverly Rabinowitz. Toen Vicki het kantoor binnenkwam, zei ik: 'Ik zit naar de naam Beverly Rabinowitz te staren. Wat is dat voor naam? Van een meisje uit het Midwesten dat met een New Yorkse jood is getrouwd?' Ze schudde haar hoofd en zei: 'Volgens mij komt ze niet uit het Midwesten.' Terwijl Vicki dat zei viel mijn oog op het poststempel van New Jersey. Vicki zei: 'Misschien moet je die maar thuis lezen.'

Ik deed wat Vicki had voorgesteld. Ik nam de brief mee naar huis, en toen je moeder naar bed was ging ik aan de keukentafel zitten en haalde de brief tevoorschijn. Terwijl Jojo en Avigail rondrenden en hun gebruikelijke nachtelijke jaagspelletjes deden, las ik wat Beverly Rabinowitz had geschreven. Ze had mijn foto in de krant gezien en ze had me in de aflevering van *Animals Around the World* gezien. Ze was een vijftigjarige kinderarts die met haar dochter en zoon, beiden tieners, in East Brunswick in New Jersey woonde. Een andere dochter studeerde. Ze had me geschreven omdat ik zo'n frappante gelijkenis met haar vader vertoonde dat ze zich afvroeg of we misschien familie waren. Bij de brief had ze een foto van twee mannen en een vrouw gedaan. Zoals ze uitlegde was de aantrekkelijke vrouw in het midden haar tante Doris, die de oorlog had overleefd en slechts twee maanden ervoor was overleden. Ze zei dat de man links haar oom Pinchas was en de andere man haar vader, Jonah Rabinowitz. Van beide mannen werd aangenomen dat ze bij de executie van vijfhonderd joodse intellectuelen in augustus 1941 waren gedood. In zekere zin was het een heel simpele brief. Ze vroeg of ik terug zou willen schrijven met informatie over mijn ouders. Hadden ze soms in Polen of Litouwen gewoond? Waren ze overlevenden van de Holocaust? Leefden ze nog? Toen ik de brief had gelezen staarde ik lange tijd naar de foto die ze me had gestuurd. De man rechts leek zoveel op mij dat ik eerst dacht dat het een trucfoto was.

OVER MIJ

Ik zal je nu vertellen dat mijn eigen afkomst een mysterie blijft, althans gedeeltelijk. Ik ben in maart 1942 in het getto in Kovno geboren, in het door de nazi's bezette Litouwen. Dat een vrouw in die tijd een winter lang een zwangerschap kon doorstaan is een gedachte die je verstand te boven gaat. Nog verbijsterender is het feit dat mijn moeder mij maar een uur heeft gekend. Toen werd ik pijlsnel door de joodse verzetsbeweging afgevoerd, door Wit-Rusland en Oekraïne, door Roemenië, Bulgarije, Griekenland en uiteindelijk naar Palestina. Ik werd vervoerd in zakken, in koffers, in kasten, onder het hemd van vrouwen. Ik kreeg slaapmiddelen zodat ik me stilhield. Eén keer ben ik bijna verdronken. Het kostte drie maanden om de joodse nederzetting aan de rand van de woestijnstad Be'er Sheva te bereiken, waar mijn adoptieouders, Ehud en Naomi Grossman, op me wachtten. Ik kreeg dat alles te horen toen ik zeven was. Ik sta nog telkens perplex als ik bedenk dat ik die reis heb gemaakt en dat mijn leven is gered door een heleboel mensen die ik niet ken.

Mijn adoptieopa Rachmil had in de Tsjerta, het vestigingsgebied van de joden in Rusland, gewoond en was eind negentiende eeuw per boot naar Sydney in Australië geëmigreerd. Mijn adoptieouders waren in 1933 uit Sydney naar Palestina gekomen. Ik zie mezelf niet als iemand met een moedertaal omdat mijn ouders thuis een mix van Engels en gebroken Hebreeuws spraken, en eigenlijk zijn dat voor mij geen aparte talen. Je zult je opa Ehud en je oma Naomi nog leren kennen, en ik denk dat je net zo van hen zult houden als ik. Je overgrootvader Rachmil en je overgrootmoeder Etka zijn al vele jaren dood.

Over mijn biologische moeder in Kovno deden diverse verhalen de ronde. Niemand wist hoe ze heette, maar naar verluidt lukte het haar uiteindelijk om uit het getto naar de bossen te ontsnappen en zich bij het verzet aan te sluiten. Er werd beweerd dat ze eens een Duitse soldaat had gedood: ze sloop op de man af terwijl hij op een boomstronk zat te roken in de hoop dat het hert waar hij achteraanzat weer op zou duiken, hoewel hij daar in het bos was om op joden te jagen. Ze zette haar geweer tegen zijn hoofd en zei: 'Leven. Dood. Wat is het verschil, nazizwijn?' Toen de man zich omdraaide, schoot ze hem een kogel tussen zijn ogen. Hoe kan ik dit weten? Ik heb het hoogstwaarschijnlijk verzonnen.

Toch heb ik haar vraag zorgvuldig overwogen. Wat ik je kan vertellen is dat er verbanden zijn tussen wat je bent als je leeft en wat je bent als je dood bent. We zijn met onszelf verbonden, altijd.

Wat mijn vader betreft, die was in Kovno gestorven, naar werd aangenomen. Dat was het enige wat mij ooit was verteld.

Nadat ik de brief aan Shoshanna had laten lezen, stelde ze voor dat ik mijn ouders zou bellen om te vragen of ze nog meer wisten dan wat ze me hadden verteld. Ze waren allebei stomverbaasd toen ik hun over de foto vertelde en de brief voorlas, maar geen van beiden kon mij iets nieuws vertellen. We spraken over andere dingen, zoals mijn schotwond en een recente wijziging in de busroute naar de stad op de Golan-hoogvlakte waar ze samen woonden. Sinds mijn broer Ariel, ook geadopteerd, in de Zesdaagse Oorlog is omgekomen spreek ik mijn ouders minstens één keer per week, zonder mankeren, ook toen ik aan de New Mexico State University in Las Cruces mijn promotieonderzoek naar de ecologie van de woestijn deed. Ik heb ook in de Zesdaagse Oorlog van 1967 gevochten. Ik ben in september van datzelfde jaar aan mijn studie begonnen. Ik ben in 1974 teruggegaan naar Israël en een jaar later met je moeder getrouwd. Ik was tweeëndertig en zij was zevenentwintig. Ik vermeld die dingen hier omdat ik al die informatie in mijn antwoord aan Beverly Rabinowitz heb verwerkt dat ik haar de volgende ochtend heb gestuurd.

OVER DE TWEEDE BRIEF VAN BEVERLY RABINOWITZ

Die kwam in een dikke, met noppenfolie gevoerde envelop waarin ook vijf cassettebandjes zaten. Om een heleboel redenen geloof ik niet dat ik ooit de gevoelens kan beschrijven die door me heen gingen toen ik de brief las. Ze had geschreven:

Beste Amnon,
Dank voor je antwoord. Ik heb urenlang over de handvol details zitten peinzen die je me hebt kunnen verschaffen. Zoals je zult zien blijk ik er inderdaad mijn handen vol aan te hebben, maar dat bedoel ik zo aardig mogelijk.

Om eerlijk te zijn voelde ik me een onnozel wicht toen ik mijn eerste brief zat te schrijven. Ik wist bijna zeker dat het tijdverspilling zou zijn. Ik had mijn moeder de video van Animals Around the World *laten zien, een poosje nadat ik hem van Max Rubin, de weduwnaar van mijn overleden tante Doris, had gekregen. Ze woonden alle twee in een bejaardenhuis in New Jersey. Mijn moeder, die net achtenzeventig is geworden, zat herhaaldelijk te zuchten terwijl we de band bekeken. Daarna maande ze me om op mijn hoede te zijn voor het geval je een soort* dibboek *of andere sluwe* kwelgeest bleek te zijn die een gemene streek met ons uithaalde.

Sommige mensen kunnen makkelijk in mystieke termen denken. Mij ligt dat niet. Veel van de informatie die ik je zal geven heeft Max Rubin aan mij doorverteld. Hij is in 1982 met mijn overleden tante Doris getrouwd. Zij was de vrouw op de foto die ik je heb gestuurd. Max was haar derde echtgenoot, en hoewel hij in bepaalde opzichten een excentriekeling is heeft hij altijd een volstrekt betrouwbare, eerlijke indruk gemaakt. Max was degene die mij de videoband van Animals Around the World had gegeven. Toen heeft hij me ook op de hoogte gebracht van enkele bekentenissen die Doris op haar sterfbed aan hem had gedaan. Eén van die bekentenissen was dat ze mijn vader, Jonah Rabinowitz, had liefgehad, die in Kovno was achtergebleven nadat hij een visum en geld had geregeld voor mijn moeder en mij waardoor wij naar Japan konden reizen en uiteindelijk naar de Verenigde Staten. Ik was toen vijf en mijn herinneringen aan die periode zijn nogal fragmentarisch. Volgens het relaas dat Max Rubin me heeft gedaan over de dingen die mijn tante Doris vlak voor ze aan een beroerte overleed aan hem had onthuld, hadden mijn tante en mijn vader, hoe betreurenswaardig het ook moge klinken, een liefdesverhouding toen ze als vluchtelingen in Kovno woonden, en die verhouding heeft waarschijnlijk geduurd tot de dag dat mijn vader en mijn oom Pinchas verdwenen. Zij waren twee van de vijfhonderd joodse mannen die op 8 augustus 1941 de stad uit werden gevoerd in de veronderstelling dat ze werk hadden gekregen in de stadsarchieven. Er deed een verhaal over die mannen de ronde onder degenen die hen hadden gekend: er werd beweerd dat twee van die vijfhonderd het hadden overleefd, maar ik heb hier en daar navraag gedaan en het lijkt waarschijnlijker dat ze alle vijfhonderd zijn gedood.

Overigens, tante Doris heeft een getuigenis van meer dan drie uur ingesproken over de wijze waarop ze de jodenvervolging heeft overleefd. Het is opgenomen in een steeds groter wordend archief dat wordt opgezet voor een gepland Holocaustmuseum in Washington D.C. Ik heb haar getuigenis pas nog beluisterd en zal bandjes met de opnames bijsluiten. Daarin heeft ze het niet over haar liefdesverhou-

ding noch over bepaalde specifieke gevoelens voor mijn vader. Ze beschrijft echter wel in detail een periode van de zomer van 1941 tot de zomer van 1943 waarin ze in het Kovno-getto woonde, tot aan haar arrestatie en voorgenomen deportatie naar Treblinka waaraan ze ontkwam door uit een trein te springen, waarna ze zich aansloot bij het gewapende verzet in de bossen rond Białystok in Polen. Ze werd later opgepakt en in Auschwitz opgesloten, waar ze bleef tot het kamp werd bevrijd.

Met dit alles wil ik zeggen dat Doris je biologische moeder was en dat mijn vader, Jonah Rabinowitz, jouw vader was. Ik stel dat hoewel er geen enkel bewijs is dat zelfs maar zweemt naar de mogelijkheid dat ze zwanger was geworden van mijn vader of was bevallen van een kind in de periode dat ze in het getto van Kovno woonde, en ook ondanks het feit dat Doris er op haar sterfbed niets over heeft onthuld aan Max Rubin. Ik poneer dat omdat het voor de hand ligt, na jouw brief en het gegeven dat jij, mijn vaders evenbeeld, in maart 1942 in het getto van Kovno bent geboren, dat je je moeder nooit hebt gekend en dat het enige precieze detail dat je over haar kunt geven is dat ze kennelijk bij het verzet heeft gezeten. De tijd dat Doris in verwachting was klopt precies als ze inderdaad zwanger werd in de laatste weken voor mijn vaders verdwijning. Wat onduidelijk blijft in dit scenario was natuurlijk hoe het mogelijk was dat tante Doris zowel in haar opgenomen getuigenis als bij haar bekentenissen aan Max Rubin met geen woord heeft gerept over die hele langdurige en opmerkelijke geschiedenis van haar zwangerschap toen ze in het getto woonde, noch over de geboorte van een kind dat meteen door filantropische verzetsmensen werd afgevoerd, een kind dat ze misschien nooit in haar eigen armen heeft gehouden. Misschien heeft Doris die informatie opzettelijk achtergehouden of misschien had ze de herinnering verdrongen, in welk geval ze zich niet bewust zal zijn geweest van het feit dat ze naar haar zoon keek toen ze jouw gezicht op televisie zag. Het is ook nog mogelijk dat het allemaal toeval is en dat de conclusies die ik heb getrokken alleen maar de weerslag zijn van een dwangneurose van mijn kant om een verhaal te vinden dat klopt. Ik heb die laatste mogelijkheid zorgvuldig overwo-

gen en blijf haar verwerpen. Misschien ben ik op dat punt niet helemaal rationeel. Als ik zo vrij mag zijn zou ik je graag telefonisch spreken. Ik geef je hierbij de telefoonnummers van mijn werk en thuis en hoop dat je me wilt bellen, het maakt niet uit op welk moment.

Met hartelijke groet,
Beverly

OVER EEN GESPREK MET MIJN NIEUWE ZUS

Ik belde haar nadat ik de vijf cassettebandjes had beluisterd waarop ik de stem van haar tante Doris had gehoord, een stem die me griezelig bekend voorkwam. Na wat nerveuze begroetingen en inleidende beleefdheden vertelde ik haar over de telefoontjes die ik van de vrouw in New Jersey had gekregen. Ze zei dat Max Rubin het inderdaad over een aanzienlijke telefoonrekening van het ziekenhuis had gehad en dat Doris tegen hem had toegegeven dat ze diverse keren naar Israël had gebeld waaronder één keer met mij, hoewel ze daarover had beweerd dat ik me nogal op de vlakte had gehouden. Ondanks de tegenstrijdigheid tussen Doris' verhaal en mijn herinnering aan niet één maar drie korte gesprekken, om maar te zwijgen van het feit dat ik me allesbehalve op de vlakte had gehouden tijdens die telefoongesprekjes, leek het zinloos om er verder op in te gaan. De bevestiging dat de vrouw die naar Hai Bar had gebeld vrijwel zeker Doris was geweest staafde mijn conclusie dat ze in feite mijn biologische moeder was en dat Beverly mijn zus was. Misschien was ik ook niet helemaal rationeel, maar al die verbazingwekkende zij het indirecte bewijzen leken me overtuigend genoeg.

We spraken elkaar nog een keer en toen stelde ze voor dat ze een reis naar Israël zou maken met haar drie kinderen. Ik waarschuwde haar dat ik de laatste tijd publiekelijk onder vuur had gelegen en dat dit in doodsbedreigingen plus een moordaanslag had geresulteerd. Ze zei dat ze er een nachtje over zou slapen, en toen ze weer belde zei ze dat ze niet bang was en vroeg ze of ze eind augustus voor een dag of tien kon komen. Ik waarschuwde haar dat het bloedheet zou zijn, maar dat hinderde haar ook niet erg. Ze zei dat ze een vlucht met El Al zou boeken en toen vroeg ze of ik een hotel in Eilat kon aanraden.

Drie maanden later verscheen ze met haar twee biologische dochters, Jennifer en Rocky, en haar zoon Jordan, die ze onlangs had geadopteerd. Wat waren ze allemaal mooi. Ik viel als een blok voor hen allemaal. Rocky en Jordan droegen ieder eenzelfde hanger van wat me malachiet of toermalijn toescheen; de groene steen bungelde aan een dun zwart koord om hun hals. Ze waren opgetogen over alle dieren. Ze waren ook opgetogen over een privégrapje tussen hen over de rotsachtige gesteldheid van Jordanië, die ze konden zien als we over de weg tussen Eilat en Hai Bar reden. De oudste dochter, Jennifer, was niet zo speels, al kondigde ze op een gegeven moment aan dat ze, nu we toch allemaal zo enthousiast bezig waren aanspraak te maken op verwantschap, Berstein wel als haar vader wilde adopteren. Dat vond Berstein wel amusant. Hij zei tegen haar: 'Wanneer je wilt, ik de papieren tekenen.' Tegen het einde van het bezoek had Berstein haar geleerd hoe ze een M16 moest laden en afvuren. Ze was in haar sas met de foto die we van haar maakten met het geweer in haar handen. Er waren ook foto's van haar, Rocky en Jordan met een wolvenpup die kort ervoor in Hai Bar was achtergelaten door een bedoeïen die zei dat de moeder was gedood. Dat wolfje was me er eentje: hij liep voortdurend te snuiven en andere grappige geluiden door zijn neusgaten te maken. Hij was dol op zijn flesvoeding uit een babyflesje en met name Jordan vond het te gek om de wolf met de fles te voeren.

Ik nam Beverly en de kinderen mee op een trektocht door Sinaï. Het hoogtepunt daarvan was een middagje snorkelen in de Rode Zee bij Sharm el-Sheikh. Terug in Israël maakte ik met hen een tocht door de Timna-vallei en naar Makhtesh Ramon. Ik wilde hun de vele kleuren van de woestijn laten zien. Als het zo uitkwam maakte ik wandelingen met Beverly, alleen wij tweeën. Ze kwam meer op me over als een Israëlische dan als een Amerikaanse. Ik was vol stil ontzag voor Beverly's onverstoorbaarheid en kalmte en als ze sprak was ze heel direct. Ze zei altijd wat ze meende en meende wat ze zei.

Op een van onze wandelingen, op een pad in de buurt van Timna, vroeg ik wat ze me verder nog over onze vader kon vertellen. Ze herhaalde dat ze nog maar vijf was toen ze hem voor het laatst had gezien en dat het niet meeviel om het verschil tussen haar herinneringen en haar dromen te onderkennen gezien de wazige plek die hij bijna een halve eeuw in haar hoofd had ingenomen.

'Vertel me dan over de dromen,' zei ik.

Ze zei: 'Dat is raar. Je klinkt net als mijn vriendin Miriam.'

Maar toen vertelde ze me een aantal feiten. Ze keek me recht in mijn gezicht, wat het gezicht van haar vader was, en zei: 'Hier heb je wat dingen die je moet weten.'

Hij was een man die graag fantaseerde. Hij zei altijd dat hij op een dag een boek zou schrijven van wel duizend pagina's waarin tekeningen van stromende rivieren zouden staan waar je echt in kon duiken. Onder water zwommen vissen die konden praten en groeiden planten die je als kleding kon dragen. Hij was natuurkundeleraar op een gymnasium in Warschau. Hij beweerde altijd dat hij alle bomen en vogels en stenen in heel Polen kende. Hij kende ze persoonlijk. Hij was dol op ze.

Hij verzamelde veren. Hij hield van zwemmen. Hij had zich eens vreselijk in zijn duim gesneden met een mes. Hij had blauwe ogen als die van mij en die van jou. Hij was dol op zingen. Hij was dol op de maan. Als de maan vol was nam hij me vaak mee naar buiten om ernaar te kijken en dan liepen we langs de weilanden en langs de rivier. Zelfs 's winters gingen we buiten onder de maan lopen of soms rennen.

We renden de hele weg naar Litouwen. Zo voelde het tenminste. Misschien hebben we in werkelijkheid niet zo ver gerend voordat we in een treinwagon klommen, maar naar mijn idee renden we praktisch de hele tijd voordat het station aan het einde van een weiland opdoemde. We moesten ons verstoppen tot de trein kwam. In het weiland lagen zeven of acht dode koeien en daar snapte ik niets van. Iemand had ze doodgeschoten, legde hij uit. Zomaar. Soms schieten mensen koeien dood. Enkele dode koeien lagen boven op elkaar, en ik dacht dat dat nog wel verholpen kon worden, dat al die koeien uiteindelijk weer tot leven gewekt zouden worden.

In de trein verstopten we ons onder zakken graan en er waren ratten die minder bang leken dan ik, dus die vond ik wel leuk. Er waren hoge bomen toen de trein door oude wouden reed. Er waren hoge bomen toen ik in de buurt van Kovno uit de trein stapte. Maar er waren ook zoveel dingen die ontbraken. Zoveel dingen waren al weg. Waar waren de twee grote honden die samen met ons waren gevlucht? Waar waren mijn oom Lejb en mijn tante Idel? Waar was mijn vriendin Krajndla Brotman? Waar waren haar honden?

*Op een nacht in 1940 kwam boven Kovno de grootste, helderste maan op die ik ooit had gezien. Toen zag ik mijn vader die terugkwam van een dag wachten samen met een heleboel vluchtelingen. In zijn hand hield hij een gezinsvisum voor Japan en twee kaartjes voor de trein dwars door Siberië. Hij zei dat ik de oceaan zou oversteken naar Amerika. Mijn moeder moest vreselijk huilen en mijn vader sprak Jiddisch toen hij zei: 'Ik kom heel gauw achter jullie aan.' Toen vroeg ik mijn vader: 'En als u nou niet achter ons aan kunt komen?' Hij zei: '*A nechtiger tog.*' Dat bestaat niet. Doe niet zo dwaas. Hij tilde me op, liet me in het rond zwieren en ik geloofde dat het allemaal doodsimpel was.*

OVER HAAR VASTHOUDEN

Eén keer, toen Shoshanna met de kinderen was gaan snorkelen, vroeg Beverly of ze me mocht vasthouden. 'Ik wil je in mijn armen houden,' zei ze tegen me. We stonden in de woonkamer. Ik deed een stap naar voren en sloeg mijn armen om haar heen en algauw stonden we allebei als kleine kinderen te huilen. Lester, Logo en Nachman bleven gewoon doorpitten op de vloer.

OVER VERHALEN DIE ZICH BLIJVEN ONTVOUWEN

Je zou verwachten dat mijn verhaal eerder afgelopen zou zijn en dat had ik ook verwacht, maar ik had het mis, zo bleek, over de deur die na het voorval met Mordechai Akiva dicht zou gaan. Hij stond nog steeds wijd open en leek alleen maar verder open te gaan. Als je op een gegeven moment in je leven net zo'n reeks gebeurtenissen meemaakt als ik in de periode waarover ik schrijf, dan lijkt het misschien net of je een stemvork of een magneet bent, alsof je op een heldere plek bent beland waar allerlei dingen tegelijk verschijnen en je kunt zien hoe dicht je erbij bent en altijd bent geweest, en dan zul je je afvragen waarom ze opeens zijn onthuld. Sommige dingen die je dan ziet zullen je leven veranderen en andere zullen worden vergeten. Het is niet mijn bedoeling om in raadsels te spreken, maar ik wil aanvoeren dat het heel normaal is om al die dingen als een grote legpuzzel te zien die je in elkaar moet passen. Ik wil ook aanvoeren dat sommige stukjes niet zullen passen, nu niet en nooit niet, en dat je moet leren leven met die tweeslachtigheden. Je moet ook leren vertrouwen te stellen in die tweeslachtigheden. Dat is misschien wel het belangrijkste wat ik weet.

De dag voor Beverly en haar kinderen weer naar huis zouden vliegen verschenen er twee mannen in Hai Bar, een zekere agent Sachs en een zekere agent Witherspoon van het Amerikaanse Federal Bureau of Investigation. Ik was er niet toen ze aan kwamen rijden, maar de mannen hadden Dillon in een oogwenk gevonden en begonnen hem vragen te stellen. Toen belde Vicki me en ik haastte me naar Hai Bar. Daar aangekomen werd ik over Dillon ondervraagd en over de vrouw die hem had geholpen. Agent Sachs vroeg me hoe de vrouw heette, en ik verklaarde dat we haar alleen als Helena-Ariadne hadden gekend. De man knikte en viste verder naar wat ik van Dillon wist: zijn motorongeluk meer dan een jaar ervoor, zijn terugkeer naar de Negev-woestijn en zijn revalidatie. Het vreemdste was dat ik me op een speciale manier moest concentreren om me de vrouw die we Helena-Ariadne noemden voor de geest te halen. Zelfs nu nog kan ik alleen herinneringen aan haar oproepen door haar heel lichtjes in gedachten te houden, bij gebrek aan een betere omschrijving. Ik kon me herinneren dat ze haar hoofd kaal had geschoren voor ze wegging. Ik herinnerde me dat ik haar voor het eerst had gezien rond de tijd dat Dillon Morley voor me kwam werken. Ik merkte op dat

Helena-Ariadne soms met me mee was gelopen en me had geholpen als ik het metalen hek rondom het wildpark op gaten inspecteerde. Ik zei dat we daarbij het grootste deel van de tijd zwegen. Toen vroeg agent Sachs: 'Waar is dokter Beverly Rabinowitz op dit moment?'

Dat was het moment in het gesprek waarop ik op mijn tellen begon te passen en me realiseerde dat ik niet wettelijk verplicht was om vragen van die agenten uit de Verenigde Staten te beantwoorden. Ik wilde Beverly bellen en haar waarschuwen, maar ik had geen idee waarvoor ik haar dan moest waarschuwen. Berstein kwam het kantoor in met Yotam. Dillon en Vicki hielden zich koest en zaten achter de receptie. Hun baby lag in een reiswieg naast hen te slapen. Ik keek naar agent Sachs, een lange, magere man van begin vijftig. Ik keek naar zijn meer gedrongen en fysiek meer intimiderende partner en toen zei ik: 'Jullie zullen me precies uit moeten leggen wat jullie hier komen doen.'

Agent Sachs, die duidelijk het meest aan het woord was, zei: 'We zijn op zoek naar een voortvluchtige vrouw die in het echt Katherine Clay Goldman heet. We geloven dat zij de vrouw is die u als Helena-Ariadne hebt gekend en die onder een schuilnaam te werk gaat, zoals haar gewoonte is sinds het begin van de jaren zeventig en misschien ook al eerder.'

Ik vroeg: 'En wat heeft dat met Beverly en haar kinderen te maken?'

Nog terwijl ik sprak stopte Beverly's auto op de parkeerplaats van Hai Bar. Ik zag de kinderen eruit komen. Toen stapte Beverly uit.

'Is dat Beverly Rabinowitz?' vroeg agent Sachs. Ik knikte.

'Dan is dat niet Clay,' zei agent Witherspoon. 'En ook niet Helena-Ariadne.'

Agent Sachs zei: 'Nee, dat is ze niet. Tenminste niet voor zover ik weet.'

Hij schudde zijn hoofd en we staarden met z'n allen naar de mannen, in de war.

OVER DE TWEE AMERIKAANSE AGENTEN

Zoals agent Sachs ons ten slotte onthulde hadden hij en zijn partner Beverly zowat een jaar lang in de gaten gehouden. Haar naam was opgedoken tijdens diverse ondervragingen van een jonge man die gitaar speelde en op boten in Florida werkte. Ze hadden de jonge man, Timothy Birdsey, nagetrokken omdat hij met Dillon Morleys zus naar Salt Lake City was gegaan waar de agenten, toen Dillon in coma lag, via een reeks gebeurtenissen die Sachs verder niet toelichtte een confrontatie hadden gehad met Katherine Clay Goldman. Korter geleden hadden ze vernomen dat Dillon was getrouwd. Ze hadden zowel Dee als Julia ondervraagd toen ze erachter kwamen dat zij op de bruiloft waren geweest. Ze konden hun oren niet geloven toen Dee hun vertelde dat Dillon helemaal was hersteld met behulp van een vrouw die hij Helena-Ariadne noemde, en ze hadden van een agent die in Jeruzalem was gestationeerd bevestiging over zijn gezondheidstoestand gekregen. Sindsdien hadden ze vluchten naar Israël gecontroleerd op verdachten die Katherine Clay Goldman c.q. Helena-Ariadne zouden kunnen zijn. Omdat haar schuilnamen doorgaans niet willekeurig gekozen waren was hun argwaan gewekt toen ze ontdekten dat Beverly Rabinowitz van JFK International Airport naar de luchthaven Ben-Gurion zou vliegen en daarna in een hotel in Eilat zou verblijven. Het leek ongewoon dat een Amerikaanse vrouw met drie kinderen op een tiendaagse reis naar Israël alleen maar naar Eilat zou gaan, en dus gingen ze af op hun intuïtie dat Beverly Rabinowitz misschien Goldmans meest recente schuilnaam was. Toen agent Sachs dat allemaal uiteen had gezet gingen Beverly en ik met de twee mannen in een kamer zitten om minstens een uur lang de precieze toedracht van ons eerste contact in juni en die van haar huidige bezoek uit de doeken te doen. De FBI-agenten luisterden aandachtig en namen ons gesprek op. Zodoende vertelden we de mannen het grootste deel van het verhaal dat ik jou vertel.

De volgende dag zwaaiden we Beverly en haar kinderen uit met T-shirts en posters van Hai Bar en met de belofte hen in New Jersey op te komen zoeken. Hun El Al-vlucht vertrok pas tegen middernacht dus brachten ze de middag en avond door met het bezoeken van bezienswaardigheden en een etentje in Jaffa, de oude haven van Tel Aviv. Kort na hun thuiskomst belde Beverly me uit New Jersey. Ze waren veilig terug, zonder incidenten, op het vermakelijke feit na, zo verwoordde Beverly het, dat die twee FBI-agenten achter hen hadden gezeten. 'Hoe beviel dat?' vroeg ik, en ze zei dat ze de zenuwen had gekregen van de aanwezigheid van die mannen en dat ze geen minuut had geslapen. De agenten ook niet, zei Beverly, noch de immer waakzame Jennifer. Ze zei dat Jennifer zich voortdurend had omgedraaid en de schimmige mannen met allerlei gekeuvel had beziggehouden. Ze zei dat ze ook nu nog, terwijl we met elkaar aan de telefoon waren, het gevoel had dat de mannen ergens in de buurt op de loer lagen.

OVER JOU

Je bent kort na het bezoek van Beverly en haar kinderen verwekt. Zes weken later begon ik jou te schrijven. Destijds had ik geen idee waar ik aan begonnen was. Toen ik de pen voor het eerst op het papier zette, schreef ik: *Vandaag ben je achtentwintig dagen oud, in zekere zin. Volgens het zwangerschapsboek dat ik van je moeder moet lezen ben je een embryo en word je binnenkort een foetus. Elke dag gebeuren er ontzaglijke dingen met je. Twee dagen geleden is de aanzet tot je armen verschenen, evenals het paar holtes die weldra de binnenkant van je oren zullen worden. Gisteren is je lever gevormd, samen met het begin van je galblaas, maag, schildklier, darmen, alvleesklier en longen. Vandaag is de aanzet tot je twee benen verschenen en vormen je ooglenzen zich. Ik had geen idee dat je voor je geboorte drie paar nieren achter elkaar krijgt. Het eerste paar, dat nooit functioneert (voor zover we weten) is begin deze week verschenen en inmiddels al vervangen door een tweede paar, dat maar kort zal werken.*

Toen ik hieraan begon nam ik aan dat ik er diezelfde nacht klaar mee zou zijn. Wat ik je wilde vertellen is duidelijk een stuk veelomvattender geworden.

Ik nader nu het einde van dit bericht aan jou, dit vreemde geschrift dat steeds verder lijkt uit te dijen, zich in zichzelf draait en zich dan weer naar buiten keert. Ik heb zitten dubben of ik het volgende document, dat ik afgelopen najaar totaal onverwachts door FBI-agent Leopold Sachs kreeg toegestuurd, wel of niet moest opnemen. Hij schreef dat hij de informatie die Beverly en ik hem hadden verschaft had nagetrokken, het relaas dat ik al heb gedaan over mijn herkomst uit Kovno in Litouwen aangevuld met Beverly's verhaal over de vijfhonderd joodse intellectuelen die in augustus 1941 waren geëxecuteerd en de legende over de twee mannen die het zouden hebben overleefd. In zijn brief omschreef Sachs de gefotokopieerde pagina's die hij had ingesloten als 'interessant, zelfs prikkelend' maar waren het evenzeer mogelijk 'de waanvoorstellingen van een man met zelfmoordneigingen die geleidelijk zijn verstand verloor'. Wat hij had gestuurd waren zes pagina's uit het handgeschreven dagboek van Georg Vogel, een vermeende voormalige naziofficier die zijn naam in George Gunther Birdsey had veranderd en in Florida woonde tot zijn zelfmoord in 1954. De dagboekaantekeningen, die pas recentelijk waren ontdekt, waren in het Duits maar Sachs had er een Engelse vertaling bijgevoegd. Waarom hij zich al die moeite had getroost weet ik niet. Ik las zijn brief, en daarna bekeek ik de gefotokopieerde Duitse stukjes. Mijn oog viel op woorden die ik kende en ik zag dat het handschrift van de vermeende nazi schuin achteroverhelde en dat hij streepjes in plaats van punten boven zijn i's zette en dat zijn letters op sommige plekken heel dik waren, wat erop wees dat hij daar hard had gedrukt. Toen ik alle mogelijkheden tot verder uitstel had benut las ik de volgende vertaling.

3 oktober 54
Er was één jood die ik me beter herinnerde dan alle anderen, omdat hij samen met een andere man in Litouwen uit de modder kwam gekropen en toen we hen zagen begonnen we te schieten en hoewel de ander op slag dood was bleef die ene jood rennen en werd hij niet door onze kogels geraakt. We achtervolgden hem met de jeep en hij rende een brug op en toen duidelijk was dat hij niet kon ontkomen sprong hij en ik rende erheen om te kijken waar hij

was terechtgekomen. Ik kwam bij de brugleuning en keek omlaag en wat ik tot mijn grote verbazing zag was dat de jood aan een steunbalk hing. Er ging een schok door me heen en ik voelde me niet meester over mijn eigen daden en in een reflex stak in mijn hand omlaag. Voor ik besefte wat ik deed had ik de jood omhooggetrokken en in veiligheid gebracht. De andere soldaten waren net zo in de war als ikzelf door wat ik had gedaan, en om mezelf te verantwoorden zei ik tegen hen dat de man ondervraagd moest worden voor we hem uit de weg ruimden. Vanwege mijn rang gehoorzaamden ze. Later ging ik naar de jood kijken. Ik wilde hem doden, maar de verrassing die ik had gevoeld toen ik hem bij zijn arm had gegrepen maakte dat nog steeds onmogelijk. In plaats daarvan nam ik de jood stiekem mee naar huis en verborg hem in mijn kelder. Ik gaf hem eten en doodde anderen als compensatie. Werkelijk, ik schoot elke jood dood die uiterlijk op hem leek. Ik vuurde kogels in het hoofd van die plaatsvervangers en nog steeds weigerde ik de jood te doden die ik in mijn kelder verborg. Als ik nu aan hem denk zie ik zijn blauwe ogen voor me.

6 oktober 54
De jood vertelde me dat hij in Polen had gewoond voor hij met zijn gezin naar Litouwen was gevlucht en hij vroeg vaak of hij weg mocht zodat hij terug kon gaan naar Kaunas en ik legde aan hem uit dat hij het met de dood zou bekopen als hij daarheen ging en hij vroeg waarom mij dat dwars zou zitten. Het kon mij niet schelen of hij doodging, maar ik wist wel dat hij me zou verraden als hij gevangen werd genomen. Ik besefte dat het het beste is om je te ontdoen van iets wat je niet begrijpt, maar ik kon mezelf er nog steeds niet toe brengen om hem te doden. In plaats daarvan verborg ik de jood meer dan drieënhalf jaar bij ons thuis.

12 oktober 54
Toen de oorlog was afgelopen verdween de jood. Ik werd op een dag wakker en ontdekte dat hij ervandoor was. Ik wist dat het maar kort zou duren voor bekend werd wat ik in Stutthof en Chelmno had gedaan dus betaalde ik enorme sommen geld voor onze visa en weldra vertrokken we per boot uit Riga. Maar op een of andere manier volgde de jood me toen ik uit Europa vertrok. Ik bedoel zijn brieven. Hij spoorde me op. Hij schreef me en drie keer heb ik

teruggeschreven. Ik schreef naar Denemarken, naar Holland en naar Toronto. Ten slotte schreef ik niet meer, omdat ik bang was dat mijn ware identiteit aan het licht zou komen. Toen begon hij me lijsten te sturen met namen van joden die in de kampen waren omgebracht en die brieven vernietigde ik snel. Ik verbrandde ze of kauwde de bladzijden tot pulp en slikte ze door.

21 okt 54
De jood heeft me brieven uit Argentinië gestuurd om te zeggen dat hij terug wil gaan naar het Oude Land waarmee ik begin te vermoeden dat hij Oost-Duitsland of Polen bedoelt maar het is nu lastig om daar terug naartoe te gaan en ik weet niet zeker wat hij bedoelt. Misschien bedoelt hij met zijn Oude Land wel Palestina. Misschien is dat het Oude Land maar ik denk het niet. De jood schrijft dat hij een geweer in zijn mond zal steken en op die manier zal sterven en misschien bedoelt hij dat wel met het Oude Land. Hij schrijft dat ik ook een geweer in mijn mond zal steken en hij heeft gelijk, dat ben ik van plan.

23 okt 54
Ik kan vannacht niet slapen en het is net of de jood in mijn oor praat en zegt dat ik even dankbaar moet zijn om zijn menslievendheid als hij om de mijne. Om het geklets in mijn oor te stoppen haal ik me zijn brieven voor de geest. Hij schreef een keer uit Holland dat als je de toren van de Nieuwe Kerk beklimt en bovenin heel stil staat dat je hem dan in de wind heen en weer voelt wiegen. Ik wist niet wat hij bedoelde met de Nieuwe Kerk maar mijn hoofd slaat op hol bij de gedachte om zo heen en weer te wiegen en nu wacht ik vol verlangen op de dageraad.

24 oktober 54
Een andere keer schreef de jood over vulkanen die hij in de Stille Zuidzee heeft bezocht en hij zei dat de aarde daar boeren laat en dat je daar meer ziet dan wat bekend is als je op dat boeren let. Hij schreef het in blokletters: LET OP HET BOEREN. *Ik kon niet met zekerheid zeggen of de jood achter die brieven zit te lachen en het is ook mogelijk dat hij moet huilen en het is evengoed mogelijk dat hij moet boeren.*

28 okt 54
Misschien behoort de jood die me achtervolgt tot een oude orde van wezens die onder de grond leven en in de lucht en is dat de reden waarom ik hem niet kon doden. Er zijn er twee in elke wereld, heeft hij me eens verteld toen ik hem eten bracht. Twee in elke wereld die niet zullen sterven omdat de twee één zijn en de één geen van beiden is. Hij moest lachen toen hij zag dat ik geïnteresseerd was en hij zei dat mijn zoontje het hem had verteld en dat die het hoogstwaarschijnlijk in een verhalenboek had gelezen.

4 nov 54
In de laatste brief die ik van de jood zal lezen zegt hij dat we elkaar weer zullen treffen op een andere plek die niet deze wereld is maar er wel op lijkt behalve dat bepaalde patronen anders zullen zijn. Wat moet ik daarvan denken? Hij zegt dat we in die andere wereld geen joden of walvissen of vogels moeten doden. Ik begin te denken dat ik een held ben omdat ik die jood heb gered ook al kan ik niet begrijpen wat me ertoe dreef om hem bij zijn arm te grijpen toen hij aan een brug hing. Ik begin te denken dat het goed is om de wereld met al zijn vragen en informatie te verlaten. Binnenkort stap ik naar buiten en steek een geweer in mijn mond en haal de trekker over. Ik vraag dat mijn overpeinzingen, als ze ooit worden gevonden, indien mogelijk naar die man worden gestuurd die uit zijn graf klom, die dodenbezweerder of wat die man ook was. Als hij niet opgespoord kan worden moet dit naar zijn zonen en dochters worden gestuurd die hem overleven. Misschien zullen zij de daden waarover ik het heb begrijpen en weten of het redden van deze ene jood enige zin had terwijl ik er duizenden andere heb vermoord.

Ik heb later een docent aan de Hebreeuwse Universiteit geraadpleegd die Duits sprak en kon bevestigen dat de vertaling accuraat was. Ik belde Beverly, die ook kopieën van de pagina's van agent Sachs had gekregen. Ze zei dat ze de dagboekaantekeningen één keer voor zichzelf had gelezen en één keer per telefoon aan Jennifer had voorgelezen en ze daarna naar haar jeugdvriendin Miriam had gestuurd, die het hele pak in een doos op haar zolder had gestopt om redenen die symbolisch en therapeutisch waren en gewoon een rare vriendinnengril. Ik vroeg of de dingen die de nazi had geschreven naar haar mening op waanvoorstellingen berustten. Ze zei dat ze daar nog niet uit was en dat ze de kwestie later nader zou onderzoeken. Ik weet nog steeds niet wat ik van dat alles moet denken, maar ik sluit het verwarde en heel dubieuze getuigenis van Georg Vogel hierbij in bij wijze van suggestie dat wat we van deze wereld begrijpen altijd in twijfel kan worden getrokken.

OVER VERHALEN DIE EINDIGEN

Zoals je wel aanvoelt tref ik voorbereidingen om voorlopig op te houden met schrijven. Dit is een punt waar verhalen niet meer kunnen volgen. Waar het leven en verhalen uiteen moeten lopen.

Maar ik zal je nog één ding vertellen. Ik zal je vertellen dat ik de vrouw die we Helena-Ariadne noemden heb gezien, pas geleden op een middag, toen ik naar het noorden reed over de weg door het Arava-breukdal. Ze liep langs de westelijke omheining van het Hai Bar-reservaat. Ik zette mijn jeep stil in de berm toen ik haar zag, en op dat moment vroeg ik me niet eens af wat ze daar uitvoerde.

Ik riep: 'Hallo!' en ze keek op. Ze zei: 'Kom even hier,' en dus stapte ik uit de jeep en liep naar haar toe. Ze wees op een plek waar het hek loszat en waar een dier een kuil had gegraven zodat het eronderdoor het park in kon komen. Het verbaasde me dat het me was ontgaan omdat ik die ochtend nog langs de hele omheining was gelopen.

'Ik heb er nog meer gezien,' zei ze. 'Een stuk of wat.'

Ik zei: 'Dat is vast een koppige jakhals of vos.'

Ze zei: 'Nee hoor, geen van tweeën.'

'Wat dan wel?' vroeg ik.

'Dat wil je niet weten,' zei ze.

Ik holde terug naar de jeep en pakte een schop. Ik gooide de kuil dicht. Ik had haar auto niet op het parkeerterrein bij het kantoor zien staan, maar toen ik dat zei vertelde ze dat ze haar auto naast de kooi had geparkeerd waarin we onze caracal Dionysus hielden en dat ik hem zeker over het hoofd had gezien. We liepen verder. Ze vond nog een gat, iets groter, en ook dat gooide ik dicht.

'Telkens weer nieuwe gaten,' zei ik, en ze antwoordde: 'Telkens weer.' Ik begon haar over Beverly Rabinowitz en onze ontmoeting met de Amerikaanse agenten te vertellen, maar nog voor ik mijn derde zin kon afmaken zei ze: 'Wees maar niet bang. Vandaag zit er niemand achter me aan.'

Ik vroeg: 'Je weet van die mannen?'

'Ik ken ze goed,' zei ze.

'Weet je wat ze wilden?'

'Dat valt moeilijk met zekerheid te zeggen,' antwoordde ze. 'Ze schijnen me aan te zien voor een crimineel, maar soms zijn dingen moeilijker te doorgronden dan het lijkt. Soms zijn ze ondoorgrondelijker dan iemand van ons kan bevatten.'

We kwamen bij het einde van het hek en bleven staan. Naar het noorden strekte het Arava-breukdal zich uit naar de einder. Bosjes heesters en hier en daar een acacia verzamelden zich in de wadi's. Het dal bestond hoofdzakelijk uit glad zand en rolstenen van kalksteen.

Ik vroeg: 'Wie ben je?'

Ze zei: 'Het antwoord is telkens anders.'

'Wie ben je nu?'

Ze zei: 'Ik ben iemand die je over die gaten komt vertellen.'

'Is dat alles?' vroeg ik.

'Dat is alles,' zei ze. 'We moeten om het hele hek heen lopen.'

En dus liepen we verder, en toen we er helemaal omheen gelopen waren stond haar auto daar, precies waar ze had gezegd. Ze stapte in en zei: 'Het was goed om je weer te zien, Amnon.' Ik zwaaide ten afscheid, en toen ze wegreed hield ik mezelf voor dat ik, als ik maar hard genoeg nadacht, wel zou begrijpen wat haar doel was. Ik piekerde en peinsde tot het aanvoelde of mijn brein wegsmolt, maar het enige wat ik begreep was dat ze verder was gegaan naar een ander doel.

Deze wereld ontgaat zichzelf. Misschien is dat een eenvoudiger manier om het te zeggen. Er zijn nachten dat ik bijna tot de dageraad opblijf, dat ik stil in de woonkamer zit terwijl Shoshanna in ons bed slaapt en jij binnenin haar slaapt en Lester en Logo op de vloer naast het bed slapen en de twee vossen heen en weer rennen als de boefjes die ze zijn en Nachman door de woonkamer waggelt en zich afvraagt wat ik uitspook. Er zijn dagen dat ik naar je moeder kijk, wier enige uiterlijke verwijzing naar jou voor het ongeoefende oog haar borsten zijn die een stuk groter zijn normaal, en dan denk ik bij mezelf dat wat ze in haar buik draagt het vreemdste van alle raadsels blijft. Er zijn dagen dat ik naar haar kijk en een blijdschap voel die zo sterk is dat het angstaanjagend is om te bedenken dat de toekomst die ik voor me zie ongewis blijft. Dan laat ik het los. Ik doe wat ik kan ter voorbereiding op je komst. Ik leg dit neer, stap over Lester heen en in bed bij Shoshanna. Ik sluit mijn ogen, ook al heb ik het gevoel dat een deel van me blijft waken, dat een deel van mij zich nu pas begint te herinneren wie ik was.

DANKBETUIGING

Ik wil graag mijn waardering uitspreken voor mijn geweldige redacteur, Reagan Arthur, en mijn miraculeuze literair agent, Gail Hochman. Mijn dank gaat ook uit naar Jenny Parrott van Little, Brown (GB) en naar Jaco Groot van Uitgeverij De Harmonie. Om hun inspiratie, commentaar en allerlei soorten bijstand wil ik ook mijn dank betuigen aan Virginia Barber, Joe Mangine, Murray Schwartz, Mako Yoshikawa, Richard Hoffman, Edison Santana, Dan Green, Meghan O'Rourke, Linda B. Swanson-Davies, David McGlynn, Andrea Walker, Oliver Haslegrave, Jody Klein, Jeff Gordinier, Michael D'Alessio, Herb Hartman, Doris Hartman, Ronnie Lambrou en Randy Cole. Voorts bedank ik Peggy Freudenthal, Ben Allen en Tracy Roe voor hun inspanningen tijdens het persklaar maken. Dank aan het Senior Historians' Office van het U.S. Holocaust Memorial Museum, historici van het Lower East Side Tenement Museum en stafleden van het National Yiddish Book Center. Zoals altijd bedank ik mijn ouders, wier herinneringen onontbeerlijk waren bij het schrijven van dit boek. En het meest van allen bedank ik mijn vrouw, Cailin, die al deze pagina's als eerste heeft gelezen – voor je liefde, je geduld, je enthousiasme, je niet-aflatende steun.

Ten slotte wil ik graag postuum mijn dank betuigen aan de schilder en dichter Anne Krosby (1957-1993). De oorsprong van dit boek ligt in diverse nachtelijke, maanbeschenen wandelingen die wij in het najaar van 1992 in Cummington, Massachusetts, hebben gemaakt.

COLOFON

Dag voor nacht van Frederick Reiken werd in opdracht van Uitgeverij De Harmonie te Amsterdam gedrukt door HooibergHaasbeek te Meppel.

Oorspronkelijke uitgave *Day for Night*, Reagan Arthur Books / Little Brown and Company, New York, 2010
Omslagontwerp Rob Westendorp
Afbeelding omslag © John Caruso, Chicago
Typografie Ar Nederhof

ISBN 978 90 6169 936 1
Eerste druk oktober 2010

www.deharmonie.nl

De vertaler ontving voor deze vertaling een werkbeurs van het Nederlands Letterenfonds.

Het motto van Jorge Luis Borges is afkomstig uit het verhaal 'De tuin met zich splitsende paden' dat is opgenomen in de bundel *De Aleph,* vertaald door Barber van de Pol. De twee citaten in hoofdstuk negen zijn afkomstig uit het verhaal 'Het schrift van de god' uit dezelfde bundel.